К 60-летию Победы

Алесь Адамович
Даниил Гранин

Блокадная книга

В двух книгах

Книга первая

Москва
ТЕРРА – КНИЖНЫЙ КЛУБ
2005

УДК 882
ББК 84 (2Рос=Рус)6
А28

А28   **Адамович А. М., Гранин Д. А.**
     Блокадная книга: В 2 кн. Кн. 1. — М.:
ТЕРРА—Книжный клуб, 2005. — 320 с.;
24 с. ил. — (Великая Отечественная).

   ISBN 5-275-01263-2 (кн. 1)
   ISBN 5-275-01265-9

   Даниил Гранин назвал девятьсот дней блокады
Ленинграда «эпопей человеческих страданий».
«Блокадная книга», написанная им совместно с Алесем
Адамовичем, основана на воспоминаниях и дневниках
сотен блокадников. Среди свидетельств тех страшных
дней – дневники погибшего подростка Юры Рябинкина,
ученого-историка Г.А. Князева и многие другие. «Это
была история не девятисот дней подвига, а девятисот
дней невыносимых мучений», – писал Д. Гранин.
   Эта книга о героизме, но героизме «внутрисемей-
ном, внутриквартирном», книга о пределах человека и
его духовной силе, которая помогла многим людям пережить испытания голодом, холодом, обстрелами и в
нечеловеческих условиях остаться людьми.

УДК 882
ББК 84 (2Рос=Рус)6

ДАНИИЛ ГРАНИН
История создания «Блокадной книги»

Боевое охранение наше стояло рядом с немцами. Было слышно, как они разговаривают, как звякает немецкая посуда. И, когда снайпер попадал в кого-нибудь, — крик, ругань.

Собственно, с этого времени началась блокада Ленинграда. С утра над нами проносились немецкие эскадрильи, шли бомбардировщики бомбить город. Мы видели, как поднимались столбы дыма, пожары. Они длились долго, и можно было гадать, где примерно что горит. Вечером... под вечер — вторая бомбежка. А между ними — с мягким шелестом проносились снаряды дальнобойной артиллерии. Мы ничему не могли помешать. Зениток у нас не было. Вначале пробовали стрелять из винтовок, но это, конечно, ничего не давало.

Город за нами страдал. Мы видели, как его бомбили, обстреливали и плохо представляли, что творится в самом городе. Вскоре и мы на собственной шкуре почувствовали голод. И у нас начались отечность, дистрофия. Ходили по ночам на «нейтралку», на картофельные и капустные поля, искали картошку, хоть подгнившую, капустные листья.

За время блокады я в городе был раза два или три всего. Один раз нес пакет куда-то, проходил село Рыбацкое и видел, как лошадь, которая тащила сани с патронными ящиками, молоденький красноармеец погонял ее, упала на подъеме и встать не смогла. Как он ее ни лупил, ни бил — она дрыгала ногами и подняться не могла. А тут вдруг откуда ни возьмись налетели люди, закутанные во что попало, с топорами, ножами, принялись кромсать лошадь, вырезать куски из нее. Буквально через минут двадцать остались только кости. Всё обглодали.

Запомнилось и то, какой был город. Занесенный снегом, высокие сугробы, тропинки между ними — это улицы. Только по центральным улицам можно было ехать на машине. Лежали трупы, не так много. Лежали больше в подъездах. Город был засыпан чистым-чистым снегом. Безмолвный, только тикал метроном из больших репродукторов, которые были повсюду. Витрины все заколочены. Памятник Петру, памятник Екатерине — завалены мешками с песком. Никто из нас не стремился в этот блокадный город.

Жизнь блокадная шла среди разбомбленных домов. Угол Моховой и Пестеля. Дом стоял словно бы разрезанный. Бесстыдно раскрылись внутренности квартир, где-то на четвертом этаже стоял платяной шкаф. Дверца болталась, хлопала на ветру. Оттуда выдувались платья, костюмы. Разбомбленные дома дымили. Пожары после бомбежек или снарядов — продолжались неделями. Иногда возле них прохожие грелись. Гостиный Двор, черный весь от пожара. В Александровском саду траншеи, зенитки. Траншеи были и на Марсовом поле.

Однажды нам поручили втроем вести пленного немца через город в штаб. Я наблюдал не столько за городом, сколько за немцем, которого вел, — какой ужас был на его лице, когда мы встречали прохожих. Замотанных в какие-то немыслимые платки, шарфы с черными от копоти лицами. Не поймешь — мужчина, женщина, старый, молодой. Как тени, они брели по городу. Началась тревога, завыли сирены, мы продолжали вести этого немца. Видели безразличие на лицах прохожих, которые смотрели на него. Он-то ужаснулся, а они уже без всяких чувств встречали человека в немецкой шинели.

Два раза к нам на передовую приезжали концертные бригады из Радиокомитета. Артистов мы угощали пшенной кашей, поили водкой. Мы видели, как они ели, как откладывали в пластмассовые коробочки кашу. И понимали степень их голода. Это был другой голод, чем наш, окопный, которого тоже хватало, чтобы отправлять время от времени в госпиталь дистрофиков и опухших.

Я считал, что знаю, что такое блокада. Когда ко мне в семьдесят четвертом году приехал Алесь Адамович и предложил писать книгу о блокаде, записывать рассказы блокадников — я отказался. Считал, что про блокаду все известно. Видел фильм «Балтийское небо», читал какие-то рассказы, книги, стихи. Ну что такое блокада? Ну, голод; ну, обстрел; ну, бомбежка; ну, разрушенные дома. Все это известно, ничего нового для себя я не представлял. Он долго меня уговаривал. Несколько дней шли эти переговоры. Наконец, поскольку у нас были давние, дружеские отношения, он уговорил хотя бы поехать послушать рассказ его знакомой блокадницы.

Мы даже, по-моему, не записывали, или записали потом, по памяти... Ей было восемнадцать лет... у нее был роман. Любила Федю, своего жениха. Федю взяли в армию, и стояла его часть тоже где-то в районе Шушар. Она пробиралась к нему. Носила сухари, варенье, носила домашние вещи: рукавички, шарф. Но главное — как она пробиралась туда. Я знал: заставы наши, патрули не пропускали штатских, гражданских, это строго-настрого было запрещено. Перебежчики могли быть, могли быть шпионы, осведомители. Тем не менее, она несколько раз побывала у него, шла шестнадцать километров, добиралась до их части, упрашивала, умаливала эти патрули. И ее пускали. То был удивительный пример любви. Любовь, которая попала в блокаду. Ее рассказ меня и тронул, и удивил.

Кроме этого Адамович уговорил еще к одной блокаднице пожаловать. Короче, я увидел, что существовала во время блокады не известная мне внутрисемейная и внутридушевная жизнь людей, она состояла из подробностей, деталей, трогательных и страшных, необычных. В конце концов, я дал согласие.

Мне все это было странно, поскольку никогда не работал вдвоем, и еще — Адамович не ленинградец. Он белорус. Прошел войну совсем не такую, как я. Партизанскую, в этом заключалась разница наших представлений о войне, о фронте. Но, как потом выяснилось, это имело и свои преимущества. Его наивный и совершенно свежий взгляд на Ленинград, на ленинградскую жизнь, вообще на жизнь большого города, помогал ему увидеть то, что для меня давно стерлось, — не было удивления, особых примет того военного времени.

Так мы начали вместе работать. Блокадники передавали нас друг другу. Тогда блокадников было много. Это были семидесятые годы; середина — конец семидесятых годов. Мы ходили из дома в дом, из квартиры в квартиру, выслушивали, записывали на магнитофон рассказы. Сперва мы ходили вместе, потом разделились, чтобы охватить больше людей. Почему нам было нужно больше людей? Да потому, что оказалось, у каждого есть свой рассказ. У каждого оказалась своя трагедия, своя драма, своя история, свои смерти. Люди и голодали по-разному, и умирали по-разному... Мы набрали сто рассказов, и ничего не повторилось. Посмотрели эти сто рассказов и поняли, что у нас есть какие-то пробелы. Тогда мы разделились, начали работать порознь.

Что такое эта запись? Тоже интересно. Приходили мы — и блокадники большей частью, не хотели ничего рассказывать. Не хотели возвращаться в ту зиму, в те блокадные годы, в голод, в смерти, в свое унизительное состояние. Ни за что!.. Но потом соглашались, как правило, не было ни одного случая, чтобы нам отказали наотрез. Иногда мы уходили, а они потом звонили нам и приглашали. Мы не сразу поняли, в чем тут дело. Потом разобрались, у людей была потребность рассказать, чтобы освободиться. Какая-то женщина, которая пыталась некогда рассказать об этом своим детям или соседям, внукам, родным, — ее не слушали. Не хотели слушать. Когда приходили мы, писатели, с магнитофоном и она начинала рассказ, они собирались вокруг нас и слушали совершенно по-новому: как мы, как посторонние люди. Часто — слышали впервые о том, что происходило в этой квартире, что происходило с матерью, что происходило в этой семье. Рыдали, плакали.

Эти рассказы — когда переводили их с пленки на бумагу, занимали двадцать-тридцать страниц.

Для расшифровки нужны были стенографистки. Особые стенографистки, потому что нам важно было не просто содержание, надо было сохранить оттенки устной речи. Таких стенографисток почти уже не осталось в городе. Но мы нашли. Двух блокадниц: Нину Ильиничну и Софью, забыл ее отчество, к сожалению. Обе были блокадницы, когда они послушали несколько кассет, заявили, что будут бесплатно все делать. Мы не могли пойти на это, потому что это была — адская работа. Приходилось каждую кассету прогонять несколько раз, чтобы уловить все оттенки устной речи, все эти «э», «м-м», эти мусорные словечки. Обе работали самоотверженно. Если б не они, у нас книга получилась бы бледнее. Они помогли нам сохранить прелесть, естественную корявость рассказов. И получились личностные рассказы, а не просто стенографическая запись.

Многое решал талант рассказчика. Лучше всего рассказывали женщины. Женская память устроена несколько иначе, чем мужская. Ведь мужская память — она глобальная какая-то; мужчин общие ситуации больше интересуют. А подробности быта, бытия, что творилось на малом участке: очередь, булочная, квартира, соседи, лестница, кладбище — это память... женская. Она была более красочная и крепкая. Примерно из десяти рассказов один, как правило, гениальный; два-три рассказа — талантливых, очень интересных. Но даже из невнятных иногда рассказов, все равно всегда всплывали детали и подробности впечатляющие.

Конечно, прошло тридцать лет. С сорок пятого, допустим, по семьдесят пятый год. Память была засорена стереотипами кинофильмов, телевизионных передач, прочитанных книг и так далее. Все это приходилось отсеивать и добираться до личного. Личное было неповторимо.

Мы набрали двести рассказов. Двести — это примерно четыре тысячи страниц, решили на этом кончить, иначе захлебнемся в материале. Но это была четверть работы, сразу возник вопрос: что же это будет за книга? Это ж не коллаж, не просто сборник воспоминаний. Это должна быть книга, где есть сюжет, есть развитие этого сюжета, где есть какая-то наша сверхзадача. О чем? Для чего? Для кого?

Собственно говоря, с половины работы мы поняли, что напечатать эту книгу будет почти невозможно. Существовал к тому времени устоявшийся, окаменелый стереотип идеологии блокады. Блокада — героическая эпопея. Подвиг ленинградцев, которые не сдали город, отстояли его. Девятьсот дней блокады. Единственный город в истории Второй мировой войны, в истории нашей Великой Отечественной войны, который не сдался. И — всё! На Нюрнбергском процессе было зафиксировано, что погибло шестьсот шестьдесят тысяч человек. Ни одного больше! Мы вскоре поняли, что эта цифра, приуменьшена значительно. А главное — что дело не в героизме. В конце концов, для многих это был вынужденный героизм. Героизм заключался в другом. Это был героизм внутрисемейный, внутри квартирный, где люди страдали, погибали, проклинали; где совершались невероятные поступки, вызванные голодом, морозами, обстрелом. Это была эпопея страданий человеческих. Это была история не девятисот дней подвига, а девятисот дней невыносимых мучений. Что, конечно, не соответствовало пафосу подвига, того, что прочно вошел в историю Великой Отечественной войны. Тем не менее, мы продолжали работу.

О чем же эта книга? Мы решили, что эта книга, во-первых, — об интеллигенции и об интеллигентности. Ленинград — город, который отличался высокой культурой, интеллектом, интеллигенцией своей, духовной жизнью. Мы хотели показать, как люди, которые были воспитаны этой культурой, смогли оставаться людьми, выстоять.

Второе, что мы хотели, — показать пределы человека. Мы сами не представляли себе возможностей человека. Человека, который не просто отстаивает свою жизнь, люди эти чувствовали себя участком фронта. Люди понимали, что до тех пор, пока город живой, он может отстаивать себя.

Мы хотели рассказать о том, что такое духовная пища. В общем, постепенно сформировались какие-то темы, которые мы обязательно хотели на собранном материале раскрыть. Просто открыть людям. Мы увидели, что этот материал — уникальный, совершенно особый, нигде в литературе не освещенный. Потому что одно дело — концентрационные лагеря, голод на Украине, голод в Молдавии, другое — блокада. Здесь ужас войны, которая настигает мирных людей. Ужас фашизма. Город должен был вымереть по плану немецкого командования. Это была тоже единственная в истории мировых войн операция.

Так начала складываться эта книга. Мы ее писали, не позволяя себе печатать отрывков.

Не то что бы мы писали ее втайне, но мы никак не оповещали о ней, чтобы не осложнить издание. Эта книга не годилась для того, чтобы ее писать «в стол». Мы застали уже последнюю возможность создания этой книги. Потому что блокадники уходили из жизни.

Мы увидели, в каких ужасных условиях они жили. Так сложилось, что этим людям, которые столько перетерпели, — именно им хуже всех досталось после войны. Они остались в тех же самых жилищных условиях. Надо было вербовать строителей, восстанавливать город. Им давали в первую очередь жилье. Блокадники жили ужасно, и мы хотели хотя бы этой книгой помочь восстановить уважение к ним и понимание того, что они заслуживают большего внимания и льгот.

Поскольку вместе мы писать не привыкли, Адамович писал — присылал мне. Я все перечеркивал и писал ему, что написано отвратительно и никуда не годится. Присылал ему свой вариант, он тоже говорил: куда это? Что это? Кому это? Совсем не то, что мы хотели. И вот так, с руганью, с раздиранием этих рукописей, с выбрасыванием, ссорами... постепенно начали продвигаться к окончательному варианту. Эта работа продолжалась долго — года три, может, и больше. Не помню точно, потому что он в это время своими делами занимался, я тоже свое писал. Тем не менее, книга постепенно нас захватывала все больше, и, в конце концов, мы полностью включились в эту работу. Когда кончили первую часть, мы попытались напечатать ее в ленинградских журналах. Нам сразу же вернули ее. Даже и объяснять не стали. Мы поняли, что в Ленинграде напечатать это невозможно. Ни одно издательство не брало по идеологическим соображениям. Поехали в Москву, решили обратиться в лучший журнал того времени, да и сейчас он, возможно, остается одним из лучших — в «Новый мир». Нам помогло то, что главный редактор Сергей Наровчатов — был фронтовик и воевал на Ленинградском фронте. Диана Тевекелян ведала прозой. Они прочли и решили взять это, прекрасно понимая, как трудно будет.

Действительно, номер с первой частью попал в цензуру, цензура сразу попросила всю рукопись и выдала нам шестьдесят пять изъятий, замечаний, требований. Были некоторые, абсурдные на наш взгляд, требования. Что не устраивало цензуру? Во-первых, малейшее упоминание о людоедстве. О мародерстве. О каких-то злоупотреблениях с карточками. О том, что в голоде был отчасти виновен... виновны власти. О Жданове наши нелицеприятные, значит, высказывания. Ну, было, например, такое, о чем сразу донесли Суслову. Баня. Где-то в феврале в Питере открылась первая баня. По-моему, на Мытнинской. И по этому поводу было несколько рассказов людей, которые попали в баню. Топлива не было, и топили только одно отделение, где мылись мужчины и женщины вместе. Но это были не мужчины и не женщины. Это были просто скелеты, которые помогали друг другу, потому что поднять шайку с водой не могли. Об этом было запрещено категорически упоминать как о порнографии. Хотя то был пример каких-то целомудренных отношений людей, блокадников... Ну, вот такого рода замечания.

Надо сказать, что с помощью «Нового мира», Дианы Тевекелян, Сергея Наровчатова мы кое-что отстояли, но частично — пришлось смириться.

Книга эта вышла и вызвала, с одной стороны — возмущение историков партийных, они считали, что мы «разрушаем героический образ Ленинградской эпопеи». С другой стороны — последовали сотни и сотни писем блокадников, которые посылали свои рассказы, чтобы дополнить, некоторые требовали от нас большей правды, говорили о том, что мы приукрашиваем, были вещи куда страшнее, и так далее.

Книга эта была для нас цепью открытий. Мы увидели, что люди во время блокады относились друг к другу гораздо более сердечно, гуманно и милосердно, чем тогда, в конце семидесятых годов. Что ныне происходит процесс дегуманизации людей, очерствения, бессердечия; блокада в этом смысле пример того, как в тех страшных условиях люди не позволяли себе эгоизма, который и в семидесятые, и вплоть до нынешнего времени позволяют себе.

Главным редактором издательства «Советский писатель», Ленинградского отделения, был Кондрашов Георгий Филимонович — бывший секретарь горкома партии. Городское секретарство вошло ему в плоть и кровь. Когда он получил нашу рукопись, то немедленно понес ее в обком партии. Два писателя именитых; так просто от них отказаться и запретить невозможно, нужны были какие-то ссылки, обоснование. Не знаю точно, но думаю, что эту рукопись или доклад об этой рукописи передали вплоть до первого секретаря обкома. И оттуда пришло следующее: «вы развенчиваете подвиг Ленинграда; ваше дело — не страдания людей, а их мужество и стойкость, а вы смакуете ужасы». Таким образом, эта как бы резолюция обкома партии стала известной, конечно, дальше, никакой речи об издании в Ленинграде уже и быть не могло.

Но мы к такому были готовы, и пошли к Н. Лесючевскому — директору издательства «Советский писатель» в Москве, считая, что в этом смысле Москва более либеральная и свободная, чем наш Питер. Однако Лесючевскому уже доложили, что Ленинград категорически против этого издания. У нас были тяжелые разговоры с Лесючевским. Он сам — бывший ленинградец, втайне-то, конечно, нам сочувствовал. Мы это видели и понимали. Но и он тоже нам отказал. Вот тогда уже началась битва. Когда напечатали в журнале первую, а затем и вторую часть, когда посыпались сотни писем, когда появились положительные рецензии в московских газетах... Вышла книга уже вторым изданием, третьим изданием, ни в одной ленинградской газете не было ни разу рецензии на нее. Вот что значила тогда диктатура обкома партии. Эта книга была, видимо, воспринята как подрывная работа по отношению к фильму «Блокада», который сняли тогда по книге Чаковского. Вообще, книга Чаковского была принята как образец. Так мы будем преподносить блокаду. Так мы ее переведем на экран. Так она соответствует нашему пониманию того, что было здесь девятьсот дней. И никаких отступлений от этого не будет! А ваша работа — подрывная по отношению к фильму, который преподносился в союзе со всеми идеологическими организациями.

А мы посреди работы заболели.

Когда работали, мы друг друга поддерживали уверенностью в том, что никаких запретных вещей для литературы не существует. И нас «поддерживал» в этом смысле Лев Николаевич Толстой, Федор Михайлович Достоевский и другие собратья и коллеги. Нет ничего запретного в литературе! Обо всем можно рассказать!

Так-то так, но мы столкнулись со столь страшными рассказами, — даже сегодня, сейчас не все можно рассказать. Мы, конечно, записывали, но это было невыносимо. И эту невыносимость, этот натурализм жизни блокадной преподносить читателю невозможно, есть какие-то пределы и в литературе.

Например, как один летчик, которого подбили, вернулся в свою семью уже инвалидом... как он страдал от голода и как собирал... вшей с себя и с детей. Собирал вшей и ел их. Геройский летчик. При голоде люди теряли человеческий облик.

Наслушавшись этих рассказов, этих рыданий, истерик и слез, заболел Алесь Адамович. Он слег здесь, в больнице, в Ленинграде, нервная болезнь. Потом слег я. Потому что одно дело — один рассказ послушать, а если за ним — другой, третий, десятый, и все это воспринимать... невыносимо.

Почему Алесь выбрал меня? В Москве мы иногда встречались на каких-то писательских форумах. Тогда очень явственно шло расслоение людей: это наши, это — не наши. Это свои люди, это — не свои. Ну, свои, хотя бы потому, что фронтовики, а еще потому свои, что были авторами «Нового мира». Свои и оттого, что придерживались одних и тех же взглядов. Однажды мне позвонили из «Нового мира» и попросили написать рецензию на его повесть. По-моему, это была его лучшая книга — «Хатынская повесть». И я написал большую рецензию. С тех пор у нас дружба очно-заочная повелась. Когда он позвонил из Минска и сказал, что хочет приехать повидаться со мной, я ответил: приезжай, конечно. Он хитрый был человек. Сельская хитрость в нем была. Приехал и начал меня уговаривать.

Откуда у него вообще возникла идея такой книги? Она у него возникла из предыдущей работы, которая называлась «Я из огненной деревни...», ее он писал вместе с белорусскими писателями — Янкой Брылем и Владимиром Колесником. Они опрашивали людей, которые во время войны в Белоруссии спаслись из истребленных деревень, сумели сбежать, записали их рассказы. Это тоже тяжелые, страшные рассказы. Книга имела успех в Белоруссии, была переведена на русский язык и за границей. Эта работа воодушевила Алеся. И ему пришло в голову: давай сделаем то же самое на ленинградском блокадном материале.

Глава «Ленинградское дело» предназначалась для «Блокадной книги». Вставить ее в первое издание нам с Алесем Адамовичем не удалось. Издатели, цензура отвергали все наши попытки. Между тем без этой главы многое в судьбе послевоенного города, в судьбе блокадников, да и в истории блокады, было непонятно.

«Ленинградское дело» до сих пор остается одной из самых загадочных страниц послевоенной жизни страны. Документы, связанные с этим делом, были уничтожены, очевидно, сразу после смерти Сталина, лично Берией и Маленковым. Версии историков так или иначе сводятся к борьбе за власть: группа Берия — Маленков хотела убрать Вознесенского и Кузнецова, Вознесенского как конкурента, поскольку Сталин однажды назвал его своим преемником. Кузнецова Берия опасался — ему поручено было курировать работу НКВД, вряд ли это устраивало других членов Политбюро. Раздражало влияние ленинградской группы. На фоне тогдашнего Политбюро они отличались образованием, культурой и обрели славу спасителей города. История партии знает немало процессов над всякого рода оппозициями. Особенность «Ленинградского дела» в том, что репрессиям подвергали людей, безусловно преданных лично Сталину, партии, опытных руководителей, проверенных войной, блокадой. Уничтожили всю ленинградскую верхушку, снимали слой за слоем. Я работал тогда в Ленэнерго. У нас управляющим Ленэнерго был Борис Страупе. В условиях блокады он сумел обеспечить энергией оборонные заводы, Смольный. Потом тоже исчез. Погиб начальник кабельной сети города М. Грознов. За что, почему — никто не пояснял. Исчезали один за другим, их даже не называли, как прежде, «врагами народа», просто участники «Ленинградского дела». Говорили — за связь, за знакомство с Попковым, с Капустиным, то есть с секретарями горкома, обкома. Нелепые формулировки не позволяли обсуждать. Неизвестно, сколько людей поглотило это дело, сколько было арестовано, сколько погибло в лагерях. Машина уничтожения никак не могла остановиться. Работала она бестолково, но ожесточенно. Казалось, расправляются с городом, с Ленинградом, давно уже, со времен зиновьевской оппозиции, ненавистным Сталину. Среди обвинений ленинградским руководителям существовало одно, затаенное, публично невысказанное: «противопоставляется геройство ленинградское столичному, московскому». После войны много разговоров было о том, как вело себя в критические дни московское начальство, про панику в октябре 1941 года, сравнивали с ленинградскими начальниками. Слава города-героя на Неве подняла репутацию Попкова, Кузнецова и прочих. Их заслуги, воздаваемый им почет раздражали членов Политбюро, вроде бы накладывали тень на руководство партии. Одно дело военачальники, полководцы, и совсем другое — гражданские, партийные деятели: здесь выпячивается, значит, забирает себе даже какую-то часть славы вождя. Есть один вождь и члены Политбюро, которые все равны, а за ними следуют остальные функционеры, иерархия соблюдалась жестко. Конечно, ни Попков, ни Кузнецов, ни другие ленинградцы сами не претендовали на отдельную славу, их вознесло народное мнение, оно сравнивало и отдавало им предпочтение!

Одним из тех, кого я записывал, собирая материалы для «Блокадной книги» был А. Н. Косыгин — председатель Совета Министров. Во время блокады он был отправлен Сталиным в Ленинград уполномоченным Государственного Комитета Обороны. Историю довольно занятную, даже драматичную, нашего свидания с ним я описал в рассказе «Запретная глава». Она не вошла в «Блокадную книгу»: цензура не допустила. Позже я опубликовал ее отдельно. Был в нашем разговоре один момент, который я не осмыслил. Возможно, если б мы были у Косыгина с А. Адамовичем, моим соавтором, смысл этого эпизода мы бы сообща выявили. К сожалению, Косыгин согласился принять меня одного. И только нынче, перечитывая записи нашего разговора, я обратил внимание на то, как Косыгин вроде бы случайно вспомнил октябрьские дни 1941 года, когда немецкая армия вплотную приблизилась к Москве. Правительство переехало в Куйбышев. Сталин был в Москве. Но кремлевские кабинеты опустели. Повсюду звонили телефоны, Косыгин переходил из кабинета в кабинет, брал трубку, отвечал, чтобы показать — Кремль работает. Это было 16 октября. В его рассказе о блокаде эта история показалась мне случайным отклонением. Но Косыгин был достаточно искушенным политиком, думается, он хотел таким образом подвести к сравнению обоих городов в критические моменты войны. Сравнение было не в пользу Москвы и поскольку это в те годы широко обсуждалось, следовало, очевидно, сбить гонор с ленинградцев. Об этих скрытых мотивах «Ленинградского дела», очевидно, и хотел напомнить Косыгин, вряд ли об этом эпизоде он завел речь случайно. Ни «Ленинградское дело», ни последующая жизнь народа не вызывали никаких мотивов протеста, не было ни оппозиции, ни противостояния, ни критики сталинского режима, большевистской идеологии, ни последующих режимов коммунистических правителей. Вполне послушный, благонамеренный город. В этом отношении столица отличалась куда большим свободолюбием. Ленинградские художники вынуждены были искать защиты от местных ревнителей порядка в Москве, в том же ЦК уже понимали всю абсурдность стараний питерских угодников.

Искательство, перестраховка стали «Ленинградским синдромом». Город был изуродован страхом. И все же в сокровенных своих глубинах он хранил память о мятежном свободомыслии, он должен был возродиться, вернуться к своему европейскому предназначению, которое определили ему два великих россиянина — Петр и Пушкин.

Алесь Адамович
Даниил Гранин

Блокадная книга

Часть первая

Только мы сами знаем...

У этой правды есть адреса, номера телефонов, фамилии, имена. Она живет в ленинградских квартирах, часто с множеством дверных звонков — надо только нажать нужную кнопку, возле которой значится фамилия, записанная в вашем блокноте. Ожидавшая или не ждавшая вашего посещения, вашего неожиданного интереса, она взглянет на вас женскими или не женскими, но обязательно немолодыми и обязательно взволнованно оценивающими глазами («Кто?.. Почему?.. Зачем им это?»). Проведет мимо соседей к себе и скажет тоже почти обязательное: «Сколько лет прошло... Забывается все...»

Ленинградские дома, квартиры блокадников...

Вообразите себе солдата, который живет сегодняшним мирным бытом, но окружен теми же стенами, предметами, как бы все в той же землянке, в том же окопе. Следы осколков от снаряда на потолке (старинном, лепном), осколков стекла на глянце пианино. Пятно-ожог от «буржуйки» на блестящем паркете...

«А здесь паркет испорчен — это мой муж в последнее время колол мебель. Пока он не умер на этом вот диване. Вот здесь...» (*Ден Александра Борисовна*)[1].

«Вот если посмотреть из окон, такой обзор у нас... Ипподром. Чуть налево, если высунуться

---

[1] Здесь и далее курсив, а также примечания авторов.

из любого окна, — Обуховская больница, а вправо — газовый завод. В ту сторону нам можно было смотреть на Бадаевские склады...» (*Пенкина Нина Вячеславовна*).

«Мы встречали 42-й Новый год вот в этой комнате, уже совершенно замороженной. На этом месте стояла «буржуйка». Вывод трубы от нас был вот в тот вентилятор. Видите желтое пятно? Его ничем не замазать, потому что здесь «буржуйка» стояла...» (*Усова Лидия Сергеевна*).

Лидия Сергеевна и сейчас хранит черные занавески, за которыми прятала от самолетов свет своей коптилки. Говорит, не веря сама, но говорит: «Уничтожу их — война начнется!»

Бабич Майя Яновна вспоминает и показывает:

«В блокаду мы остались с мамой вдвоем. В нашей квартире собрались ее приятельницы, и сверху пришли. И в этой квартире, в одной комнате, которая была дальше всего от улицы, в глубине квартиры, все и сгрудились. Стекла были выбиты, и одно окно закрыли вот этим ковром, турецкий ковер ручной работы. Потом матрац прислонили к одному окну... Осколки снарядов залетали в окна, застревали в стенах...»

...Тут его, ленинградца, обстреливали, обрушивали на него смерть — снаряды, бомбы. Тут его истребляли голодом. Он потерял здесь стольких близких, соседей, здоровье потерял. А сейчас (здесь же!) живет, как все. Как все, только со всех сторон окружен памятью...

И в нем самом она, та память о блокаде, о всем выстраданном, пройденном, пережитом вместе с миллионами других ленинградцев, которых уже нет, за которых тоже надо помнить, а если спрашивают — рассказать...

«Столько лет прошло, забывается все...»

Но ничто не забыто — эти родившиеся в Ленинграде же слова звучат и как уверенность, и как надежда, просьба. Да, не забыто — разве может человек такое забыть, даже если бы и хотел, имел право?! Да, все это помнят еще живущие блокадники. Они блокаду выдержали, они переносили ее изо дня в день, сохраняя человеческое достоинство. Но мы, мы, не пережившие этого, или сегодняшние молодые, — имеем ли мы право не стараться узнать обо всем, что вынесли, пережили, перестрадали, сделали и ради нас они, ленинградцы?!

И вот сегодня мы пришли к нему, к ней — именно к этому человеку, чтобы «все записать», потому что время все быстрее уносит свидетелей, участников, тех, кто был, кто знал, кто видел...

Откровенно говоря, мы многого не знали, не знали, какие жестокие вещи стоят за привычными словами «ленинградская блокада». Даже мы, прошедшие войну — один в белорусских партизанах, другой на Ленинградском фронте, — казалось, привычные ко всему, были не готовы к этим рассказам. Они ведь, эти люди, щадили нас все годы, но себя, рассказывая, уже не щадят...

Понять и унести безжалостную быль «ленинградской памяти» легче, если видишь этих людей — самих рассказчиков, а не только слышишь их голоса (с магнитофона) или читаешь их воспоминания.

Многое в этих людях удивительно и неожиданно. Но потом все оказывается таким простым, понятным, таким человеческим... и еще более поразительным.

Например, поражает и бесконечно трогает — сколько их, бывших блокадников, писали и пишут... стихи. Не просто и не только дневники, воспоминания, но и стихи. Едва ли не каждый десятый. (Даже тогда писали. Например, в 1943-м женщина посылает письма-стихи на Большую землю, а ей отвечает, тоже стихами, эвакуированная ленинградка-племянница...) Что это — влияние самого города с его несравненной поэтической культурой? Или же слишком врезалось в сознание ленинградца, как оно было: голод, блокада и стихи (об этом же) — и все рядом? Он их слышал, слушал по радио, жадно, как никогда до этого, — стихи Ольги Берггольц (да и не только ее).

Можно было бы и не придавать особого значения «непрофессиональному» увлечению стихами взрослых людей, если бы за этим не виделось большее, главное: сквозь годы многое в блокаде светится поэтически, проступает романтика общего подвига. Нет, не в том смысле, что ленинградец опускает в своих воспоминаниях холод, голод, трупный ужас тех дней и ночей. Все это живет в нем как крик боли до сих пор. Но во всем и надо всем — понимание почти каждым (поразительно!), что это были *исторические* дни и ночи, сознание, что Ленинград — единственный город, который устоял перед самой длительной блокадой, что образ города этого помог миру, человечеству остановиться на краю страшней пропасти. Отрезанный, блокированный город был, и это надо понять, силен своим неодиночеством, к нему были устремлены внимание, любовь, вера всей страны. Неслыханные жертвы, немыслимые испытания, о которых рассказывает блокадник, просветлены чувством гордости, поэтическим чувством: зато *Ленинград устоял! Мы выстояли! Жизнь продолжается!*

...Вот так настал
    Одетый в кровь и лед,
сорок второй необоримый год.
О, год ожесточенья и упорства!
Лишь насмерть,
    Насмерть всюду встали мы.
Год Ленинграда,
    год его зимы,
год Сталинградского
    единоборства.
В те дни отхлынул быт.
    И смело
в права свои вступило бытие.

Ольга Берггольц

Сколько нужно было выстрадать, пропустить сквозь себя блокадного горя, женской тоски, ленинградской надежды, ожидания («Когда, когда же наконец?!»), чтобы *поэтически* увидеть прорыв блокады, тридцать лет сохранять образ и чувство и вот так рассказать:

«Демобилизовали, и я работала уже с 9 января 1944 года на трамвае, он ходил по Невскому. И вот первый день снятия блокады. Начали военные корабли стрелять. Это такое было зрелище, что я никогда не забуду. Красивое и страшное. Как будто с Невы вся вода, огненно-красная, поднимается и летит через наши головы, а потом сильный грохот...» (*Петрова Анна Алексеевна*, ул. Бассейная, 74, корп. 1).

О блокаде Ленинграда, о героических защитниках невской твердыни, о «наемном убийце» фашистов — блокадном голоде существует обширная документальная литература.

Немало душ, сердец во всем мире потряс зимний дневничок маленькой Тани Савичевой: «Бабушка умерла 25 янв...», «Дядя Алеша 10 мая...», «Мама 13 мая в 7.30 утра...», «Умерли все. Осталась одна Таня».

В драгоценно-подробных дневниках писателя Павла Лукницкого «Ленинград действует» и в записках, дневниках (опубликованных) других свидетелей и участников героической ленинградской эпопеи есть много нестареющей правды, нужной людям.

За послевоенные годы выпущены, особенно в Ленинграде, сборники воспоминаний участников героической обороны Ленинграда и прорыва блокады — генералов, полководцев, рядовых солдат Ленинградского фронта. Изданы воспоминания партийных и советских работников, которые сумели в условиях блокады наладить жизнь осажденного города, поддерживать стойкость в людях, осуществить «Дорогу жизни». Есть воспоминания юных защитников города — школьников, юнг, воспоминания тех, кто создавал в блокированном городе овощную базу, заготавливал лес, торф... Книга об ученых ленинградской блокады, артистах, художниках, врачах, учителях.

Созданы очерки, повести, романы, начиная от «Балтийского неба» Н. Чуковского, «В осаде» В. Кетлинской, книг О. Берггольц, Н. Тихонова, В. Инбер, Вс. Вишневского, А. Фадеева... Все они честно, талантливо, страстно изображали увиденное, пережитое, опыт самих авторов и их героев. Многотомная «Блокада» А. Чаковского вобрала в себя и документы, и факты, передающие мужество великого города. И то, как связана была история ленинградской блокады с историей всей Великой Отечественной войны.

Что еще можно поведать людям, миру обо всем этом? И нужно ли это ему, сегодняшнему миру?

Мы хотели дополнить картину свидетельствами людей о том, как они жили во время блокады. Записать живые голоса участников блокады, их рассказы о себе, о близких, о товарищах. Обыкновенные ленинградцы, работавшие и неработавшие, холостые и семейные, мастера, рабочие, дети, инженеры, медсестры, — впрочем, дело не в специальностях и должностях. Мы ограничивали себя, свой интерес к профессиям, к службам, потому что не в силах охватить разные стороны жизни огромного города, показать все разделы. Нас интересовало прежде всего *пережитое*. Мы хотели записать, понять, сохранить все то, что было пережито, прочувствовано, изведано душами людей, не вообще людей, а конкретных людей с именами и адресами, старых и молодых, сильных и слабых, тех, кого спасали, и тех, кто спасал... Оказалось, что быт и бытие сошлись в тех условиях, когда ведро воды, коптилка, очередь за хлебом — все требовало невероятных усилий, все стало проблемой для измученного, ослабевшего человека...

Откуда брались силы, откуда возникала стойкость, где пребывали истоки душевной крепости?

Перед нами стали открываться не менее мучительные проблемы и нравственного порядка. Иные мерки возникали для понятия доброты, подвига, жестокости, любви. Величайшему испытанию подвергались отношения мужа и жены, матери и детей, близких, родных, сослуживцев.

24

В рассказах людей вставали те сложные моральные задачи, которые приходилось решать каждому человеку. Мы увидели необычайные примеры крепости духа, примеры благородства, красоты, исполнения долга, но и — неслыханных страданий, мучительных лишений, смертей...

Не всегда было ясно — пришло ли время для этих рассказов такой жестокой беспощадности? А с другой стороны — не ушло ли, не упущено ли время и возможность рассказать об этом так, как это было вживе и въяви, так, как это помнят лишь сами ленинградцы?..

В морозные дни обстрелов, голодных галлюцинаций узнаваемый всеми радиоголос Ольги Берггольц говорил ленинградцам и от их имени:

«Только мы сами знаем, какого отдыха мы все заслужили». «И Ленинград щадил ее (Родину), мы долго ничего не говорили о боли, которую испытывали, скрывали от нее свое изнеможение, преуменьшали свои пытки...» «Они девятьсот дней осаждали Ленинград, подвергая его таким пыткам, о которых до сих пор не расскажешь...»

Это говорилось в 1942-м, в 1943-м, в 1945-м.

Да, ленинградец блокаду переносил изо дня в день с трагической стойкостью, достоинством. С тем же достоинством долгие годы удерживал, сохранял в себе обжигающую правду о пережитом.

И вот сегодня мы пришли к нему, к ней — именно к этому человеку, чтобы «все записать», потому что «пришло время», «люди хотят знать», «людям надо...».

Будоража их все еще воспаленную болью и утратами душу, мы не раз спрашивали себя: а надо ли, а имеем ли право? Ответом служат сами же рассказы ленинградцев. В них — в тексте, в интонации — звучит: да, нам тяжело, больно вспоминать, но еще больнее было бы думать, что такое никому не нужно, кроме нас самих.

А ведь действительно, если все это было на планете — тот блокадный смертельный голод, бессчетные смерти, муки матерей и детей, — то память об этом должна служить другим людям и десятилетия и столетия спустя.

Уже с 1944 года, со дня снятия блокады, когда выставку обороны Ленинграда стали переделывать в Музей обороны, начался, по сути, правдивый, впечатляющий рассказ о героизме девятисот дней. Один из создателей музея, *Василий Пантелеймонович Ковалев*, наизусть помнит все экспонаты, он рассказывает так, словно ведет нас из зала в зал: вот зал авиации с бомбардировщиком, который первым бомбил Берлин в сорок первом году, а вот в зале артиллерии миномет братьев Шумовых, дальше — несколько залов партизанского движения...

Был там и дневник Тани Савичевой, тот самый, который, бережно сохраняемый, выставлен ныне в центре мемориала Пискаревского кладбища. Записки девочки (она погибла в 1945 году в эвакуации) стали одним из грозных обвинений фашизму, одним из символов блокады. Дневник имеет свою историю. «Принес его Лев Львович Раков, директор музея, — рассказывал нам В. Ковалев. — Эта маленькая книжка производила невероятное впечатление. Зал, в котором она была, отличался особенным оформлением: потолок был сделан в виде палатки, были колонны, изображающие лед, и при входе в зал была витрина, покрытая как бы изморозью. За этой витриной стояли весы и на весах лежало 125 граммов хлеба, а напротив была витрина, в которой был сосредоточен материал по пайкам, которые выдавались ленинградцам. Паек все уменьшался, уменьшался, дошел до 125 граммов, потом, с открытием «Дороги жизни», начал возрастать. Посреди музея стояла витрина из старого музея Ленинграда, с одной стороны лежал дневник Тани Савичевой, синим карандашом написанный, с другой стороны лежали ордена погибших в блокаду, в том числе лежали документы погибшего молодого человека. А перед этим залом был зал снайперский.

Я помню, как стояла леди Черчилль у этого экспоната — дневника Савичевой, стояла около витрины, и на глазах были слезы, когда ей перевели содержание. Стоял у этой книжки Эйзенхауэр. Он был в музее вместе с Жуковым. Буденный долго стоял, Калинин. (Кстати, дом, в котором когда-то жил Калинин, был как раз напротив музея, в том же Соляном переулке.)...»

...Данная наша работа потребовала собрать тысячи страниц дневников и записок блокадников, тысячи страниц, «снятых» с магнитофонной ленты, — что с этим делать? Что отобрать и как выстроить? Без такой, без авторской, работы материал сам себя похоронит; кто и когда это прочтет?

А с другой стороны, главными авторами все-таки должны оставаться блокадники. Они рассказывали — мы записывали. Они передали нам свои дневники, свои записки-воспоминания. Теперь это и нашей памяти боль и богатство.

Читателю конечно же нужны, интересны прежде всего те, кто сам все это пережил, люди-свидетели, люди-документы. Мы это сознавали, да и поневоле немеешь перед их правдой и судьбой. Свою авторскую задачу и роль мы видели в том, чтобы дать ленинградцам возможность встретиться друг с другом на страницах нашей работы, в главах блокадной книги. У этих сотен столь разных людей судьба одна — ленинградская, блокадная. У них столько общих мыслей, чувств, неуходящих образов, картин — одно потянется к другому, голос отзовется на голос, боль, слеза — на боль и слезу, гордость, что все же выстояли, — на гордость... Что из этого отобрать, оставить? Есть факты явно невыносимые, есть истории легендарные, которые и не проверить... Мы опускаем сотни страниц того, что так старательно искали, записывали, расшифровывали, если эти страницы не выдерживают соседства других страниц, рассказов, судеб. Надо было оставить самое значительное и самое обыденное. Хотелось сохранить и всю индивидуальность и «неправильность» рассказа, «голоса» в ущерб любым литературным соображениям. Литература (и хорошая) уже была. И еще будет. Всему свое время и место. У литературы свои преимущества и возможности. Но и своя ограниченность, если имеешь дело с таким событием и такими страданиями. Пусть на этих страницах выговорится сама память блокадная — ее языком и «стилем». Поэтому мы просим принять неправильности и повороты живого рассказа. Скорее попросим извинить нас за некоторые поправки, сокращения, за наши вторжения и комментарии, за невольные «разрывы» житейских и семейных судеб.

Люди не только голодали, не только умирали, не только преодолевали страдания — они еще и действовали. Они работали, они помогали воевать, они спасали, обслуживали других, кто-то снабжал ленинградцев топливом, кто-то собирал детей, организовывал больницы, стационары, обеспечивал работу заводов, фабрик. В сущности, это было в каждом рассказе — голод, холод, обстрелы, лишения, смерти и, следовательно, душевные проблемы, порождаемые страданиями, и тут же активность людей, то, что они делали, как боролись, несмотря ни на что. Три эти стороны жизни появлялись в любом рассказе. Конечно, в каждом рассказе, в каждой судьбе три эти части не расчленены. Разъединять цельное повествование трудно. Потому что каждый рассказ был рассказом не о каком-то случае. В блокаду люди жили, поэтому и рассказывали они о всей жизни, где сплетались воедино и предвоенные годы, и семья, и послевоенная судьба, там были и фронт, и эвакуация, и нынешняя жизнь. Из этого цельного, связанного чувством и настроением изложения приходилось брать, выдирать один какой-то эпизод, а то всего лишь фразу, мысль, то есть разрывать неразрывное. Приходилось исключать в рассказах фронт, хотя город был неотделим от него. Было обидно обходить бойцов Ленинградского фронта, которые несли тяготы голода, не имели сил прорвать блокаду, освободить город, но в то же время не пустили фашистов в город, не позволили им снять войска из-под Ленинграда для других фронтов. Не только враг держал город в блокаде, но и голодные, малочисленные армии Ленинградского фронта лютой хваткой держали гитлеровские армии у стен Ленинграда.

Один за другим — ударами Синявинской операции и на Московской Дубровке — срывались немецкие планы захвата города Ленина. Всего не объять: у этой части книги своя тема.

Блокадная книга составлена из записей, рассказов нескольких сотен человек. Мы не могли упомянуть всех, кого записали, не могли использовать всего собранного материала. Но все равно так или иначе они присутствуют в этой книге, в этом отборе. Мы начали с переживаний, может, наиболее заповедных, к которым память рассказывающих (всех) прикасается осторожно, с особой болью и трепетностью, но устремлена она в ту сторону обязательно и постоянно — это голод, это обстрелы, бомбежки, первая осень, первая зима блокады 1941/42 года и весна 1942 года. С этого приходится начинать. Надо прежде всего представить всю меру лишений, утрат, мучений, пережитых ленинградцами, только тогда можно оценить высоту и силу их подвига.

Неизвестное про известную фотографию

...Весенний день 1942 года. Две женщины идут по улице, с ними девочка лет пяти — она на ходу пытается поиграть, попрыгать...

В этот момент их сфотографировал военный корреспондент где-то в районе Невского.

Эту фотографию мы потом увидели в музее Ленинграда, в музее Пискаревского кладбища, в книгах и альбомах, посвященных блокаде. Ее перепечатывают в журналах в памятные даты вместе с фотографиями занесенных снегом троллейбусов, саночек с мертвецами...

Присмотревшись, видите: первая женщина постарше, вторая — еще ребенок, девочка, но и лицо и фигура у нее старушечьи. А у прыгающей девочки не ножки — спички, и только колени уродливо раздались...

Мы всматривались заново в эту фотографию, сидя в квартире *Вероники Александровны Опаховой*. Скоро пришла и ее дочь, *Лора Михайловна*, такая же невысокая, как мать, такая же приветливая, но более сдержанная, с какой-то неуходящей грустью в глазах.

На столе перед нами лежал семейный альбом. Знаменитая на весь мир блокадная фотография здесь, в этой квартире, — семейная память...

Женщины, что сидели перед нами, никак не связывались в воображении, не соединялись с теми, что на фотографии.

Блокадники вкраплены в массу ленинградцев. Эту женщину, Веронику Александровну, многие, возможно, даже видели, приходя на Мойку в Академическую капеллу. Старая женщина с очень «домашним», добрым лицом проверяет билеты, предлагает программки. Кажется, что она вам лично благодарна за то, что пришли. Может быть, еще и потому, что вы, не зная того, пришли послушать и ее дочь Лору Михайловну, которая поет в хоре. А живут они тут же, на Мойке, в двух шагах от места работы.

В их непросторной квартире мы долго рассматривали знаменитую фотографию. От нее и начался рассказ — сначала матери, затем и дочери.

«... — Вы не видели людей, которые падали от голода; вы не видели, как они умирали; вы не видели груды тел, которые лежали в наших прачечных, в наших подвалах, в наших дворах. Вы не видели голодных детей, а у меня их было трое. Старшей, Лоре, было тринадцать лет, и она лежала в голодном параличе, дистрофия была жуткая. Как видите по фотографии, это не тринадцатилетняя девочка, скорее старуха.

— Вероника Александровна, вот эта слева — Лора?

— Да... Мне было тридцать четыре года, когда я потеряла мужа на фронте. А когда нас потом эвакуировали вместе с моими детьми в Сибирь, там решили, что приехали две сестры — настолько она была страшна, стара и вообще ужасна. А ноги? Это были не ноги, а косточки, обтянутые кожей. Я иногда и сейчас еще смотрю на свои ноги: у меня под коленками появляются какие-то коричнево-зеленые пятна. Это под кожей, видимо, остатки цинготной болезни. Цинга у нас у всех была жуткая, потому что сами понимаете, что сто двадцать пять граммов хлеба, которые мы имели в декабре месяце, это был не хлеб. Если бы вы видели этот кусок хлеба! В музее он уже высох и лежит как что-то нарочно сделанное. А вот тогда его брали в руку, с него текла вода, и он был как глина. И вот такой хлеб — детям... У меня, правда, дети не были приучены просить, но ведь глаза-то просили. Видеть эти глаза! Просто, знаете, это не передать... Гостиный Двор горел больше недели, и его залить было нечем, потому что водопровод был испорчен, воды не было, людей здоровых не было, рук не было, у людей уже просто не было сил. И все-таки из конца в конец брели люди, что-то такое делали, работали. Я не работала, потому что, когда я хотела идти работать, меня не взяли, поскольку у меня был маленький ребенок. И меня постарались при первой возможности вывезти из Ленинграда: ждали более страшных времен. Не знали, что все пойдет так хорошо, начнется прорыв и пойдут наши войска, пойдет все очень хорошо. Нас вывезли в июле месяце сорок второго года.

— А третья — ваша младшая?

— Да. Как видите, она пытается прыгнуть, хотя ее колено вот такое было: оно было все распухшее, налитое водой. Ей четыре года. Что вы хотите? Солнышко греет, она с мамой идет, мама обещает: вот погуляем, придем домой, сходим в столовую, возьмем по карточке обед, придем домой и будем кушать. А ведь слово «кушать» — это было, знаете, магическое слово в то время. А дома она, бывало, садилась на стул, держала в руках кошелек такой, рвала бумажки — это было ее постоянное занятие — и ждала обеда. Животик у нее был, как у всех детей тогда, опухший и отекший. Потом, когда мы покушаем, она снова садится на свой стул, берет эти бумажечки и снова рвет, наполняет кошелек.

— Вроде карточек они ей казались?

— Да, она бумажки рвала вроде как талончики на хлеб. Она занималась уничтожением мелких бумажоночек. Сейчас она взрослый человек, у нее двое детей.

— Как ее зовут?

— Ее зовут Долорес. Она родилась в тридцать седьмом году. У меня муж был военный. Жили мы тогда в военном городке. В то время вернулись очень многие наши военные, которые были в Испании. Мужу понравилось это испанское имя, и он дал его дочке.

— А где погиб ваш муж?

— Муж погиб в сорок втором году при переправе через Ладогу. Он был человеком мирной профессии. Он музыкант, был гражданским дирижером любительских оркестров. Потом ушел на военную службу и стал военным дирижером. И медиком. Был обучен и как медик. А среднюю дочь Бертой зовут, она тоже жива. Все они у меня живы, вся тройка.

— Вы получали иждивенческие карточки?

— Да, иждивенческие, поскольку я не работала. Я была в санитарной бригаде у нас в доме. Но, когда врач узнал, что у меня трое детей, меня освободили. А так я ходила заниматься на медицинские курсы, ну, первая помощь: упал раненый, каким-то осколком подбило, надо втащить в дом, в сануголок, перевязать. Тогда все ленинградцы занимались этим.

— Где вы жили?

— Жили на Гражданской улице, в Октябрьском районе, дом девятнадцать. Сейчас наш дом — Мойка, двадцать, квартира семнадцать. Дочь моя работает уже двадцать лет здесь, в Капелле.

— И вы тоже?

— Я работаю тоже в Капелле, с шестьдесят восьмого года, билетером. У нас на Гражданской была двадцатиметровая комната и такая семья — вот дочери и дали эту квартиру.

— Вот здесь на фотографии — куда вы идете сейчас?

— Насколько я понимаю, это Невский проспект. У нас маршрут был такой: мы выходили из дома, шли по Майорова, по Герцена, делали круг сюда, к ДЛТ[1]. Я их водила, чтобы отвлечь от мысли, что надо кушать. Мы просто гуляли. Лора только что поднялась. Врач сказал, что ее надо больше тренировать в ходьбе: у нее совершенно была отнята левая сторона. Видите — она идет с палочкой. И врач говорил, что пусть она как можно больше ходит. Так что мы делали очень большие круги. Даже иногда заходили в кино, смотрели, чтобы отвлечь как-то мысли от еды.

— Кинотеатры работали?

— Работали уже. Мы раз в кинотеатре «Молодежный» смотрели кинокартину «Свинарка и пастух», и была тревога. Сеанс прервали, зал затемнили, и мы немножко посидели там. Зимой, конечно, было труднее, потому что, сами понимаете, воды не было, водопровод нарушен. Значит, люди шли с чайниками, кастрюльками, с санками — кто как мог. И вот в этих люках (были люки открыты с чистой водой) брали воду. А потом у нас в доме дали воду в прачечную, и мы в эту прачечную ходили цепочкой, потому что там лежали груды мертвых, которых увозили машины. Подбирали по улице мертвых, складывали в прачечной (потом машина приезжала и забирала). И там же вода была, в прачечной. Так что мы шли рука за руку. Кто боялся, тот не смотрел в ту сторону.

— А цепочкой шли потому что боялись?

— Во-первых, потому что боялись, а потом потому, что не было света. Первый несет лучину, как в деревне, и последний несет лучину, а

---

[1] ДЛТ — Дом ленинградской торговли, универмаг.

остальные все идут и держат в руках кто чайничек, кто кувшинчик. Надо же помыться, надо же попить, надо и приготовить.

— Сговаривались?

— Сговаривались с соседями по лестнице, по площадке и шли. Если я вот могла взять кого-либо из ребят, давала чайник или кувшин, чтобы шли вместе.

— Вернемся к фотографии. Вы гуляли по проспекту Майорова, а потом?

— Потом шли по Герцена до Невского, вот здесь, около кино «Баррикада», выходили на Невский. Здесь была открыта масса магазинчиков с канцелярскими принадлежностями, с книжками.

— Это февраль — март сорок второго года?

— Это скорее апрель — май, перед нашим отъездом. Увозили в июле (у меня где-то даже эваколисток есть). Меня тогда в военкомат пригласили как жену военнослужащего, потому что у меня в мае прекратилась выплата по аттестату. Тут я начала жить на то пособие небольшое, что мне военкомат давал на детей, поскольку их было трое.

— Лора Михайловна, а вы помните вот этот день? Как вы тут идете с матерью, с сестренкой?

— Нет.

— А другие прогулки, подобные этой, помните? Сколько вам тогда было лет?

— Мы с мамой, казалось, тогда одинакового были возраста. А мне не было тринадцати лет.

— Вы помните свое состояние болезни, голода? Как вы помните свои двенадцать-тринадцать лет?

— По-моему, самое страшное — это когда человек все время хочет есть, а есть ему нечего совершенно. А второе, когда ни руки, ни ноги не действуют и не знаешь, будешь ли ты жить и действовать вообще. Врач приходила каждый день и смотрела, но я понимала, что она только проверяла, жива я или не жива.

— А помочь нечем было?

— Чем врач могла помочь? Она выписала шроты, ну, жмых, выжимки, которые были у нас в детской больнице, шротовое молоко. Но это все было, конечно, несъедобное. У нее было две таких больных, как я, то есть я и еще одна девочка.

— Это был голодный паралич?

— Паралич на почве дистрофии. Однажды она пришла и сказала, что моя «напарница» умерла.

— Она это вам сказала?

— Нет, она сказала маме, но у меня слух хороший, и я слыхала, что она сказала за дверями в коридоре. Вроде того, что и со мной должно повториться. И, когда на другой день она пришла и увидела, что я жива, она даже удивилась. А потом я встретила эту врачиху. Это после войны, наверно, в пятьдесят третьем году было. Мы шли, у меня ребенок уже был, маленький. Она маму спрашивает: «Как вы живете? Как ваша семья, муж? Лора, конечно, умерла?» Я говорю: «Доктор! Я жива, у меня даже ребенок на руках». Она онемела, она не знала, что сказать. То есть это вообще чудо из чудес получилось.

— И что же вас спасло? Мама?

— Мама, конечно, с папой, пока он был. И очень хотелось жить. Вы даже не представляете! Я даже удивляюсь, что у ребят моего возраста была такая большая сила воли. Очень хотелось жить.

— А какой была младшая сестренка, вы помните?

— Ну как же! Я помню, у нее такое состояние было, что она сидела и стригла бумагу. У нее мозоли на руках были от этого. Это, конечно, такое психическое состояние было у ребенка. Маленькая, четыре годика. Ей есть все время хотелось, понимаете? Когда ребенок есть хочет, он просит. А она не просила, потому что понимала, что взять неоткуда. Она сидела и стригла и рвала бумажки, то есть даже могла сойти с ума.

— Стригла до мозолей?

— Да, у нее пальцы были в мозолях. Когда мама отнимала у нее ножницы, она находила новую бумажку и молча начинала ее рвать».

Позже мы встречали похожее и в других рассказах о блокадных голодающих детях. Мальчики и девочки рвали, стригли бумажки, сидели, покачиваясь из стороны в сторону, что-то ковыряли непрерывно, методично, стараясь как-то заглушить сводящее с ума чувство голода.

«— Вы говорите, Вероника Александровна, Лора заболела в декабре?

— Да. В декабре. Она пошла первый раз в булочную сама. Стояла в очереди. Пришла и сказала, что у нее ножка слабая, ватная какая-то. Ну, полежала. Ничего. Потом пошла со мной дрова пилить, потому что врач говорила, что тепло — это первое дело, кроме еды, нужно еще и тепло. И вот когда мы пошли с ней пилить дрова, она свалилась окончательно. Наверх ее уже пришлось нести. Она лежала с декабря до мая. Я не могу сказать время точно, конечно, но в начале мая она начала вставать. И врач, которая ходила к нам, говорила, что обязательно делайте прогулки побольше, чтобы укрепиться, потому что был период такой в декабре — январе, когда мы все легли, не было уже сил ни бороться, ни желания встать, ни желания что-либо делать. Двери в квартире были открыты настежь, входил кто хотел. И вот как-то раз пришла врач, я лежала, и все лежали, потому что мы уже потеряли всякие ощущения от такой жизни. Врач на меня так накричала, сказала, что по квартире мы должны ходить. Ух как она меня ругала! Это все-таки был хороший очень доктор. Она ходила к нам изо дня в день, хотя и не надеялась, что мы выживем. В последнее время она мне говорила: «Что я могу? Разве только подписать акт о смерти». Ко мне приходили из ЖАКТа, проверяли, жива ли Лора. Это потому, что в то время бывало, когда люди умирали, оставшиеся пользовались их карточками. Ну, и всегда удивлялись, что она вот лежит, но живет. У нее было желание что-то иногда делать, что-то почитать, что-то пошить одной рукой, как-то приспособиться. И вот потом (я об этом говорила), когда наступила весна, пригрело солнышко, мы пошли гулять. Мне врач сказала: ходите, ходите, ходите, укрепляйте ноги. Ноги очень болели — после лежания долгого и после цинги.

— Вы говорили, что Лору соседки не узнали?

— Да. Мы вышли, и я думала недалеко с ней идти. Я решила, что мы посидим на солнышке, погреемся и пойдем обратно, все-таки еще на четвертый этаж надо поднять ее. Пусть она и весила всего ничего, но и я весила в то время сорок два килограмма. Вы сами понимаете, что это тоже уже вес одних костей. Мне было трудно поднимать ее. И соседки сказали, слава богу, мол, зиму вы пережили благодаря тому, что старшая девочка умерла, а вы пользовались ее карточкой. Тут Лора заплакала и сказала: «Мамочка! Пойдем отсюда. Не будем слушать этих старух!» Они не поверили, что она жива. Не узнали... Мы начали делать прогулки. Сначала прогулки были не очень большие, а потом больше и больше. Как раз во время прогулки, видимо, я и натолкнулась на этого товарища, на фотографа.

— Когда вы впервые увидели эту фотографию?

— Впервые в Музее обороны. Даже не я увидела. Я была у своей приятельницы, мы с ней очень давно дружим. И она тоже прожила с ребятами долго здесь, в Ленинграде, и тоже эвакуировалась уже летом. Ее сын был в Музее обороны. А мальчишки, знаете, бегали туда, там были сбитые самолеты, немецкие каски, оружие и так далее. Он прибежал и говорит: «Тетя Роня! А я вас видел!» А я говорю: «Где же ты меня видел?» — «А я, говорит, был в музее, и там вы, Лора и Доля, все трое. И написано: «Ленинградцы на прогулке»... Когда у меня гостила с Севера средняя дочь, она была в музее и попросила, чтобы нам отпечатали эту фотографию. Но, поскольку она сама уехала, пришлось идти туда Лоре. Вот когда Лора пришла и попросила, чтобы ей выдали эту фотографию, и когда она ее увидела, с ней стало плохо. Вы сами понимаете — увидеть себя в таком состоянии! И вспомнить все это! Снова за какой-то короткий момент пережить весь этот страх и ужас! Мужчина к ней подошел, какой-то тамошний сотрудник, и говорит: «Что вы плачете? В этот год — сорок первый и сорок второй — погибла такая масса народу. Не плачьте! Их уже нету. А вам жить надо». А женщина, которая выдавала фотографии, говорит ему: «Вы видите, это она сама!» Он ужасно смутился, отошел от нее с извинениями. Вот так мы получили эту фотографию. И я храню ее у себя. Все-таки пускай она будет, хотя это ужасно, конечно, и страшно, и всегда вызывает волнение и слезы».

Спорящие голоса

Вот что стоит за одним снимком. Для безвестного военного фотографа-корреспондента он означал надежду, пробуждение к жизни. Для нас, сегодняшних, он — взгляд издали в ту страшную и легендарную блокадную реальность. Для семьи Опаховых, матери и дочерей, это живая боль памяти[1].

> И ты, мой друг, ты даже в годы мира,
> Как полдень жизни, будешь вспоминать
> Дом на проспекте Красных Командиров,
> Где тлел огонь и дуло от окна.
> Ты выпрямишься, вновь, как нынче, молод.
> Ликуя, плача, сердце позовет,
> И эту тьму, и голос мой, и холод,
> И баррикаду около ворот.

Ольга Берггольц

Надежды эти казались поэтическим образом, мечтой, а не предвидением. Прошло тридцать пять лет, и оказалось, что Ольга Берггольц права. Страшные, голодные годы вспоминаются с ужасом, с тоской, со слезами, «ликуя и плача», сердце зовет и удивляется стойкости собствен-

---

[1] Спустя три месяца после того, как была сделана эта запись, Лора Михайловна Опахова умерла. Блокада, даже отпустив, «своих» находит.

ной души, ее возможностям, силе подвига ленинградцев.

Только поэзия обладает таким даром пророчества. В пустых, вымороженных, темных квартирах после мертвого стука метронома звучал негромкий, чуть запинающийся женский голос, который ждали все ленинградцы. Сквозь голодные видения к людям прорывались сострадание и любовь. Они исходили от женщины, которая так же мучилась, голодала, все понимая, все чувствуя.

И вот спустя целую жизнь мы приходим к этим людям и просим рассказать нам о блокаде. Не вообще о блокаде, о ней много написано, а о своей жизни в блокаду. Первое, что они отвечали:

«Это слишком тяжело, это невозможно, я не хочу вспоминать, нет, нет, у меня было чересчур страшное...»

Про других, про отдельные эпизоды — как работала фабрика или как рыли окопы и ставили противотанковые надолбы — пожалуйста. Но только не про свою жизнь. А мы просили именно про это, про себя, про свои переживания. В конце концов они соглашались. За исключением, может, двух или трех человек. Может быть, некоторые рассказывали не все. Иногда они щадили нас. Иногда они боялись за себя. Погружаться в прошлое было мучительно. Рассказывая, плакали, умолкали, не в силах справиться с собою. После этих рассказов некоторые долго не могли успокоиться... В последующие дни многие звонили нам, приходили, писали, вспомнив что-то еще и еще или же, наоборот, ужасаясь тому, что прорвалось, прося стереть запись.

Они боялись вернуться в блокадный город, в свою заиндевелую квартиру, в которой человек «у себя на кровати замерзал, как в степи» (О. Берггольц). Мы настаивали с жестокостью, которая нам самим была тягостна и даже стыдна. Мы просили, ссылаясь на историю, на новые поколения, которым надо знать все как было. Втайне нас мучили сомнения — стоит ли? Для чего снова спустя десятилетия вытаскивать из забвения немыслимые муки и унизительные страдания человеческие? Разве это кому-нибудь поможет?

Рассказав нам и про голод, про госпиталь, где она работала, и про эвакуацию, *Галина Евгеньевна Экман-Криман* закончила так: «Не хочется к этому возвращаться. Забывать не надо, да и не забудется никогда, но все-таки я не хочу вспоминать».

Оглядываясь сегодня назад, люди не верят себе, тому, что они могли. Это был особый взлет человеческих способностей: да, в самой тяжкой поре жизни был и взлет. Об этой поре не хочется вспоминать, но, когда вспоминаешь, начинаешь думать, что все же это была пора, когда каждый мог свершить, проявить благородство, раскрыть щедрость своей души, ее смелость, любовь и веру.

У каждого оказывался свой рассказ. У каждого было свое. Повторения были неизбежны, но все равно в каждом рассказе была своя, ни на что не похожая история.

Мы слушали, записывали, и не раз нам казалось: вот он — предел страданий, горестей, но следующая история открывала нам новые пределы горя, новую вершину стойкости, новые силы человеческого духа.

Насыщение материалом не проходило. Мы так и не дошли до того ожидаемого края, когда дальнейшие рассказы уже ничего существенного не могут добавить к тому, что мы знаем. Может, этот край где-то впереди, еще через тридцать, пятьдесят рассказов, а может, его вообще нет и такого насыщения не существует.

Когда мы 5 апреля 1975 года делали свою первую запись, приехав к *Марии Гурьяновне Степанчук* (ул. Шелгунова, д. 8), мы знали про главную боль ее памяти — про погибшую девочку. Но женщина настойчиво и как-то испуганно уходила от этого... И мы не решились настаивать. Потом оказалось, что именно этим причинили человеку еще большее страдание. Сложное это чувство — блокадная память!

— А знаете, что было после вашего ухода? — позвонила нам женщина, от которой мы получили адрес Марии Гурьяновны. — Прибежала ко мне расстроенная, что не рассказала главного: «Я боялась, что расплачусь, если заговорю о девочке, и не смогу дальше рассказывать, и люди зря приезжали, старались».

Затем, растревоженная, объехала всех подруг и знакомых блокадных (из двадцати семи, как сказала нам женщина, осталось их у нее четверо). Сходила на могилку дочери, сходила в церковь. И заболела, слегла.

И, кажется, не только потому, что воспоминания расстроили. Но и от какого-то чувства вины перед своей погибшей дочерью, о которой ничего не рассказала: словно бы она пожертвовала ее памятью, чтобы только «не помешать» нам работать — собирать блокадную быль.

А потом Галина Максимовна Горецкая (знакомая наша) показала ей вышедшую в Ленинграде книгу «По сигналу воздушной тревоги», где описана трагедия и того рокового для ее дочери обстрела, и взрыва на заводе (девочка находилась в яслях вблизи завода). Каким-то странным образом это подействовало на женщину не то чтобы успокаивающе, но все же сняло напряжение последних дней. Увидела, убедилась: значит, и без ее рассказа люди будут знать, будут помнить!..

Есть в воспоминаниях блокадников и спор, а точнее, продолжение спора (не повседневного ли?) с теми, кто не только «не помнит», но и сердится, когда напоминают. Это как с ребенком в семье: вы его оберегали-оберегали от жизненных драм (чужих) и горя (чужого) — «пусть окрепнет душа», — а потом обнаруживается черствость, глухота...

— Меня спрашивают: блокада, блокада. А что такое на самом деле блокада? Внучка в прошлом году писала и нынче говорит: у тебя доказательств нету.

Это вырвалось у *Таисии Васильевны Мещанкиной* (ул. Софьи Ковалевской, д. 9) с обидой уже под конец ее рассказа. Она пыталась, и не раз, дома, среди своих же детей и внуков рассказать какие-то подробности про блокаду — не верили. А чем она могла доказать?

— Вот я вам говорю и думаю, — может быть, и вы не поверите?

Мы сплошь и рядом сталкивались с этим *ожиданием* недоверия, болезненным, опасливым чувством, которое возникало по ходу воспоминаний; по мере того как человек слышал себя, он настораживался, его история сглаживалась, усыхала, подменялась общеизвестными фактами.

«...— Моя знакомая преподает в техникуме, — рассказал *Нил Николаевич Беляев*. — У них в семьдесят пятом году состоялась встреча какого-то старого блокадника ленинградца с рассказом для студентов о положении дел в сорок втором — сорок третьем году. И когда он, значит, рассказывал все эти тяжелые истории, что людям приходилось испытывать во время голода, то многие студенты слушали весьма и весьма, так сказать, невнимательно. А после его рассказа вышла девушка и сказала, что она не понимает, что же здесь такого: подумаешь, человек в день не съел эти сто двадцать пять или сто пятьдесят граммов хлеба, да она сейчас может неделю не есть хлеба и отлично себя чувствовать.

— Причем без всякой иронии это?

— Неизвестно... Ведь сейчас вообще вроде считают, что хватит говорить о блокаде».

То, что они сыты и благополучны — девушка, возражавшая блокаднику, и сомневающаяся внучка, — это, конечно, хорошо. Но вот что эти ребята, кажется, «моральные дистрофики» (ленинградское, военного времени, выражение) — это уже хуже.

Но это самое простое — обвинить в глупости, в благополучии, в бездушии. Или же отмахнуться от них, признать исключением. Стоит вдуматься — при намерениях самых благих, при душевной и гражданской чуткости легко ли человеку, никогда не испытавшему голода, вот так, с ходу, умозрительно представить себе, что это такое. Что такое долгий ленинградский голод и что значит при этом голоде кусочек хлеба в 125 граммов, что значит обломок хлебной корки... Нет, требовать этого от человека, выросшего в сытости, в тепле, нельзя, ему рассказывать надо терпеливо, убедительно, воображение его разбудить. Преемственность поколений налагает обязанности на тех и на других. Новые поколения должны узнать, услышать рассказы людей, которые все это перенесли и пережили.

«Мы старались не рассказывать, но я думаю иногда, что, может быть, мы неправильно сделали, потому что и Тамарин сын и Виктор не понимают. А мы избегали всегда с ними об этом говорить, рассказывать. Может быть, и зря, потому что они так и не поняли. Мишка как-то сказал Тамаре: «Подумаешь! Вот папа — он на фронте был!» (*Сезеневская Нина Вячеславовна*).

Во время одной из записей блокадного рассказа возник разговор, поразивший нас. Рассказывала женщина, слушали ее дочь, зять, внуки. Такое бывало часто. Конечно, и нам и рассказчику лучше было обходиться без посторонних слушателей, но это не всегда удавалось. И уединиться было некуда, кроме того, любопытство одолевало и домашних и соседей. Впрочем, иногда реплики слушателей помогали, их недоверие, их сочувствие, ахи, слезы, возбуждали память.

Та запись, о которой идет речь, была нелегкой, рассказ был тяжелым, и, видимо, младшим все эти подробности о бедах их семьи были неизвестны. Они хотели все знать и не хотели. Сами они никогда не стали бы расспрашивать, но тут слушали внимательно, напряженно. Первым не выдержал зять. Не такой уж и молодой, не ленинградец, он воскликнул:

— Зачем, ну зачем нужны были такие страдания? Сдать надо было город. Избежать всего этого. Для чего людей было губить?

Так просто, естественно вырвалось у него, с досадой на нелепость, на странность того, минувшего. Поначалу мы не совсем поняли, что он имел в виду. Ему было лет тридцать пять, бородатый, вполне солидный мужчина, казалось, он не мог не знать. Потом мы сообразили, что мог. То есть, вероятно, он где-то когда-то слыхал, читал о приказах гитлеровского командования, о планах фюрера уничтожить, выжечь, истребить, но ныне все это стало выглядеть настолько безумным, фантастичным, что наверняка потеряло реальность.

Время, минувшие десятилетия незаметно упрощают прошлое, мы разглядываем его как бы сквозь нынешние нормы права и этики.

В западной литературе мы встретились с рассуждением уже иным, где не было недоумения, не было ни боли, ни искренности, а сквозило скорее самооправдание капитулянтов, мстительная попытка перелицевать бездействие в доблесть... Они сочувственным тоном вопрошают: нужны ли были такие муки безмерные, страдания и жертвы подобные? Оправданы ли они военными и прочими выигрышами? Человечно ли это по отношению к своему населению? Вот Париж объявили же открытым городом... И другие столицы, капитулировав, уцелели. А потом фашизму сломали хребет, он все равно был побежден — в свой срок...

Мотив этот, спор такой звучит напрямую или скрыто в работах, книгах, статьях некоторых западных авторов. Как же это цинично и неблагодарно! Если бы они честно хотя бы собственную логику доводили до конца: а не потому ли сегодня человечество наслаждается красотами и богатствами архитектурными, историческими ценностями Парижа и Праги, Афин и Будапешта да и многими иными сокровищами культуры, и не потому ли существует наша европейская цивилизация с ее университетами, библиотеками, га-

44

лереями, и не наступило бездонное безвременье «тысячелетнего рейха», что кто-то себя жалел меньше, чем другие, кто-то свои города, свои столицы и не столицы защищал до последнего в смертном бою, спасая завтрашний день всех людей?.. И Париж для французов да и для человечества спасен был здесь — в пылающем Сталинграде, в Ленинграде, день и ночь обстреливаемом, спасен был под Москвой... Той самой мукой и стойкостью спасен был, о которых повествуют ленинградцы.

Когда европейские столицы объявляли очередной открытый город, была, оставалась тайная надежда: у Гитлера впереди еще Советский Союз. И Париж это знал. А вот Москва, Ленинград, Сталинград знали, что они, может быть, последняя надежда планеты...

«Фюрер решил стереть город Петербург с лица земли... — так гласила секретная директива 1-а 1601/41 немецкого военно-морского штаба «О будущности города Петербурга» от 22 сентября 1941 года. Далее следовало обоснование: — ...После поражения Советской России нет никакого интереса для дальнейшего существования этого большого населенного пункта. Финляндия точно так же заявила о своей незаинтересованности в дальнейшем существовании города непосредственно у ее новой границы. Предложено тесно блокировать город и путем обстрела из артиллерии всех калибров и беспрерывной бомбежки с воздуха сровнять его с землей. Если вследствие создавшегося в городе положения будут заявлены просьбы о сдаче, они будут отвергнуты... С нашей стороны нет заинтересованности в сохранении хотя бы части населения этого большого города».

Документ этот напечатан в материалах Нюрнбергского процесса (изд. 3-е, М., 1955, т. 1, стр. 783).

Указание это повторялось неоднократно. Так, 7 октября 1941 года в секретной директиве верховного командования вооруженных сил было:

«Фюрер снова решил, что капитуляция Ленинграда, а позже — Москвы не должна быть принята даже в том случае, если она была бы предложена противником...» («Нюрнбергский процесс», т. 1, стр. 784).

Кейтель указывает командующему группой армий «Центр»: «Ленинград необходимо быстро отрезать и взять измором».

Москва и Ленинград обрекались на полное уничтожение — вместе с жителями. С этого и должно было начаться широко то, что Гитлер имел в виду: «Разгромить русских как народ». То есть истребить, уничтожить как биологическое, географическое, историческое понятие.

Но подвиг ленинградцев вызван не угрозой уничтожения... Тогда, в блокадные глухие дни, в снежных сугробах Подмосковья о ней лишь догадывались, ее представляли. Документами она подтвердилась куда позднее. Нет, тут было другое: простое и непреложное желание защитить свой образ жизни. Мы не рабы, рабы не мы, мы должны были схватиться с фашизмом, стать на его пути, отстоять свободу, достоинство людей.

Вот в чем оправдание и смысл подвига Ленинграда, вот от чего ленинградцы и все наши люди спасали себя и человечество, от каких жертв и мук, ради чего шли на любые страдания, мучения, даже не помыслив об «открытых» городах. Кто-то должен был...

Чтобы оценить это, надо ощутить меру испытаний, вынесенных нашим народом.

«Как-то мне задали такой вопрос, — *пишет Александра Федоровна Соколова,* — почему у вас столько медалей, в том числе и «За победу над Германией»? Вы же не были на фронте? Верно, не были, а видели и перенесли не меньше, чем на фронте: знаю на вкус каждую травинку, вкус торфа, военных ремней, что остались у меня от финской войны...»

Нет, это не обычная склонность старших подчеркнуть преимущества свои и своего времени над людьми и временами нынешними. До поры до времени многим из них вообще не хотелось ни вспоминать, ни рассказывать. Даже казалось ненужной жестокостью.

Откладывали на дальше, на потом, когда придет время...

> Мы отомстим за все, о чем молчали,
> За все, что скрыли от Большой земли, —

звучали по радио стихи Ольги Берггольц в январе 1943 года.

Но если вчера, может, и стоило щадить израненные войной души соотечественников, то сегодня новым поколениям, наверное, как раз и нужно как можно полнее, подробнее узнать, ощутить, что было до них. Надо же им знать, чем все оплачено, надо знать не только о тех, кто воевал, но и о тех, кто сумел выстоять, об этих людях, не имевших оружия, которые могли лишь стойкостью своей что-то сказать миру. Надо знать, какой бывает война, какое это благо — мир...

«Очень рады, что так теперь хорошо живем, сыты и одеты все, ребятишек заставляем больше есть и все вспоминаем, как Лариса в семь утра в голод просыпалась и просила хлеба вчерашнего! Говорим:

— Лариска, нет хлеба.

— Ну тогда дайте завтрашнего!»

Это из письма *Веры Ивановны Павловой* (город Тосно).

Немолодая и конечно же, как почти все бывшие блокадники, потерявшая здоровье, *Екатерина Дмитриевна Янковская-Ладыженская,* которую мы видели молодой на довоенной фотографии (там красавица, каких мало), заявляет: «Если бы сказали, что вернем здоровье, красоту, молодость и еще раз пережить такое, — не захотела бы, не согласилась бы!»

А *М. М. Хохлова* (ул. Конторская, д. 18) написала нам:

«В это блокадное время я думала, с каким чувством, если переживем, будем вспоминать страшное время. Я ни у кого не спрашивала, какие у кого чувства остались, но у меня осталось чувство гадливости, и очень долго это чувство держалось, сейчас уже стерлось, притупилось. Осталось у нас с мужем еще до сих пор чувство пережитого голода во рту. Он иногда говорит: «Есть не хочется, но горят зубы, это все блокада, будь она неладна!» И мне есть не хочется, но ноет язык».

«У меня была еще такая мысль — навсегда записать тот день, когда я буду сыта» (*Клавдия Петровна Дубровина*, ул. Сердобольская, 71).

«Только что прослушала передачу о том, что... вы начали собирать рассказы о жизни ленинградцев в блокаду... Хотя некоторая часть молодых людей, слушая рассказы блокадников, вдруг иронически скривив губы, заявляет, что настоящие блокадники все лежат на Пискаревском кладбище» (*Чиканина Александра Михайловна*, ул. Мытнинская, 5/2).

Правда о пережитом миллионами людей в годы блокады, правда документальная, рассказанная людьми, которые все это лично прочувствовали, покажется, быть может, жестокой и сейчас. Но зато она (мы надеемся) прорвется к любому сердцу. И к сердцу той девушки, которая и без 125 граммов хлеба прожить может, тоже прорвется.

«Я прошел мимо новостройки, где плотники строгали доски. Я выбрал из кучи две чистые стружки, сунул одну в рот, а другую спрятал про запас.

...Я не пожалел, что ушел из редакции, так и не попросив крону, даже за дверью, когда голод вновь начал терзать меня. Я вынул из кармана вторую стружку и сунул ее в рот. Мне опять стало легче. Почему я не делал этого раньше?»

Это не блокада, это молодой Кнут Гамсун. Первый знаменитый его роман «Голод», во многом автобиографичный, написанный в 1890 году. Может быть, единственное до сих пор произведение мировой литературы, где голод человека стал основой сюжета, предметом тщательного писательского исследования. Голод погружает героя романа в такую замкнутость существования, которая исключает взаимопонимание с сытым благополучием окружающих.

Голод отъединяет героя. Сытые голодного не разумеют. Голод у Гамсуна и голод блокадника были разные не физиологически, а психологически — голод блокады был враг, засланный фашизмом, был актом ненависти, войны, участком сражения, которое вели ленинградцы с врагом.

Измученный, полубезумный от голода, мечется одинокий герой Гамсуна в благоденствующей Христиании. И не только ум и сердце наши, читательские, отзываются на то, что происходит с героем, но как бы и желудок и железы. Читатель словно бы сам переживает разные стадии голодания. Выразить силу голода непросто даже большому таланту. Только собственные переживания художника, память о его голодной юности, о мучительных годах хронического недоедания придали этому роману пронзительную достоверность. Изображение голода у Гамсуна считалось одним из самых сильных в мировой литературе. Любовь и голод правят миром, писал Шиллер, и, не раз повторяя эти слова, Максим Горький считал, что это самый правдивый и уместный эпиграф к бесконечной истории страданий человека.

Голод в романе Гамсуна и голод ленинградской блокады — явления разные. Ясно, что массовый голод — ситуация особая. Тем не менее, что замечаешь при первом взгляде — это сходство состояний:

«Есть приходилось что попало. Помню, приходила домой, и мне так хотелось кушать! Я жила тогда на улице Войтика. У меня там дрова лежали около печки, полено или два. И вот я взяла это полено (сосновое, помню) и стала грызть, потому что молодые зубы хотели что-то кусать. Есть хотелось страшно! Вот грызу, грызу это полено, смола выступила. А этот запах смолы мне какое-то наслаждение доставлял, что хоть что-то я погрызу. Надо было что-то кушать, иначе неминуема смерть от голода, а это еще хуже, чем от обстрела. От голода очень тяжелая смерть» (*Елена Михайловна Никитина,* проспект Стачек, 26).

И снова Кнут Гамсун, литература:

«Еда уже оказывала свое действие, меня сильно тошнило, к горлу подступала рвота. Во всяком темном углу я искал облегчения, старался преодолеть тошноту, от которой снова пустел мой желудок, сжимал кулаки, делал над собой усилие, топал ногами и в бешенстве глотал то, что готово было извергнуться изо рта, — но все напрасно».

Здесь, как во всякой подлинной литературе, есть вызов холодному чистоплюйству — лишь любовь к человеку, а значит, и чувство сострадания, которому ничего не страшно. Человек мучится от неспособности удержать в себе пищу, так дорого ему доставшуюся, и автор страдает за человека и за его бессилие перед той самой «ироничностью жизни», о которой страстно, с болью писал Достоевский в «Идиоте»...

«Голод», роман молодого Кнута Гамсуна, снова и снова как бы вопрошает: что в вас сильнее — человеческое сострадание, понимание другого человека или эстетская брезгливость?

Но куда большее испытание для этих чувств и для нашей способности смотреть не отворачиваясь на человека страдающего — блокадные воспоминания. Да, человек, агонизирующий от лютого голода, куда как «неэстетичен»! К этому нужно быть готовым, если мы собираемся, хотим услышать, увидеть, понять всю правду, а не всего лишь дольку ее.

Нельзя понять всей подлости всех преступлений фашизма, «заславшего смерть» в город (по очень точному выражению Ольги Берггольц), если не говорить о массовом голоде, об этом «наемном убийце» гитлеровцев.

Ведь блокадный голод, так же как голод лагерный (и как освенцимский и прочие крематории), числился в арсенале главных средств, с помощью которых фашисты осуществляли свои планы истребления целых народов, «обезлюживания» целых стран.

Кстати, многие наши самые беспощадные и правдивые рассказчики, это медики — врачи, медицинские сестры, санитарки, те, кто по профессии своей милосерден. Они о человеке голодающем, о массовом голоде расскажут вам, ничего не приукрашивая, потому что в их глазах никакая болезнь (а дистрофия, тем более алиментарная, — тяжелейшая болезнь), никакие проявления болезни человека не унижают. Например, одна женщина-врач рассказала о себе, что ходила по улицам «всегда мокрая», как ребенок: голод сожрал все мышцы, одни кости и кожа. «Я ходить не могла, но я работала» (*Ершова Мария Михайловна*).

Врач *Г. А. Самоварова* вспоминает:

«Съели всех кошек, съели всех собак, какие были. Умирали сначала мужчины, потому что мужчины мускулистые и у них мало жира. У женщин, маленьких даже, жировой подкладки больше. Но и женщины тоже умирали, хотя они все-таки были более стойкими. Люди превращались в каких-то, знаете ли, стариков, потому что уничтожался жировой слой, и, значит, все мышцы были видны и сосуды тоже. И все такие дряблые-дряблые были».

Врач *Кондратьева Анна Александровна*: «Эти страшные лица, эти неподвижные глаза, с обтянутыми носами, при отсутствии мимики».

Но вначале даже возможно обострение самых разных чувств, эмоций, фантазий. К чему, как известно, сознательно стремились когда-то жаждущие «видений» монастырские затворники и «пустынники».

Алиментарная, третьей степени, дистрофия — это не только скелет без мышц (даже сидеть человеку больно), это и пожираемый желудком мозг.

Кого настигал голод, корчились и мучились так же, как тяжелораненые...

«Лучше держались девочки, а мальчик двенадцати лет, Толя, очень страдал, уже недоедал изрядно, иногда ложился на скрипучую кроватенку и все время качался, чтобы чем-то заглушить чувство голода, качался до тех пор, пока мать на него не накричит, но опять потом начинал качаться. Потом, через какое-то время, я узнала, что он умер...» (М. М. Хохлова).

Да, голод в литературе «старой», классической, и массовый голод (к тому же, как во времена фашизма, организованный, направленный) — явления разного уровня и смысла.

Массовый бывал и прежде, но рассказывали о нем подробно, всерьез, пожалуй, лишь летописи.

«А коли вже была весна в року 1602, тот наход людей множество почали мерти; по пятеру, по тридцати у яму. Хворых, голодных, пухлых многое множество, — страх видети гневу божого. А так при великих местах человека по едному у яму ховали: священники проводили.

Там же, которые ишли на низ, тые вси там померли, мало се застало. А так мерли одны при местах, на вулицах, по дорогах, по лесах, на пустыни, при роспутиях, по пустых избах, по гумнах померли. Отец сына, сын отца, матка детки, детки матку, муж жену, жена мужа, покинувши детки свои, розно по местах, по селах разышлися. Один другого покидали, не ведаючи один о другом. Мало не вси померли.

А коли тот наход у ворот, албо в дому у кого стоячи хлеба просили, отец з сыном, сын со отцом, матка з дочкою, дочка з маткою, брат з братом, сестра з сестрою, муж з жоною тыми словы мовили силне, слезне, горко мовили так: «Матухно, залулюхно, утухно, панюшко, сподариня, солнце, месец, звездухно, дай крошку хлеба!» Тут же подле ворот будет стояти з раня до обеда и до полудня, так то просячи. Там же другий под плотом и умрет.

...А коли варива просил, тые слова мовили: «Сподариня, перепелочко, зорухно, зернетко, солнушко, дай ложечку дитятку варивца сырого!»

Так сообщал о массовом голоде белорусский летописец из деревни Баркулабово[1].

В книге «География голода» бразильский ученый, председатель Исполнительного комитета Организации по вопросам продовольствия и сельского хозяйства при ООН Жозуа де Кастро писал:

«На каждый печатный труд по проблемам голода имеется свыше тысячи трудов по проблемам войны. Соотношение более чем тысяча к одному! В то же время... от голода погибло гораздо больше людей, чем во время всех эпидемий, вместе взятых. Причиненный ущерб значительнее по числу жертв и гораздо серьезнее по своим биологическим и социальным последствиям».

И дальше:

«Западная наука и техника, одержавшие блестящую победу над силами природы, не вели почти никакой борьбы с голодом. Ученые подчеркнуто хранили молчание об условиях жизни голодающих масс во всем мире. Сознательно или бессознательно, они стали соучастниками заговора молчания. Голод как явление социальное не был объектом их изучения»[2].

Современная литература, документальная и художественная, о фашистских концлагерях, о ленинградской блокаде, литература о Второй мировой войне отразила и продолжает отражать жестокую правду XX века: голод, массовый голод вошел в арсенал, числится в арсенале недав-

---

[1] «Баркулабовская летопись». В книге: «Помнікі старажытнай беларускай пісьменнасці». Изд-во «Навука і тэхніка». Мінск, 1975, стр. 145.

[2] *Жозуа де Кастро.* География голода. Сокращенный перевод с английского. Изд-во «Иностранная литература». М., 1954, стр. 31.

них и потенциальных убийц народов как важнейшее оружие[1].

Не писать сегодня об этом «оружии», забыть — то же самое, что «забыть» о запасах, складах атомной смерти.

Психологически разница между массовым, «блокадным» голодом и тем, что «у Гамсуна», принципиальная. Хотя и писатель повествует о том, что хорошо знает, испытал на себе, но испытал он это не в условиях массового голода. Тут напрашивается аналогия с журналистской памятью о солдатских окопах. Журналист побывал на передовой, пережил яростный обстрел, его могли и убить, так же как и солдата. Разница в их переживаниях, их восприятии передовой тем не менее огромная, даже принципиальная. Журналист приехал, пришел, он сидит в окопе, но он знает, что может и уйти отсюда. (Даже если и не уходит, не собирается уходить.) Солдат знает, что он уйти сам, по собственному желанию не может.

И в этом разница — великая.

Вот такая разница и между «голодом» героя Кнута Гамсуна и «голодом» ленинградцев-блокадников. Блокадникам от голода, смертельного, невыносимого, «уйти» большей частью некуда было: он был кругом, на всем прижатом к заливу, к озеру, прошитом пулями, снарядами пространстве города, он блокировал человека наглухо.

---

[1] О немецко-фашистском варианте использования этого оружия Жозуа де Кастро писал: «План организованного голода», осуществлявшийся третьей империей, имел солидную научную базу и совершенно определенные цели. Это было мощное оружие войны, обладающее большой разрушительной силой, которую можно было использовать в самых широких масштабах и с максимальной эффективностью. Именно так и поступали немцы, отбросив всякую сентиментальность и манипулируя продовольственными поставками в соответствии с конкретными целями этой разновидности «геополитики голода», как назвал бы такой план Карл Гаусговер и его клика немецких геополитиков». («География голода», стр. 315.)

Засланный в город

Голод и триста лет назад и ныне — тот же. И мучения те же, и ощущения. Но к голоду блокады было особое отношение — это был враг, засланный фашизмом, это был противник, мешающий работать, воевать, эта была война.

Один из авторов книги воевал осень и зиму, вплоть до весны сорок второго года, под Пушкином. Он сидел в окопах, и каждую ночь позади, за спиной, полыхали отсветы ленинградских пожаров, багровые их пятна дырявили звездную темноту. Впереди взлетали вражеские ракеты, а позади горел город. Днем силуэт города подробно и четко вырисовывался на ясном небе. Многочисленные трубы не дымили, и воздух над городом был чист, лишь в нескольких местах поднимались толстые копотные столбы дыма от пожарищ. В одни и те же часы над передовой проплывали фашистские бомбардировщики, они летели бомбить, а к вечеру, сменяя их, с мягким шелестом, невидимые, неслись в город тяжелые снаряды.

В его батальоне были случаи дистрофии и голодной отечности, потому что солдатский паек был скудным, пусть не таким, как у горожан, но очень скудным, урезанным. Но война с этим не считалась, надо было стоять на посту, ходить в разведку, разгребать окопы от снега, таскать снаряды, патроны, чистить оружие. Кроме всего прочего, война — это еще и тяжелый физический труд, где нет ни выходных, ни перерывов.

Немцы не жалели ни мин, ни снарядов. Были дни, когда на участке батальона оставалось несколько десятков бойцов. Немецкие окопы у железной дороги были от наших всего метрах в пятидесяти. Насадив на штыки булки, немцы поднимали их над бруствером и предлагали переходить к ним, они обещали сытную кормежку и спокойную жизнь в плену. Они доказывали, что солдаты Ленинградского фронта обречены на гибель и если не подохнут от голода, то будут убиты. Не так-то легко было это слушать. Однако за всю зиму из его батальона не было случая перехода к немцам.

И хотя он прошел всю эту долгую войну, где были и наступление, и победы, и штурмы, и разные фронты, и все это не только видел, но и прожил, он затрудняется объяснить, каким образом голодным, промерзшим, ослабевшим воинам Ленинградского фронта удалось защитить, отстоять город, продержаться в обороне под городом в мелких, простреливаемых окопах на открытых низинах, и мало того — непрерывно атаковать, наседать, продвигаться на отдельных участках, не позволяя снять немецкому командованию и перебросить дивизии из-под Ленинграда на другие фронты. Теперь, спустя столько лет, непонятным кажется и то, почему, каким образом в декабре, в самое тяжкое время, нашим солдатам стало ясно, что немцам в Ленинград не пробиться, не прорваться.

Ленинградцам надо было ходить на завод, работать, дежурить на крышах, спасать оборудование, дома, своих близких — детей, отцов, мужей, жен, обеспечивать фронт, ухаживать за ранеными, тушить пожары, добывать топливо, носить воду, возить продовольствие, снаряды, строить доты, маскировать здания.

Вале Мороз было в блокаду пятнадцать лет. Отец ее ушел в народное ополчение. Старшая сестра тоже хотела на фронт, ей это не удалось, она устроилась в военный госпиталь. В декабре 1941 года умер отец, через два месяца сестра, в конце марта мать. Валя осталась одна. Ей помогли устроиться на завод учеником токаря. Она делала детали для снарядных стабилизаторов. Она работала, всю блокаду работала.

Надо понять слово «работала» в его тогдашнем значении. Каждое движение происходило замедленно. Медленно поднимались руки, медленно шевелились пальцы. Никто не бегал, ходили медленно, с трудом поднимали ногу. Сегодня здоровому, сытому молодому организму невозможно представить такое бессилие, такую походку.

«Примерно такое ощущение, что ногу не поднять. Понимаете ли? Вот такое ощущение, когда на какую-то ступеньку ногу надо поставить, а она ватная. Вот так во сне бывает: ты вроде готов побежать, а у тебя ноги не бегут. Или ты хочешь кричать — нет голоса.

Я помню чувство, когда нужно было переставлять ноги (это в то время, когда мама еще была жива, когда надо было выходить), когда надо было на ступеньку поставить, в какое-то мгновение нога у тебя не срабатывает, она тебе не подчиняется, ты можешь упасть. Но потом все-таки хватило сил, как-то поднималась».

Чтобы хоть как-то оценить труд ленинградцев, находившихся в подобном состоянии, чтобы постигнуть, что значило отремонтировать орудие, подняться на чердак для дежурства, что значило расчистить завал, для этого надо прежде всего понять протяженность и силу блокадного голода, протяженность его не только вширь, но и как бы *в глубь человека*. Надо понять, как сказывался голод на поведении человека, каким испытаниям подвергались и психика, и душа, и вера, причем не вообще человека, а конкретного, этого, потому что у каждого было свое, своя схватка с голодом, и протекала она по-разному. Только постигнув голод, представив его силу, изучив его масштабы, его действие, можно почувствовать сделанное ленинградцами. Без этого не понять истинной величины мужества защитников города.

Подробности голода проступают в рассказах порой неожиданно, из случайно оброненных пронзительных фраз, не сразу их можно и осознать.

Тамара Александровна Халтунен работала в больнице для дистрофиков, там, когда больного в ванну опускали, вспоминает она, больной криком кричал: «...голые кости, он не может ни сидеть, ни лежать, у него нет жира».

«— Три женщины было и я — девочка. Я самая молодая и сильная считалась. Я вроде ничего была, — начала свой рассказ врач-психиатр Майя Яновна Бабич.

— А сколько вам тогда было?

— Мне было тогда шестнадцать лет. Я брала их карточки, ходила в очередь, чтобы взять на всех хлеб, каждому отдельно. Я себя ловила на мысли: хоть бы маленький довесочек дали. Когда давали, я иногда от их порций довесочек съедала. Потом приходила, отдавала каждому его порцию. А эта крошечка мне как бы за работу. Иногда стоишь, стоишь — и ничего нет, потому что хлеба не было. Когда я приносила хлеба, они лежали на диванах, на кроватях в этой комнате. Были какие-то тулупы; все в валенках, под ватными одеялами. Все лежали. Коптилка стояла, горело какое-то масло, мерцало. И «буржуйка» стояла. Рядом с «буржуйкой» ведро с водой, которая к ночи замерзала до дна. А потом вставали и топориком откалывали кусочки льда, чтобы вскипятить воду. По очереди вставали. Пили бурду.

...Это было в начале января. Приходит на квартиру ко мне мой школьный приятель Толя. Это такой поэт был, витал в облаках, говорил о проблеме «быть или не быть?». В школе он был таким мальчиком с возвышенными интересами. И вот приходит — лицо серо-зеленое такое. Глаза совсем вытаращенные, и говорит: «У тебя не сохранился твой кот?» А у нас кот был. Я говорю: «Ну что ты! А что?» — «А мы хотели бы его съесть!» Мама и бабушка у него лежали. И вот он ушел. Он был такой ужасный, такой грязный, тощий. Ушел качаясь! А только год тому назад было совершенно по-другому. Собирались, о высоких материях разговаривали. И вдруг — кошка! Я хотела через неделю-другую пойти к нему (на другой улице они жили). Я сразу не пошла. Самое страшное было выйти из дому, бессознательно стремились оберегать себя от таких картин. Это как-то интуитивно было. Но я пошла все-таки в этот дом. Вот иду на второй этаж —

двери не закрываются, входи куда угодно, в любую комнату заходи, бери что угодно. Это был шикарный дом — добротный, красивый. Дом одного бывшего миллионера. В мирное время на лестницах были ковры. Он жил в комнате в коммунальной квартире. Я захожу к нему в комнату. Темно, так чего-то брезжит. И они все трое лежат мертвые: бабушка, мать и он. В комнате страшная грязища. Холод. «Буржуйку» топить, видно, сил не было. И все умерли. Мне было страшно. Я в другие комнаты не вошла и пошла обратно».

Блокадную квартиру нельзя изобразить ни в одном музее, ни в каком макете или панораме, так же как нельзя изобразить мороз, тоску, голод...

Сами блокадники, вспоминая, отмечают разбитые окна, распиленную на дрова мебель — наиболее резкое, необычное. Но тогда по-настоящему вид квартиры поражал лишь детей и приезжих, пришедших с фронта. Как это было, например, с *Владимиром Яковлевичем Александровым:*

«— Вы стучите долго-долго — ничего не слышно. И у вас уже полное впечатление, что там все умерли. Потом начинается какое-то шарканье, открывается дверь. В квартире, где температура равна температуре окружающей среды, появляется замотанное бог знает во что существо. Вы вручаете ему пакетик с какими-нибудь сухарями, галетами или чем-нибудь еще. И что поражало? Отсутствие эмоционального всплеска.

— И даже если продукты?

— Даже продукты. Ведь у многих голодающих уже была атрофия аппетита».

...Там, на фронте, думали, что эти ложки пшена, сухари, которые сберегали, откладывали от своего скудного пайка, будут встречены с восторгом, а их принимали порой вот так, уже безразлично...

В конце войны *Алексея Дмитриевича Беззубова* откомандировали в Германию. Была организована Советская военная администрация в

Германии (СВАГ), и Беззубова как широкообразованного пищевика, с большим опытом работы, назначили начальником научно-технического отдела пищевой промышленности. Ему пришлось ведать в Германии лабораториями университетов, научно-исследовательскими институтами, проектными организациями, поэтому не удивительно, что судьба свела его с таким крупным немецким специалистом, как профессор Цигельмайер. Рано или поздно это должно было произойти. Цигельмайер считался одним из ведущих ученых в области питания. Раньше он руководил Мюнхенским пищевым институтом. Итак, они встретились, разговорились, знатоки, казалось бы, одной из самых мирных наук. Что может быть более добрым, благородным, заботливым, чем наука о питании?

И тут по ходу беседы выясняется, что профессор Цигельмайер во время войны занимал высокую должность — заместитель интенданта гитлеровской армии. Поскольку специалист он был выдающийся, его привлекли курировать важнейшую для командования проблему — блокированного Ленинграда. Прямое наступление на город захлебнулось. Наши войска плотно держали изнутри блокадное кольцо, не давая нигде его переступить. Вот тогда гитлеровскому генеральному штабу и потребовались консультации Цигельмайера. Он обдумывал и советовал, что следует делать, чтобы скорее уморить голодом Ленинград. Именно это имел в виду Геббельс, когда, немного кривя душой, записывал в своем дневнике 10 сентября 1941 года: «Мы и в дальнейшем не будем утруждать себя требованиями капитуляции Ленинграда. Он должен быть уничтожен почти научно обоснованным методом».

Цигельмайер вычислял, сколько может продлиться блокада при существующем рационе, когда люди начнут умирать, как будет происходить умирание, в какие сроки они все вымрут.

«Цигельмайер рассказывал мне, что они точно знали, сколько у нас осталось продовольствия, знали, сколько людей в Ленинграде. Правда, он сделал ошибку, я потом ему сказал, что у нас положение было еще тяжелее: «Вы не учли, сколько с армией пришло населения из Ленинградской, Новгородской и других областей». Цигельмайер изумлялся и все меня спрашивал: «Как же вы выдержали?! Как вы выдержали?! Как вы могли? Это совершенно невозможно! Я писал справку, что люди на таком пайке физически не могут жить. И поэтому не следует рисковать немецкими солдатами. Ленинградцы сами умрут, только не надо выпускать ни одного человека через фронт. Пускай их останется там больше, тогда они скорее умрут, и мы войдем в город совершенно свободно, не потеряем ни одного немецкого солдата». Потом он говорил: «Я все-таки старый пищевик. Я не понимаю, что за чудо у вас там произошло?»

Алексей Дмитриевич мог бы ему многое рассказать про свою работу. Витаминному институту, где он заведовал химико-технологическим отделением, горисполком поручил руководить изготовлением хвойной настойки, чтобы как-то предупредить авитаминоз среди населения. Решение было принято 18 ноября 1941 года. Подняты были даже архивные материалы двухвековой давности, когда Россия экспортировала хвою как лекарство от цинги. Нашли документы о том, как сосновой хвоей лечили цингу во время войны со шведами. Вместе со своими сотрудниками А. Д. Беззубов составил инструкцию, как делать антицинготную хвойную настойку в промышленных условиях, как делать ее дома, как витаминизировать этой настойкой продукты. Как раз когда Цигельмайер приступил к изучению данных ему генштабом сведений, Беззубов учил, как измельчать хвойные иглы, как проводить их экстракцию, как фильтровать, расфасовывать настой. Тут же он изучал, как использовать в госпиталях и больницах проросший горох.

Спустя месяц, во второй половине декабря, Беззубов и оставшиеся в живых сотрудники института отправились проверять, как работают установки по изготовлению хвойных настоев. Они ходили по воинским частям, госпиталям, детским учреждениям, стационарам. На сорока шести фабриках работали эти установки и в шести научных учреждениях.

Для борьбы с обморожением они искали способы получения каротина.

В начале января 1942 года в городе начались заболевания пеллагрой. Надо было раздобыть никотиновую кислоту — витамин PP. На чердаках и в вентиляционных трубах табачных фабрик собирали табачную пыль. Из нее извлекали никотиновую кислоту.

Он мог бы рассказать Цигельмайеру, как учились лечить алиментарную дистрофию. Наиболее эффективными оказались препараты белковые и витаминные. Полноценным белком были казеин[1], дрожжи, альбумин. Беззубов помогал организовать доставку казеина в Ленинград. А еще раньше он сумел использовать остатки горелого сахара на Бадаевских складах. Знаменитый этот сахар, растопленный огнем, залитый водой пожарных брандспойтов, смешанный с землей, песком, — о нем столько нам рассказывали! — вот его-то извлекли десятки тонн. Это были глыбы черной сладкой земли; их Беззубов придумал промывать сверху водой и перерабатывать на кондитерской фабрике. До войны он работал главным инженером этой фабрики. Из черного этого творога, который долго еще продолжали копать ленинградцы на горелом пустыре, стали производить леденцовую карамель. По вкусу карамель напоминала известные дореволюционные леденцы — ландрин. Была такая популярная в России карамель с горчинкой.

---

[1] Основной белковый компонент молока и молочных продуктов.

Его отдел изучал, сколько каротина и витаминов содержат одуванчики, крапива, лебеда, что из них можно приготовлять...

Ничего об этом Цигельмайер не знал. Да, собственно, вряд ли такого рода мелочи он принял бы во внимание. Будучи специалистом примерно того же профиля, что и Беззубов, он подсчитывал, сколько суток может просуществовать средний ленинградец без белков и жиров. Он вел глобальные подсчеты. Перед ним была задача, эксперимент, огромный эксперимент, поставленный на миллионах, единственный в своем роде. Чем больше населения, то есть испытуемых, тем меньше сказываются всякие аномалии, тем точнее должен быть результат.

Энергия не может возникать из ничего. Сто лет назад великий земляк этого Цигельмайера врач Роберт Майер вывел закон сохранения энергии. И Алексей Беззубов и Цигельмайер изучали, как человеческий организм подчиняется этому закону, изучали для совершенно противоположных целей.

Чтобы обеспечить работу сердца, легких, всех органов, для этого необходимо снабжать организм топливом. Цигельмайер четко знал: тепло не может возникать из духа, из воли, из убеждений; как бы ни хотел человек согреться, организму нужны для этого не мысли, не вера, а калории, нужна пища, минимальное количество которой исчисляется двумя тысячами калорий в сутки. Этих калорий у ленинградцев не было.

Не видя ожидаемого результата, Цигельмайер на всякий случай вводил еще всякие коэффициенты. Однако Ленинград по-прежнему держался. Цигельмайер сделал еще некоторые последние допущения, ему надо было спасти законы энергетики.

Жители этого города должны, обязаны были умереть, а они продолжали жить, они двигались, они даже работали, нарушая незыблемые законы науки.

Рацион ленинградцев был известен, температура воздуха, качество хлеба, — все, все было подсчитано, учтено: 125 граммов, 150 граммов, даже 250 граммов при отсутствии каких-либо других продуктов не могли обеспечить физиологического существования организма в условиях такого холода. Цигельмайер не понимал, в чем он просчитался. Он не мог объяснить генеральному штабу, почему его расчеты не оправдываются.

Теперь он расспрашивал об этом господина советского профессора. Но и Алексей Дмитриевич не мог до конца объяснить этого феномена. Он разговаривал с Цигельмайером, ученым — специалистом по питанию, который «консультировал» голод, — вполне учтиво, придушив свои чувства. Он говорил о неучтенной вере в победу, о духовных резервах организма ленинградцев.

Но, откровенно говоря, ему и самому было не все ясно. Он все пережил, все видел сам, и тем не менее при всем огромном опыте не до конца понимал, откуда брались силы у людей... Этого убийцу-«невидимку» вначале не считали самым опасным. Убивали — куда заметнее для всех другие: бомбы, снаряды. Да и вообще август — сентябрь — октябрь были и без того тревожными до крайности: ожидался со дня на день новый штурм. Враг у ворот! — это кричало в душе ленинградцев, заглушая другие тревоги.

В дом к вам приходят моряки, солдаты и, отодвинув подальше детскую кроватку, закладывают кирпичом окно, делая из него амбразуру, — и вы им помогаете! Танки врага — в четырех километрах от Кировского завода...

О союзнике врага[1], который через месяц-полтора станет самым главным и страшным убийцей ленинградцев, — о голоде мысль хотя и бес-

---

[1] «Положение здесь будет напряженным до тех пор, пока не даст себя знать наш союзник — голод», — записывал Ф. Гальдер, начальник немецкого генштаба. (*Ф. Гальдер*. Военный дневник. Воениздат, 1971, т. 3, кн. 1, стр. 360.)

покоила, тоскливо сосала, но все еще не казалась столь опасной.

Вот рассказ *Галины Иосифовны Петровой* (набережная Фонтанки, 39):

«— Довольно быстро ввели карточную систему. Я помню, что мы даже не выбирали ту норму продуктов, которые нам давали.

— Вначале?

— Да. Вначале выбирали весь хлеб, смотрим — стал хлеб дома оставаться; булки были, батоны. Потом уже вспоминали, что вот тогда давали хлеб, а мы не брали, а можно было брать и сушить сухари. А сначала не придавали никакого значения. У меня здесь были папа, мама, сестра и я. Сестра вышла замуж, и в августе они уехали в Сочи, мы с папой и мамой здесь оставались.

— В этом же доме?

— Нет, мы жили тогда на улице Гоголя, семнадцать, в том доме, где жил когда-то Гоголь».

Цепко держалась иллюзия (причем одновременно с ожиданием самого худшего), что скоро каким-то чудесным образом «все станет на место». Психологическое состояние неожиданности растянулось на месяцы. Хотя, казалось бы, это состояние моментальное.

Неожиданность — длилась.

На такую «психологию» первых месяцев войны обращает внимание в своем рассказе ученый-математик *Евгений Сергеевич Ляпин* (Московский проспект, д. 208).

«— Это был август?

— Август — начало сентября. Насчет того, что кто-то специально распространял слухи, я не знаю, не приходилось слышать. Думаю, что люди сами себя старались «успокоить». В частности, был в то время такой неправдоподобный слух: стрельба в городе слышна потому будто, что неприятель выбросил десант, они спрятались где-то на кладбище и вот из минометов стреляют по городу, для того чтобы вызвать панику. Такие представления характерны для того момента. Люди никак не могли освоить всего, что реально происходило. Опыта не было. Тем более что были еще в памяти описания войны на Западе, всякие там фокусы, воздушные десанты во Франции и Бельгии. Вот в таком духе и здесь ожидали. Потом все оказалось не так. Никто на кладбище не сидел, никто из минометов по нас не стрелял, просто фронт продвинулся ближе к нам, и дальнобойная артиллерия могла стрелять на расстоянии восемьдесят километров. Я не помню уже точно числа, но это было за Московским вокзалом. И не два-три раза выстрел в день ухнет, а был непрерывный артиллерийский огонь, бой, который велся в двадцати километрах от Ленинграда, в Павловске. Все стало понятно. Мы уже знали, что фронт продвинулся к Ленинграду, подошел неприятель, бой происходит у самого города, и, очевидно, с этим связана и судьба города. Тем не менее налетов на город больших не было. Даже отдельные выстрелы к этому времени прекратились. В общем, хотели взять нас паникой, а паники не получилось. Что нам предстояло впереди? Это стало ясно, по-моему, если не ошибаюсь, седьмого или восьмого сентября, когда вечером была объявлена очередная тревога. Тревог уже было много, мы несерьезно к ним относились. Я выглянул из окна (я жил тогда в районе Варшавского вокзала). Мы услышали сперва, что зенитки стреляют особенно рьяно и усиленно. А, взглянув на небо, я увидел необычную вещь: шли не отдельные самолеты, которые где-то высоко летят маленькими точками и их даже рассмотреть нельзя. Нет, движется в определенном, явно рассчитанном, сложном порядке большая масса самолетов. Построены они так, чтобы движение их казалось грозным. И оно действительно было грозным. Вокруг них рвутся снаряды, видны разрывы зенитной артиллерии. А они движутся ровно: не петляют, не делают разных сложных фигур, как делали самолеты в августе. И, даже если кто-то из них валился в клубах дыма и уходил книзу, остальные продолжали свое движение. Ясно было видно, что это не случайный налет, а это массовый налет. Прошла одна волна, прошла вторая волна, третья волна. Что-то происходит, это было ясно. Вдруг, посмотрев в южном направлении, я увидел растущее большое облако дыма. Такое было в первый раз. Облако разрасталось все выше и выше, достигая десятков, сотен метров. Стало ясно: это результаты появления вражеской авиации. И нам все это потом дорого обошлось.

Тогда еще мы о голоде не знали, не думали совершенно. Снабжение по карточкам было хорошее: хлеба давали столько, что съесть его было совершенно невозможно (шестьсот или восемьсот граммов — кто из ленинградцев съедал столько хлеба за один день?). Так что эта сторона оставалась без внимания. Но, забегая вперед, скажу, что как раз поражение и, в общем, уничтожение этого склада — оно стоило жизни многим жителям».

Уточнить эти факты, оценить их последствия — дело историков. Мы изучали не исторические документы, мы вслушивались в рассказы живых людей. Между нами и прошлым была людская память, шаткий мост, источенный временем. У одних их прошлое сохранилось в голове, у других оно заместилось вычитанным из книг, виденным в фильмах, и они сами не заметили, как это произошло. Сдвинулись даты. Первая бомбежка Ленинграда была 6 сентября 1941 года; через день, 8 сентября, произошел второй налет, во время которого разбомбили Бадаевские склады. Две эти даты у многих слились в одну, и получилось, что Бадаевские склады сгорели в первую же бомбежку. Таких ошибок много.

Мы выясняли не историческую картину, а скорее состояние людей того времени. И в этом смысле было важно знать, что именно каждому запомнилось из тех лет. Что врезалось в душу, что осталось от блокадной жизни навечно в душе, в сознании, что из пережитого постоянно сосуществует с человеком.

Наемный убийца

Голод был уже рядом, в городе.

Ужесточались продуктовые нормы, город собирал все, что можно было собрать, сохранить, пустить в дело. Пошли в ход всякие «заменители» — на хлебозаводах, в столовых.

И каждый сам стал оглядываться, искать: что и где съедобного осталось, что можно использовать?

Голод только еще нащупывал глотку своих жертв, но всем уже становилось тревожно, неуютно: убийца где-то рядом... Вот как рассказывают об этом времени сами ленинградцы.

Художник *Иван Андреевич Коротков:*
«— Постепенно голод стал поджимать. Что я предпринял? Какие меры? Я стал обходить квартиры всех эвакуированных друзей. Прежде всего к Тае Григорьевне. Не помню, как попал (рядом соседка, кажется, жила). Я вошел, перерыл все шкафы, всякие сухарики, зацветшие, зеленые, подобрал, еще что-то такое. В общем, я такой мешочек набрал. Был крайне доволен, что получил довольно хорошую порцию чего-то. Еще к кому-то я пошел в квартиру, тоже по всем шкафам собирал все кусочки засохшие, которые остались. Потом мне один мой студент принес жмых — вот такие листы. Принес три листа. Это была колоссальнейшая вещь — три листа жмыха!

— А какой тогда месяц был?

— Октябрь и ноябрь, холода, когда уже ничего не стало. Потом дома нашел немножко муки. Потом у меня оказался клей рыбный для грунтовки и несколько бутылочек масла льняного на окне... Каким-то образом я почувствовал, что дело скверно. Я не стал очень-то налегать, а все это плавно распределял».

Бывший работник радио *Нил Николаевич Беляев:*
«— Что характерно было для тех месяцев, когда началась голодовка? Это — сразу же вос-

пользоваться всем, что можно есть. Что к этому относилось? Это вот дуранда — жмых подсолнечный, который можно было кусочками на рынке приобрести. Маленький кусочек, плиточку жмыха можно было за тридцать рублей купить. Цена тридцать рублей почему-то держалась на этот жмых несколько месяцев, пока он не кончился. Квадратный дециметр шкуры животного, с коровы или с лошади (из нее можно было сварить студень), плитки столярного клея — эти вещи на рынке покупались, и приблизительно каждая из них рублей по тридцать стоила. Если студень сварить из маленького кусочка кожи, он не получится достаточно хороший, плотный, а если сюда добавить столярный клей, то сварится, получится хороший, крутой. Есть, конечно, весьма отвратно было, но приправишь горчицей, перцем, уксусом, который выдавался регулярно по карточкам (собственно, только это регулярно и выдавалось), и кое-как ешь, и можно было как-то существовать. Но в сорок втором году этого уже ничего нельзя было достать, ни жмыха, ни клея. Это все пропало. Так что оставалось, как полярным путешественникам из рассказов об Амундсене или Нансене, переходить на ремни. Но это дело нехорошее получалось. Потому что тогда, у тех путешественников, ремни были сыромятные. Это сыромятная кожа, не выделанная химически, не прошедшая, так сказать, обработку. А ремень — что? Ничего! Его вот изрежешь, искрошишь, попытаешься сварить, варишь-варишь — он не разваривается. А если и разварится, съешь это все, то, как говорится, никакой радости от этого нет, ничего нет».

Все самое, казалось, немыслимое голодный пытался «утилизировать». Особенно наивнобеспомощную изобретательность проявляли ребята-ремесленники. Они (по многим рассказам) умирали едва ли не первыми: одни, без родных-близких, что получат, съедят за раз, проедали одежду, обувь.

По мнению опытных блокадников, более сдержанных, излишняя изобретательность тут пагубна. Часто она убивала человека еще до того, как завершал свое дело голод. Но, даже зная это, люди не могли удержаться: голод не тетка!..

Рассказывает *Зоя Алексеевна Берникович*, работник Эрмитажа:

«— Конечно, все приходилось есть: и ремни я ела, и клей я ела, и олифу: жарила на ней хлеб. Потом нам сказали, что из горчицы очень вкусные блины. За горчицей какая была очередь!

— Что же, из одной горчицы?

— Надо было уметь делать. Я две пачки положила (взяла-то пятнадцать пачек, думала, запас будет, может, жить буду). Вот надо ее мочить семь дней, сливать воду и опять наливать, чтобы горечь вся вышла. Ну, конечно, я спекла блинчики, два. Съела один, и потом я стала кричать как сумасшедшая. У меня были такие рези! Очень многие умерли. Все-таки это горчица; говорят, съела кишки. Когда вызвали ко мне врача, он спрашивает: «Сколько вы съели блинчиков?» — «Только один». — «Ваше счастье, что вы съели мало. Ваше счастье!» Вот так я осталась жива... Ландрин покупали, пили сладкий чай; сахарин иногда можно было достать. Правда, весной уже был огород. Я была очень счастлива, что мой огород никто не трогал. Я ела, знаете, какую траву? Лебеду и мать-и-мачеху, может быть, знаете такую? Как принесу полный мешок, у меня была такая большая бутыль, я туда натрамбую, насолю и с солью ем».

Про «бадаевскую», про «сладкую», землю рассказывают многие. Ее продавали на рынках наравне с другими продуктами. Качество (и цена) «бадаевского продукта» зависела от того, какой это слой земли — верхний или нижний. *Валентина Степановна Мороз* (библиотекарь) и сейчас помнит вкус ее:

«— Потом еще такая деталь запомнилась: когда разбомбили Бадаевские склады, мы бегали туда, или, вернее, добредали. И вот земля. У меня остался вкус земли, то есть до сих пор впечатление, что я ела жирный творог. Это черная земля. То ли в самом деле она была промаслена?

— Сладость чувствовалась?

— Даже не сладость, а что-то такое жирное, может быть, там масло и было. Впечатление, что земля эта была очень вкусной, такой жирной по-настоящему!

— Как готовили эту землю?

— Никак не готовили. Просто по маленькому кусочку заглатывали и кипятком запивали».

В перечне блокадной еды всякое можно найти — конопляные зерна от птичьего корма, и самих канареек, и дроздов, и попугаев, собирали мучной клей от обоев, извлекали его из переплетов, вываривали приводные ремни, ели кошек, собак, ворон, потребляли всякого рода технические масла, использовали олифу, лекарства, специи, вазелин, глицерин, всевозможные отходы растительного сырья. Список этот длинный, удивительный по своей изобретательности, даже по изощренности, с какой испытывалось на съедобность все окружающее. Например, одна женщина разрезала, варила и съела шубу из сусликового меха (из рассказа Степанчук М. Г.).

Есть народы, у которых принято потреблять в пищу, допустим, собак, или змей, или лягушек. Для ленинградца преодолеть эти «предрассудки», все свое воспитание было делом нелегким, и многим оказывалось не под силу.

И даже в буквальном смысле... «землю ели»...

Александра Михайловна Арсеньева, автор печатных воспоминаний о комсомольском полке противовоздушной обороны Ленинграда, рассказала нам:

«— Я пошла на семинар в райисполком и попала под бомбежку под аркой — побили мне позвонки, в общем, не сломали, но большие синяки были, и я уже не могла двигаться. Без сознания меня принесли в ремесленное училище какое-то, в первый этаж. И вот там я, лежа и чувствуя, что я уже не вернусь к жизни, не встану, смотрела на мальчишек — тощих, с сумками из-под противогазов. И в сумках у них земля — они продают, меняют на хлеб землю! Подходит ко мне мальчишка и говорит: «Тетенька! Вы хлеб не едите? (А я хлеб уже не ела, у меня открылся кровяной понос, и я ничего не ела.) Поменяйте на землю. Это очень вкусно!» — «Как же, говорю, землю есть?»

— Это с Бадаевских складов земля?

— Это торф, даже не сладкий, а просто торф, поскольку торф считается питательной землей. И вот землю — на хлеб. За кусочек хлеба он дает тебе две кружки земли. Я эту землю взяла только, чтобы попробовать, а хлеб отдала. Отдала им и карточки свои. Мальчишки честные были, они мне приносили хлеб».

Слово «хлеб» обрело, восстановило среди всего этого свой символический смысл — хлеб насущный. Хлеб как образ жизни, хлеб как лучший дар земли, источник сил человека.

Блокадница *Таисия Васильевна Мещанкина* о хлебе говорит, будто молитву новую слагает:

«Вы меня послушайте. Вот сейчас, когда я встаю, я беру кусок хлеба и говорю: помяни, Господи, всех умерших с голоду, которые не дождались досыта поесть хлеба.

А я сказала себе: когда у меня будет хлеб оставаться, я буду самый богатейший человек.

Вот с этого я начинаю утро, только с этого. Я не вру. Пью чаю две чашки крепкого, и это богатство.

Когда умирал человек и ты к нему подходил, он ничего не просил — ни масла, ни апельсина, ничего не просил. Он только тебе говорил: дай крошечку хлеба! И умирал!..

Я осталась, я не знаю, почему я, такая, осталась. Я не знаю почему. Я малограмотная.

У меня детство было тяжелое, отец и мать до революции умерли. Ну, почему я осталась? Может быть, для этого осталась, чтобы рассказать какую-то там историю интересную?»

Массовый голод — это тихие смерти: сидел и незаметно уснул, шел — остановился, присел... Многие наблюдали, запомнили жуткую «тихость» голодных смертей.

«Я шла с работы, и вот (угол проспекта Газа и Огородникова) женщина одна идет и говорит мне: «Девушка! Ради бога, помогите мне!» Я мимо шла, говорю: «Чем я могу вам помочь?» — «Ну, доведите меня до этого забора». Я довела ее до этого забора. Она постояла, потом опустилась и села. Я говорю: «Чем вам помочь?» Смотрю, она уже и глаза закрыла. Умерла!» (Никитина Елена Михайловна).

Об этом же — *Людмила Алексеевна Мандрыкина* (Невский проспект, 137).

«— Ну, что вам еще сказать? Вот у нас в военном архиве всегда сидела милиция. И такие замечательные парни были — милиционеры, чудесные, молодые были все. Это те, которые были призваны на войну и оставались здесь в милиции. В милиции кормили очень плохо, так же как и в МПВО. Вот я часто с ними разговаривала, ну, просто говорили о том, что пройдет же это время, что будет потом? Мы старались не говорить об еде. И вдруг, ты смотришь на человека и видишь, что у него стекленеют глаза. Я теперь знаю, что это такое...

— Прямо во время разговора?

— Вот прямо во время разговора. Он сидит... садится, говорит: «Ой! Мне что-то не очень!..» — «Ну, посиди! Всем не очень хорошо...»

Вот двое так умерло на моих глазах. Потом он все медленнее говорит, медленнее...

Вот так умирали люди. Так они умирали и на улице. Когда они шли, кто-то садился на тротуар. Сначала к нему подходили, первое время, а потом его просто обходили, и он часто вмерзал в струйку вот этой воды, которая шла...» Такие рассказы повторяются и варьируются до бесконечности — про тихий, незаметный переход за край голода, — а иные приобретают жуткий образный смысл.

«— Потом вдруг он ко мне обращается и говорит: «Марья Андреевна! Сядьте со мной рядом. Я вам отдам партийный билет. Посидите со мной рядом». Села с ним рядом, значит. Я говорю: «Где у тебя семья?» — «Она эвакуирована. Не знаю, мне ничего не пишут». (Ну, где там писать. Может, и пишут, да не попадает.) И вы знаете, он меня обхватил за шею-то, то ли он хотел поцеловать, то ли что. И он умер! Вы представляете — у мертвого как зацепляются руки? Я никак не могу выбраться оттуда, ничего не могу сделать. А Женя Савич и еще там пришли. Ну, что — они тоже не могут. Ну, еле-еле вытащила голову от него...» (Из рассказа *Сюткиной Марии Андреевны*, бывшего парторга цеха Кировского завода.)

Надо было ходить на завод, надо было работать, хотя и просто идти по улице для ленинградца порой было не по силам.

«— Потом я еще очень хорошо помню, как люди шли. Никогда я и нигде не видела и не слышала, чтобы человек шел так, как в блокаду: человек шел так, как против ветра идут, понимаете, вот наклонившись всем корпусом вперед, чтобы не упасть, тяжело вот так переставляя ноги! Почти все так ходили. Не знаю, почему мне запомнилась эта походка.

— А сами вы ловили себя на том, как вы идете? Или на это уже не обращали внимания?

— Может быть, я тоже так ходила, я сейчас не помню. Только вот мне запомнилась эта походка. Моя ли это была или окружающих? Не помню. Мне кажется, что все так ходили...» (*Григорович Александра Дмитриевна*).

«Вы знаете, и на меня это производило впечатление тоже: идешь это шаркающей походкой, еле ноги переставляешь; и люди вокруг тебя ходят, где-нибудь у него привешен портфель, потому что в руках ему трудно нести, и поэтому его привязал сюда, на шею. И все как в замедленной киносъемке.

Вот меня две вещи поразили: это картина — человек, который читает объявления, а от руки у него веревка к фанере с покойником. И еще один раз, тоже из одного из самых глухих мест я возвращался — из Института экспериментальной медицины, — поздним вечером по улице Павлова. И сзади меня шла какая-то группочка людей. Я даже не обратил бы внимания, но я вздрогнул и оборотился, когда услышал хохот. Произошло что-то совершенно неукладывающееся: оказывается, что какие-то девчонки и кто-то на что-то расхохотался...» (Александров Владимир Яковлевич). Голод изменял людей не только физически — он менял характер, привычки, он искажал у некоторых людей весь их душевный облик.

«— Чем мне удалось поддержать своих сотрудников? — вспоминает *Зинаида Александровна Игнатович* (Средний проспект, д. 35). — Перед войной мы занимались в лаборатории пищевыми отравлениями которые вызывались бактериями. Для того чтобы выращивать бактерии, варится особая среда. Она варится на мясном бульоне. Ленинградский мясокомбинат готовил нам такую среду, такой концентрированный бульон, готовил его из нетелей. А что это такое? Это когда забивали коров и в утробе у них находили плод. И вот из этих плодов они готовили экстракт Либиха и сушили его. У нас был большой запас его. Это спасло многих сотрудников. Когда начался голод, я как заместитель начальника по научной части, когда приходила, вынимала одну банку, вокруг садились сотрудники, и я давала по столовой ложке мясного экстракта. Его можно было так есть. Тут я хочу вспомнить случай, который до сих пор волнует меня. У нас был в институте сотрудник, культурнейший человек. Он был крупный и здоровый мужчина. И он очень быстро сдал. Когда я утром раздавала этот мясной бульон, он уже первым сидел за столом. И такими горящими глазами провожал он эту ложку! Чувствовалось, что все его помыслы сосредоточены на ней. Очень трудно было представить, что это он же — такой деликатный, такой умница, такой замечательный человек!

Когда начали открываться так называемые стационары, нам удалось поместить его в стационар. Но врачи тогда еще не знали, что нельзя сразу после голода давать много пищи. Ему дали двести граммов масла, полбуханки хлеба. Он съел все сразу и ночью умер.

— Неужели врачи не знали?

— Первое время не знали. Потом они уже знали, что человека надо постепенно выводить из голодного состояния».

В той же маленькой лаборатории были другие люди, которые жили эти месяцы и умирали по-другому.

«У нас был такой Соловьев, сидел в вестибюле. Он простой человек, даже не очень хорошо грамотный. Сыновья у него пошли на фронт. Дочка с ним одна осталась (жена умерла перед войной). Потом зятя его призвали в армию, и дочка пошла с ним на фронт. Он у нас был дежурным сторожем, что ли, потому что к нам в лабораторию, поскольку лаборатория была пищевая, приносили анализы и днем и ночью. И он сидел в вестибюле, не топившемся, холодном. Человек этот был малограмотный, но убежденный, всем малодушным он говорил: «Да неужели мы Ленинград отдадим? Мы никогда не отдадим». А сам затягивал пояс туже и туже, худел и худел. Принимал анализы, выполнял свои обязанности и всех ободрял: «Подождите еще немножко! Отстоят Ленинград. И все мы будем живы». И вот однажды сотрудники пришли: что-то Соловьева не видать? А он как сидел на своем посту на табуретке, так и умер.Так и умер, крепко веря в победу, в то, что Ленинград обязательно освободят».

З. А. Игнатович не сравнивала. Она ни словом, ни тоном, ничем не осуждала память первого сотрудника. Люди понимали, что голод может перебороть человека, каждый на себе ощущал его всесокрушающую силу и втайне боялся — сегодня устоял, а завтра может не хватить воли и что-то хрустнет, сломается...

«Я перенесла всю блокаду. Хуже всего — это голод, — утверждает *Лидия Сергеевна Усова*, которая была тогда рабочей. — Это страшнее всего. Наш завод каждый день обстреливался. Но мы не шли в бомбоубежище: совершенно перестали этого бояться. Первое, что мы делали, это хватали кусок хлеба и запихивали в рот; не дай бог, если тебя убьют, а он останется! Понимаете? Вот какая психика была. А потом ты в ужасе: ты все съела, а бомбежка кончилась! Это был сорок второй год. Это был самый ужасный год!.. Помню, когда умирала мама, я ей давала сахар по кусочкам, и она все говорила: добренькая, добренькая! А с сестрой поделиться я уже не могла. Она была в больнице, я несла ей что-то, но по дороге начинался обстрел, и я все съедала, я не могла ей донести. Тут я уже была в таком состоянии, я уже ни о чем не могла думать, как только о еде. Понимаете? Это совершенно ужасно».

Лидия Сергеевна беспощадна к себе. Она из тех людей, у кого через эту беспощадность видна живая совесть, никакими лукавыми поблажками времени не успокоенная.

То и дело в рассказе о своей работе она возвращается к воспоминаниям о голоде, к ощущениям, очевидно неизгладимым.

«— Работала я в Пятом ПМТ. Затем нас перевели на завод «Красная заря», куда ходить было очень далеко. На заводе мы занимались расчисткой. Было очень тяжело, когда мы на снегу работали. Я упала. Меня перенесли в приемный покой больницы. И когда я приходила в себя, то слышала: ну, здесь полный упадок сердечной деятельности. Вероятно, тогда мне сделали укол. Когда я открыла глаза, мне дали кипятку и опять отправили на работу. Все-таки я была живучая. Может быть, даже то, что меня отправили опять на работу, это и нужно было, потому что тот, кто ложился, тот не вставал.

— А знали тогда уже, что тот, кто ложился, тот не вставал? Или это уже потом, задним числом?

— Нет, мы еще тогда ничего не понимали. Я скажу так: у меня все мысли были направлены только на еду. Это было совершенное помешательство. В сорок втором году я уже не могла донести паек из магазина до дома: если там был сырой горох, я его съедала на улице... Так прошла зима сорок второго года, и наступила весна. У меня вид был ужасный. Я очень сильно отекла. Я была невероятно худа: при моем росте у меня был вес сорок два килограмма (я взвешивалась в больнице, это интересно было). Ноги были как тумбы, вот такое опухшее лицо, глаза — щелки. Ужасный вид был. И вот здесь нас начали пропускать через усиленное питание. Оно было абсолютно правильно организовано: нас кормили четыре раза в день небольшими порциями, давали полноценные продукты, но мы даже плакали. Нам казалось, что нас ограбили: у нас отобрали карточки и дают очень мало. Это, конечно, психоз был, безусловно. Столовая была на углу Невского и Владимирского, где сейчас ресторан «Москва». Было просто ужасно: придешь — и дадут тебе маленькое блюдечко каши. Ужасно хотелось больше. И здесь я помню, как я сидела в садике и смотрела на прыгающих воробьев, и у меня были совершенно кошачьи инстинкты: вот поймать этого воробья и сварить из него суп!

...Было усиленное питание, и была травка, которую мы стали есть.

Я по утрам — часа в четыре — вставала и шла на всякие свалки собирать крапиву. И если удавалось набрать носовой платок крапивы, это было счастье! Ну, затем я в Таврический сад ходила, где трава была по пояс. Я просто на вкус пробовала. Это лебеда была, конечно. Я еще поражалась: зачем это люди едят редиску, когда можно есть лебеду, это гораздо вкуснее. Вот этой травой мы дополняли тот паек-кашку, которую получали».

Встретились мы с рабочей семьей Васильевых — *Никандром Ивановичем и Зоей Ефимовной* (проспект Металлистов, д. 105), записали их рассказы. Муж работал мастером на Металлическом заводе, жена дома спасала детей. Вот ее рассказ об этом:

«— У меня было эвакуационное удостоверение, в Омскую область нас эвакуировали с завода. Многие женщины поехали, я тоже собралась, думала, что я здесь буду делать, детей ведь некуда деть. А мне говорят: «Как ты поедешь? Кто у тебя там есть?» Я говорю: «Да никого у меня нет, все в Ленинграде». Тут я подумала-подумала: куда же я с двумя такими малышами поеду? Нас там никто не ждет. И решила, что не поеду, и все! Все распаковала! И осталась! Ну, потом начались обстрелы, еще голода мы не знали. И обстрелы на нас так подействовали, и мы так смотрели, что лучше бы нам голодать, только не такие обстрелы страшные, потому что рабочий район, здесь заводы кругом. И ведь они по ночам бомбили, и обстрелы производили, и спускали ракеты осветительные как бы на зонтиках таких. Потом продуктами перестали обеспечивать. Дочка долго в карточки играла, обрезала талончики.

— Это после войны? Ненужные?

— Да, ведь остались неотоваренные карточки. Я уходила в три часа ночи и становилась в очередь за продуктами. Да пальто, еще сверху веревкой завяжешься или кушаком, чтобы поплотнее, потому что уже кожа да кости были. Муж всегда с утра на работу шел, на завод. А я вот эту, старшую, оставляла с грудной малышкой. Она переберется на нашу кровать и смотрит: мокрая — так подстелет ей. А я в очереди за продуктами. И стоишь иногда зря — ничего не получишь, придешь домой пустая. Единственное, что помогло нам выжить, — это огороды. Где теперь шоссе Революции, застроенное домами, тогда там поля были. Дали нам две сотки земли. Прислали семена. Там были и морковь, и репа, и брюква, и турнепс. Такие пакеты были защитного цвета, маленькие, плотно так заклеенные. Нам раздавали семена. А потом, как стали мы огороды эти копать, нам дали верхушки — срезы картофеля, на заводе раздали по полтора килограмма, как сейчас помню.

— Глазки?

— Да, глазки, верхушечки. Ну вот, мы три килограмма получили и посадили. Картофель был чудесный — прямо вот такие картошины, красные, рассыпчатые. И мы рады были этим овощам. И капусты очень много. Вначале, когда я собралась эвакуироваться, мне дали сухого молока на дорогу. Ну вот, я первое время маленькой немножко добавляла. Да и еще сами пока получали продукты, так что хватало. А потом, когда уже совсем голодно стало, она у меня похудела очень. Но она такая румяная была на лицо. У мужа и мать, лет восемьдесят ей было, а она все румяная — такой цвет лица... Как-то несколько дней хлебозаводы, пекарни не пекли хлеб. Ну и давали муку. Я эту муку вместо хлеба получила и наварила такую болтушку, ну просто две ложки муки на кастрюлю воды и подсолила. Вот этой муки горячей, что называется, похлебали по-русски. А дочке погуще кашу сварила. Ночью я слышу — рвота у нее поднялась. Мы с девочкой старшей на плите спали. Муж на столах, два или три стола было на кухне. А для маленькой внесли стулья на кухню, и она лежала здесь. Я скорей вскочила, коптилку зажгла. Смотрю — ее вырвало и желудок расстроился. После этого я пошла в консультацию и говорю: «Нечем кормить ребенка, хоть что-нибудь выпишите!» Врач говорит: «У нас ничего нет, мы не выписываем». Я говорю: «Вы посмотрите на нее!» А она: «Да нет, румяный ребенок!» — «Вы не смотрите на лицо, у нее же руки, ноги как плети!» — «Не разворачивайте, у нас здесь холодно. И нету у нас ничего». Так мне и отказали. Ну, она вскоре, конечно, и умерла, потому что уже кормить совсем нечем было, ни круп, ни масла, ничего мы в это время не получали.

...А когда бомбили, вы знаете, как бомба упадет, дома вот так и качаются. Я ведь в убежище ни разу не была. Думала — если убьют, то все равно, в подвале или здесь. Иногда приготовишь сумку, держала там кое-что, водички чтобы попить, пеленку держала (это малышке). Мы обычно в передней садились — я и еще из другой комнаты женщина с ребенком. Садились с сумками и сидим в середине, чтобы стекла не полетели на нас. И вот когда меня в госпиталь положили, старшая девочка осталась дома. Я там больше месяца лежала. Ну, он утром дочку покормит и идет на завод. В обед прибежит и еще подогреет что-нибудь, тут близко было. А потом я пришла из больницы. Тогда вот и дали участок на огороде. Он меня свел туда и говорит: вот, копай. А я стою. Ветер был сильный, как дунет — я падаю. Сесть не на что — кругом мокрая земля...»

Сначала видели только убитых бомбами, снарядами. Потом стали появляться убитые голодом. Их какое-то время не то что не замечали — боялись понять до конца, что это означает, что надвигается на город.

Галина Иосифовна Петрова училась в мединституте, и она в числе первых увидела умерших от алиментарной дистрофии. Но, увидев труп на улице, она, без двух дней врач, испугалась, как девчонка, — не мертвого человека, а массового голода, который вдруг разглядела...

Человек уже видит. Но видеть ему не хочется. Не хочет принимать.

Художник Иван Андреевич Коротков хорошо запомнил эту вот беспомощную хитрость человеческого сознания, для которого правда слишком ужасна.

«— Я стою в очереди за хлебом в булочной. Там горит светильничек такой, и по карточкам нам дают мокрый кусочек. Я чувствую, что я зацепляюсь за что-то и перешагиваю. У меня нет сознания, что это человек. Я думаю: кто это там мешок какой-то бросил? Никак не мог понять, что вообще происходит. Я перешагнул, и другие идут. Когда я вышел, только тогда до меня дошло, что мы ходили по человеку, который тут упал! Шагали через него, и никто, так сказать, не осознал этого. Вот это какое страшное состояние!

— А продавцы хлеба охранялись?

— Не знаю, может быть, какая-нибудь тайная охрана и была. Как-то об этом никто и не думал, и у меня никаких особых мыслей не было. И вот такие непонятные вещи: я все время где-то ошибался. Вот у жены, Лины Осиповны, сестра была — Мария Осиповна. У нее в одну ночь умерли муж и сын от голода. Каким-то образом меня известили об этом. Я пришел к ним. У них еще был один сын, который служил в это время в госпитале политруком, потому что у него был только один глаз (другой потерял на войне). Ему где-то сделали пару гробов (в то время это была редкая вещь), дали лошадь; и вот мы поставили два гроба на какие-то деревенские розвальни, привязали, сели на эти гробы и поехали с ним на кладбище. Я как сейчас помню это место на Малой Посадской. Хороший такой, дом на углу. Они в этом доме и жили, Малая Посадская, десять. Балконы там такие. Я как сейчас помню, как Мария Осиповна стоит внизу, а мы уезжаем на этих гробах.

Ну вот, мы поехали. Поехали мы на Серафимовское кладбище. И по дороге все везут, значит, на санках. Кто-то попросился, чтобы мы привязали санки к розвальням, а его посадили с собой. Одного посадили, другого. Потом у нас уже трое санок сзади и сидят еще трое. И тихонько мы едем на Серафимовское кладбище. Приезжаем на кладбище. Там работает экскаватор, роет траншеи. В это время, я вижу, где-то вдали проходит машина. Как-то в то время до сознания не доходило. Потом только дошло, что это в траншеи возят мертвых и зарывают, и машины все подходят, потому что они собирают по городу всех кто где лежит, привозят и хоронят. В то время недопонимание у меня было или я так был настроен, чтобы не поддаваться, — я не воспринимал этого».

82

Дмитрий Михайлович Смирнов был тогда еще подростком. Но он хорошо помнит и все, что было, и чувства свои.

«— Они в декабре месяце еще не лежали и в январе месяце еще не лежали, в начале. Они стали лежать в конце января месяца. Еще в январе месяце их возили даже в гробах. Потом уже без гробов, а потом уже было, через какой-то период, что в основном они, как я вспоминаю, лежали на улицах как-то зашитые, как-то обернутые.

— В простыни?

— Да... Везут много покойников. Что значит много? Если по пути встретишь от одного конца Большого проспекта до другого три, четыре, пять покойников... На саночках, в большинстве случаев на саночках, потому что снег уже был. Некоторые везли на спаренных саночках. Чаще всего женщины тащили. И у меня мать чуть не умерла. Она работала в аптеке, и, может быть, это ее спасло. У нее начался фурункулез, на шее были страшные нарывы. Потом, некоторые не верят, а хвоя очень помогала ей, мы пили хвойную настойку. Большое потрясение было у меня, когда я однажды видел (это и сейчас перед глазами у меня) где-то на Большом проспекте — не то там было ремесленное училище, не то ФЗУ, не знаю что, может быть, там был пункт, куда свозили трупы. И вот уже весенний день (весенний, потому что уже снега не было), и идет машина, и на ней трупы лежат. Это такое, такое... Я и сейчас вижу то место, где идет эта машина, как она идет. И здесь нужно только отвернуться. Но теперь уже и отвернуться не могу... Причем почему-то, знаете, это была довоенная трехтонка, знаете, с такой большой кабиной? Не видели таких? Но мысль: почему, почему не эвакуировались, почему не уехали? Можно было, как говорится, пешком уйти. В конце концов потом был организован конвейер перевозной по «Дороге жизни»: туда людей, обратно продукты, туда людей, обратно продукты».

Очень точно выразил этот рассказчик безжалостную силу «блокадной памяти»: *«И здесь нужно только отвернуться. Но теперь уже и отвернуться не могу».*

А вот как видели люди друг друга, когда собирались вместе:

«— Университет не топили, воду не выключили, водяное отопление замерзло, трубы лопнули, раз трубы разрывает, потом вода течет. И наши аудитории к концу ноября превратились в такие ледяные пещеры-глетчеры, где замерзшая вода по стенам, по потолку висела в виде сосулек.

— А на потолке почему?

— Просто, ведь это паровое отопление. Думаю, что, если бы было больше опыта, можно было бы предусмотреть и выключить отопление, может быть, тот, кто мог бы выключить, умер или уехал, во всяком случае факт таков, что с потолка сосульки просто свисали, а снизу были сталагмиты, как в пещерах. Это выглядело очень неуютно. Студенты сидели в пальто, надевали на себя пальто сколько можно. Свет еще электрический был, даже можно было заниматься, но было, в общем, не легко и, в общем, тяжело. Студентов становилось все меньше и меньше, и чаще кто-либо из преподавателей не являлся. Практически занятия — я не скажу, что полностью прекратились, — но система занятий была нарушена. Страшнее всего было, что страшными казались лица студентов, сотрудников, знакомых. А как меняется лицо человека, который глядит так, как глядели мы? Этого словами описать нельзя. Может быть, это можно было бы нарисовать. Это просто страшно. Не так страшно, когда человек просто болен и умирает или если умирает необычно (может быть, цинично так сказать), которого убил снаряд или бомба. Но то, что делалось в результате голода, это было особенно ужасно, как менялся облик человека. Менялся облик, лицо, человек был вроде движущегося трупа, а известно, что труп — это зрелище тяжелое. Эти желтые лица очень страшны, причем заметно остановившийся взгляд. Это не то, что когда болит рука или нога и человек очень сильно мучается. Тут весь организм расстраивался, часто имелись нарушения психических процессов. Желтое лицо, остановившийся взгляд, заметно терялся голос, нельзя было по голосу судить — мужчина это или женщина, дребезжащий голос, существо, потерявшее возраст, пол...» (Ляпин Е. С.)

...Муки были страшные, но и радости выпадали такие, что запоминались навсегда.

Никто из блокадников про себя не думает: мы совершили подвиг, проявили геройство. Нет. Но спустя десятилетия для некоторых тяжкие годы эти стали как бы оправданием жизни, знаком гражданской доблести, мерой соучастия в Победе. Чувство это сродни тому самому чувству, какое есть у солдата Великой Отечественной войны. И еще есть у блокадников знание беспредельных возможностей человека, в том числе и своих возможностей, уважение к себе. Конечно, много противоречивого возбуждает каждое прикосновение к прошлому, у каждого свое; ужас и печаль, стыд и красота, отвращение и любовь — все смешалось столь плотно, что иногда нет сил отщепить какое-либо одно чувство.

Перед нашим приходом *Павел Филиппович Губчевский,* научный сотрудник Эрмитажа, внутренне готовясь к разговору, размышлял: что же такое была для него блокада? Потом он нам сам признался в этом.

«— Мне было трудно самому себе на это ответить. Снаряды? Ну так они же всюду. Бомбы? Они всюду. Голод? Ну, он, конечно, не такой, как всюду, а в более страшной форме, но ведь и всюду не так уже сладко жилось. Смерти? Так они всюду были, и еще какие! Ну, может быть, только не в такой концентрированной форме. И мне показалось, когда я сам захотел отдать себе отчет (никогда об этом я нигде не говорил и сам с собой никогда не говорил), что блокада — это раньше всего человек. А человек — он разный. И в силу этого, по-видимому, существует и очень разное восприятие вот этого понятия «блокада» — в зависимости от индивидуальности человека.

И вот что удивительно: после этого я подумал следующее: что ни разу в жизни, ни до, ни после блокады, я не имел такой осознанной и определенной цели в своей жизни. Она, эта цель, даже казалась близкой. Другое дело, что она все время отодвигалась по разным причинам. Но ведь что происходило во мне, в человеке? Я не какой-нибудь руководитель или кто-то, я обыкновенный, простой человек, и я имел четкую и определенную цель, которая всегда до этого (и вот сейчас, сегодня) была растушевана и размыта. А тогда она была определенной. Вот что для меня блокада (конечно, и все остальное, о чем вам уже многие рассказывали). Человек приобрел какую-то удивительную цельность. И как бы вам сказать? Это тоже, наверно, как-то дико звучит: я чувствовал, что во мне что-то снялось, рассвободилось. Конечно, были тысячи «нельзя» и «не могу». Конечно, я не мог выехать за кольцо блокады или поехать на черноморский курорт. И, конечно, я не мог есть вкусные вещи. Более того, я выполнял множество разных обязанностей — и по моему положению (я был начальником охраны больших зданий), и по моему гражданскому долгу. Мне, конечно, приказывали, я получал инструкции, я знал, что-то я должен, что-то обязан сделать, но это «обязан» было для меня свободой. Наверно, вам диким кажется то, что я говорю, но я хочу быть с вами искренним, это так было, и это тоже блокада.

— Вот вы говорите, что все время чувствовали цель, видели ее...

— Я сидел в своей комнате и ждал очередного обстрела, который больше выматывал душу тем, что он долго тянется, — понимаете? — и думал: и какой же я был чудак, как я жил раньше! Я редко ходил в филармонию, редко ходил в Кировский театр. А ведь как много для этого нужно! Нужно, чтобы в театре было тепло, чтобы его осветили, чтобы собрали более сотни оркестрантов и чтобы они были сыты, чтобы собрали артистов балета, чтобы публика могла приехать туда, и тысяча еще «чтобы»! И этого я не ценил, этого не замечал. Я не думал тогда, что вот кончится блокада и я буду есть пшенную кашу целыми кастрюльками (наверно, вы это слышали, наверно, вам это некоторые блокадники говорят). У меня этого как-то не было. А была такая вещь: появилась цель найти в жизни то большое, если говорить громкими словами, что-то духовное, такое, что раньше мало ценил, мало пользовался, не смог осуществить».

В залах Эрмитажа, всегда переполненных посетителями, звучат на всех языках приглушенные голоса экскурсоводов. Картины, скульптуры, узорчатые паркеты, — кажется, что так было всегда и что иначе и быть не могло в этом прославленном источнике красоты, за которой приезжают из далеких стран... Но в служебной комнате несколько сотрудников музея рассказывают, как они жили здесь в войну.

Александра Михайловна Амосова:

«— Здесь, под библиотечным зданием, был устроен морг. Периодически вывозили из этого морга покойников. Но я очень тяжелый случай помню. Это было в конце марта. Иосиф Абгарович Орбели, директор Эрмитажа, кажется, тридцатого марта уехал. Очень мало нас осталось здесь народа. Несколько человек было из рабочей команды. При Орбели еще оформлены были документы на захоронение. Увезли инженеров группы, в том числе и наших старших научных сотрудников. И там же был наш профессор Куббе и еще некоторые известные люди».

Ольга Эрнестовна Михайлова:

«— Я вот этот эпизод хочу еще как-то дополнить, потому что он запечатлелся особенно глубоко и сильно, нельзя его забыть.

— Вы людей этих знали?

— Да... Эта большая машина, причем они все свои, знакомые, в общем близкие тебе люди, потому что коллеги, распростертые в разных положениях... Ну, знаете, это ведь никогда в жизни не забудешь. А это, может быть, и писать не надо и говорить не надо?»

«Не надо» — это человек нас щадит, оберегает. От тяжести, которую сам несет всю жизнь. Сам он от этого уйти не может — «отвернуться не может».

«— Тут уже не знаешь, где фантазия, где правда, потому что правда была так фантастична, что ты не могла разобраться, что правда, что неправда, что фантазия, что ложь. Понимаете? Но ведь это верно, и не расскажешь все до конца.

— Почему?

— Только тот, кто это пережил, тот понимает».

Последнее — довольно распространенное заблуждение. Исключительности тут никакой нет, человек может понять и представить все, что угодно. Любые лишения и тяготы блокадной жизни. Для этого надо лишь рассказать все как следует, не утаивая, не приукрашивая ни в ту, ни в другую сторону. Заблуждение это и потому, что сами блокадники многое не могут себе вообразить — как это могло быть с ними? — не верят себе же. Человеческая память устроена коварно. Другое дело, что рассказать, поведать о том, что было, изобразить это — действительно весьма и весьма нелегко.

И тут хоть и невпопад, не по теме, а нет сил обойти, отложить на потом одно место из рассказа Павла Филипповича Губчевского. Случай, который чем дальше, тем больше заставлял о себе думать.

«— Тридцать два снаряда попало. Степень разрушения разная: снаряд в Гербовом зале упал где-то в двух метрах от Малого тронного зала. По каким законам баллистики, я не знаю, но осколки рванули сюда, в Малый тронный зал. В Гербовом зале дырка в полу вниз, в Растреллевскую галерею, и больше ничего. А Малый тронный зал весь изрешечен осколками. Сбита люстра, ее не удалось восстановить — хрупкая очень бронза была... Кроме того, осколки буквально изрешетили стены и потолок. Если на стенах ничего не было (вот эти лионские бархаты, шитые серебром, очень стильные, хорошие бархаты, были навиты на валы и увезены, эвакуированы), то роспись там феноменально трудная для реставрирования. Вид это имело ужасный. Или та лестница, по которой вы сейчас поднимаетесь в музей — Посольская, Иорданская, Главный подъезд, как угодно ее называйте, — она имела тоже ужасный вид. Снаряд сделал пробоину в перекрытии этой лестницы. Если плафон только почернел, стал черным, потому что почти три года непрерывно менявшиеся температуры его сделали таким, то вся околоплафонная роспись и все потолки — это железо (после пожара тысяча восемьсот тридцать седьмого года сделали железные потолки). Железо проржавело, не выдержало, умирало. И вот эта роспись, которую вы сейчас видите, все это осыпалось чешуйками чуть побольше этой книжицы. Люди, наши сотрудники, ходили по этим чешуйкам. Вид, конечно, жалкий.

— А картины все увезены были?

— Вообще ведь Эрмитаж вывез миллион сто семнадцать тысяч предметов, но тут уже выступает статистика, а это скучно и неинтересно. В залах картин практически не было. Но нельзя было эвакуировать фреску Анджелико, нельзя было эвакуировать огромный картон Джулио Романо — даже на валу он бы рассыпался, нельзя было эвакуировать роспись лоджии Рафаэля. Осталось и то, что могло само по себе сохраниться, рамы например.

— Какой вид имели залы?

— Пустые рамы! Это было мудрое распоряжение Орбели: все рамы оставить на месте. Благодаря этому Эрмитаж восстановил свою экспозицию через восемнадцать дней после возвращения картин из эвакуации! А в войну они так и висели, пустые глазницы-рамы, по которым я провел несколько экскурсий.

— По пустым рамам?

— По пустым рамам.

— В каком году?

— Это было весной, где-то в конце апреля сорок второго года. В данном случае это были курсы младших лейтенантов. Курсанты помогли нам вытащить великолепную ценную мебель, которая оказалась под водой. Дело в том, что мы не смогли эвакуировать эту мебель. Она была вынесена в помещение конюшен (в первом этаже, под висячим садом). В сорок втором году сверху прорвало воду, и мебель, великолепный набор: средневековье, французский классицизм — все оказалось под водой. Надо было спасать, перетащить, а как и кто? Эти сорок старушек, которые были в моем подчинении, из которых не менее трети было в больнице или стационаре? И остальные люди — это все инвалиды труда или те, кому семьдесят с лишним. А курсантов привезли из Сибири, они были еще более или менее сильные, их тут готовили на курсах младших лейтенантов. И они переволокли мебель в тот зал, где безопасно сравнительно, и тут до конца войны она стояла. Нужно было поблагодарить их. Выстроили их в зале (вот между этими колоннами), сказали им какие-то слова, поблагодарили. А потом я взял этих ребят из Сибири и повел по Эрмитажу, по пустым рамам. Это была самая удивительная экскурсия в моей жизни. И пустые рамы, оказывается, впечатляют».

...Можно представить себе, как это было — промороженные за зиму стены Эрмитажа, которые покрылись инеем сверху донизу, шаги, гулко разносившиеся по пустым залам... Прямоугольники рам — золотых, дубовых, то маленьких, то огромных, то гладких, то с вычурной резьбой, украшенных орнаментом, рамы, которых раньше не замечали и которые теперь стали самостоятельными: одни — претендуя заполнить собой пустоту, другие — подчеркивая пустоту, которую они обнимали. Эти рамы — от Пуссена, Рембрандта, Кранаха, от голландцев, французов, итальянцев — были для Губчевского обозначением существующих картин. Он неотделимо видел внутри рам полотна во всех подробностях, оттенках света, красок — фигуры, лица, складки одежды, отдельные мазки. Отсутствие картин для него сейчас делало их еще нагляднее. Сила воображения, острота памяти, внутреннего зрения возрастали, возмещая пустоту. Он искупал отсутствие картин словами, жестами, интонацией, всеми средствами своей фантазии, языка, знаний. Сосредоточенно, пристально люди разглядывали пространство, заключенное в раму. Слово превращалось в линию, цвет, мазок, появлялась игра теней и воздуха. Считается, что словом нельзя передать живопись. Оно так, однако в той блокадной жизни слово воссоздавало картины, возвращало их, заставляло играть всеми красками, причем с такой яркостью, с такой изобразительной силою, что они навсегда врезались в память. Никогда после Павлу Филипповичу Губчевскому не удавалось проводить экскурсии, где люди столько бы *увидели* и почувствовали.

...Враг дожидался, когда Ленинград «выжрет сам себя». И непрерывно напоминал — снарядами, бомбами, листовками, — что пора, что он ждет.

Зоя Алексеевна Берникович рассказывает про злорадно-садистские напоминания фашистов:

«Да, а когда я на окопах была, знаете, какие там частушки были? Немцы бросали листовки: «Съешьте бобы — готовьте гробы!» Это немцы бросали с самолетов. Или: «Чечевицу съедите, Ленинград сдадите!» А мы только кричим: «Мы не сдадим!..»

Смерть в городе стала повседневностью. Советские солдаты, моряки, сами полуголодные, бились, истекали кровью на «Невском пятачке», рвались к железной дороге, которая обеспечила бы Ленинграду полнокровное снабжение, вернула бы силу голодающим, истощенным людям, сохранила им жизнь. Ледяная дорога через Ладогу, открывшаяся в конце ноября, в декабре стала давать какие-то продукты и надежду. Снова появилась возможность эвакуировать ленинградцев, хотя для людей истощенных, больных маршрут был тяжелейший, и многие погибали по пути к жизни и даже вырвавшись за кольцо. Вплоть до лета 1942 года голод косил людей, даже когда стало полегче: у многих слишком далеко зашла дистрофия.

«— В загс приходили родственники и регистрировали умерших людей от голода и холода, — рассказывает Елена Михайловна Никитина, учительница. — Это уже декабрь сорок первого и январь сорок второго года. В моей памяти, в моей жизни это были самые тяжелые минуты всей блокады. Мало того что война, обстрелы, бомбежки. Это все было очень тяжело, страшно. Но это было еще не так страшно, как голод, потому что кушать было абсолютно нечего. Мы на оборонных работах еще выкапывали картошку, оставшуюся в земле, питались капустными листьями, и конину нам давали иногда (лошадь покалечит обстрелом, и сразу ее прирежут, и нам давали мясо). А здесь уже кушать было абсолютно нечего, потому что дома все запасы были на исходе, все иссякло; сначала были какие-то сухарики, был крахмал. У меня его было несколько килограммов. Но все иссякло. И вот идешь на работу, у тебя ноги едва-едва переступают. Трамваи уже не стали ходить. Воды не было. Света не было. В страшном состоянии были люди: они не могли ходить, не могли даже выносить ведра с грязной водой... И вот я в загсе работала — декабрь сорок первого года и январь сорок второго года.

— Расскажите подробнее, как регистрировали.

— Ну, стояла очередь. Приходит какая-нибудь женщина и говорит, что вот у меня умерла мама, умерла соседка-старушка. Подает их паспорта, документы. Я выписывала свидетельства. Выписывала быстро, торопилась. Чернила замерзали. В здании Кировского райсовета отопления никакого не было. Впоследствии печурки нам поставили, но не помню, чтобы печурки нас грели. Чернила замерзали. Придешь и руками так погреешь, думаешь, что чернила разогреются. Вот и выписываешь им документы. Я помню, как стояли большие очереди, чтобы регистрировать умерших.

— Сколько же за день регистрировали?

— Очереди стояли. Я не одна работала, трое. В день я человек по сто пятьдесят регистрировала. Работала в декабре и январе. Люди стояли истощенные, жалко было их. И мы старались скорее их отпустить. Причем слез у них не было. Я тогда после работы возвращалась домой. А у меня еще семья брата жила (брат был на фронте): жена его жила и ребенок у нее был. Ребенку четвертый год был (сейчас он диссертацию уже защитил, тот ребенок). Приду, бывало, домой, а он лежит на кровати все время, потому что от холода и голода другое что-нибудь придумать и сил не было. На нем такая была одета рубашечка с длинными рукавами, чтобы было потеплее. Вот он встанет в рубашечке и спрашивает: «Тетя Лена, ты хоть кусочек хлебца принесла мне?» Я скажу: «Нет, не принесла». Потому что у меня у самой ничего не было. По карточкам мы получали то, что нам было положено. Я со всей семьи собирала карточки, пойду в булочную и принесу. Ходила всегда только я одна, потому что остальные были не в состоянии ходить, все были старше меня по возрасту. Вот ребеночек каждый раз спрашивает: «А ты мне что-нибудь принесла?» Смотреть на ребенка было жалко. Сравниваешь сейчас вот с детством наших детей, когда яблоки даешь им и они еще не хотят кушать. А тогда даже хлеба не было!

— А брат?

— На фронте был, вернулся. Правда, ранение перенес тяжелое, но ничего. И сейчас он жив... «Ты мне хоть корочку хлебца принесла?» — он спрашивает. Такой тощенький, одни косточки. И в этой белой рубашечке, ну просто как смерть какая! А идешь домой, стучишь (звонки-то не работали) и каждый раз думаешь: ну, сейчас откроют и скажут, что кто-то из семьи умер, потому что тогда смертность была сплошной, поголовной. Напротив нас, на одной площадке, жили артисты из театра имени Кирова, Никольские. Прихожу домой после работы вечерком, и вдруг этого артиста выносят из квартиры мертвого. А тогда ведь уже гробов не делали, просто вот так в простыню завернут человека и выносят на мороз... После этого, в феврале, а может быть, в конце января я была переведена райкомом партии в комиссию по эвакуации населения. Была техническим секретарем. Выдавала документы, выписывала направления на ту сторону «Дороги жизни», через Ладожское озеро переехать.

— В Кобону?

— Да. И выдавала им карточки или такие талоны на питание. Чтобы они тут же на берегу Ладожского озера получили уже питание... Были мы там же, в Кировском райсовете, но в другом кабинете, комната двести шестьдесят. Там уже стояла печурка, которую мы немножко подтапливали. Но дров не было, так мы мебель жгли, оставшуюся там, стулья старые, лишние письменные столы, шкафы, ломали мебель, какая была неважная. А после мы дрова добывали сами: ходили ломать деревянные дома. В саду «Девятого января», рядом, помню, я ломала. Для отопления райсовета и вообще для населения района, чтобы немножко люди в тепле были.

— А жителей деревянных домов переселяли, или они были уже пустыми?

— Да. Никого не было. Мужчины на фронт ушли, а женщины какие умерли от холода или голода, какие были уже отправлены на Большую землю. Некоторые были переведены в каменные дома, более теплые. И вот когда я в комиссии по эвакуации работала, не могу забыть такой случай, когда ко мне пришел один мужчина знакомый. Он был близким приятелем моего первого мужа. Помню, когда они окончили Кораблестроительный институт и вместе работали на Адмиралтейском заводе, они очень любили красиво одеваться. Там они зарабатывали большие деньги и одевались хорошо, как один, так и другой. И вдруг этот моего мужа приятель приходит ко мне чумазый, страшный, я его вначале и не узнала. Он пришел получить документы на эвакуацию на себя и на свою мать. Мать-старушка, говорит, умирает от голода. А тогда было указание, чтобы всех стариков вообще вывезти из Ленинграда, потому что кормить нечем. Вот стариков и детей в первую очередь вывозили. Я не знаю, по какой причине он не был в армии, может быть, по состоянию здоровья. Но он пришел страшный, весь в копоти, закопченное лицо, в таком женском платке, то есть косынка шерстяная поверх пальто была какая-то завязана, и вот так воротник поставлен, и лицо чуть-чуть видно. Я когда документы ему стала выписывать, посмотрела и думаю: боже мой, ведь это хорошо знакомый человек, товарищ моего мужа, молодой человек, только что окончивший институт. Ему было лет двадцать семь, наверно, а тут он выглядел как старый-старый старик. Я выписала документы на него и на его мать. Он говорит: «Я сначала маму повезу до Финляндского вокзала на санках, а потом она меня тоже, может быть, немножко повезет». Он был тоже очень ослаблен от голода. Сменяя друг друга, люди себя довозили до Финляндского вокзала, а там их везли дальше через Ладожское озеро, по «Дороге жизни». И вот помню — я уже впоследствии узнала, — что он даже не доехал до Ладожского озера, он по дороге скончался, и он и его мать скончались от голода и холода».

Про то, как умирали рядом самые близкие люди, нам рассказывали мало — или потому, что помнят как сквозь туман, или рассказывать слишком больно. Зато много про то, как хоронили.

Жестокая правда обстоятельств, условий, беспощадная правда чувств (и голодного бесчувствия) мучит и поныне блокадника. Но было то, что было...

«Когда он лежал, я думала только об одном (мне не жаль его было): «Если он умрет, как я его буду хоронить?» Все хоронили как-то за хлеб, а у меня хлеба нет. И когда я выходила и видела этих покойничков, которых везли, я думала, что мне же, во-первых, не обшить его вот так, на саночки не положить. Но для меня было самое страшное — похороны, а то, что он умрет, — я об этом не думала...» (*Рогова Нина Васильевна*, учительница, ул. Братьев Васильевых, 19).

Выполнить перед умершим последний долг в тех условиях было нелегко. Многим просто не по силам. И не по средствам, если собственных сил не хватало. Похороны были проблемой. Рассказы о похоронах порой мучительней, чем рассказы о смерти. Но одно тут неотделимо от другого.

Все силы любви, горе потери близкого человека — все уходило в стремление хотя бы похоронить, раз уж нельзя было спасти. Люди оставались людьми. Киреева Ирина Алексеевна вспоминает, как хоронила она свою няню на Волковом кладбище:

«— Вспоминаю, как, разбивая эту мерзлую землю ломами, долго-долго два бойца никак не могли проломить, потому что там оказался цементный склеп. Наконец они кое-как втиснули этот гроб.

И вот мольба какой-то женщины: умоляла положить в эту же могилу ее дочь. Она ее привезла. Буквально снимая с себя все, что было, она умоляла, чтобы вот туда похоронили и ее дочь. Сама она еле держалась на ногах».

Людмила Алексеевна Мандрыкина, историк, работник Центрального государственного военно-исторического архива, рассказывает:

«— А потом наступило то, что у всех, — голодный ноябрь, голодный декабрь. Это сорок первый год. Здесь начались потери очень большие. Здесь умер Алексей Алексеевич Шилов. Это был один из основателей архивного дела в СССР.

— Как он умер?

— Как умер? Заболел, обессилел. Мы же все получали вторую категорию — карточки служащих. Алексею Алексеевичу в то время было шестьдесят лет. Жил он, как и все мы, на казарменном положении. Он работал в Историческом архиве (это одна система), жил в подвале. И вот он просто заснул, как засыпали почти все, которые умирали от голодной дистрофии. Через некоторое время мы положили его на саночки и, так как не было никакой возможности хоронить на кладбище, свезли его в такое огороженное забором место, где Новая Голландия. Знаете? Туда привозили умерших на санках, с гробами, без гробов — в каком угодно виде. Это было официальное место. Тут сидели, дежурили два-три человека. И потом машинами эти трупы вывозили.

— А у Спаса-на-крови как хоронили?

— А около Спаса-на-крови было совершенно иначе. Сюда просто привозили мертвых. Тоже очень много у аптек сажали — полумертвого человека или совсем мертвого.

— Возле аптек? Почему именно у аптек?

— Я думаю, потому, что раньше тут все-таки всегда оказывалась медицинская помощь. Около больниц тоже сажали. Не было сил, не было возможности довезти куда-то еще. Мы вот так Алексея Алексеевича свезли. А где он похоронен? Меня много раз спрашивали ленинградские ученые: «Где похоронен Шилов?» Не знаю... А потом умер Михаил Ильич Ахун. Это был очень крупный военный библиограф. Мы повезли его на Смоленское кладбище, но довезти уже не могли. Так и оставили гроб в снегу на полпути. Это январь. А второго марта умерла мама. Это мое личное, но я вам хочу рассказать, что получилось. Когда умерла мама, у меня был какой-то идефикс. Мама умерла второго марта. А карточку ей дали накануне. Карточка была иждивенческая. Мама тоже заснула. Мама моя жила очень близко от Военного архива; на улице Герцена, дом один, я работала, а на Герцена, одиннадцать, жила мама.

— Вы здесь жили? В этом же доме?

— Да. Я приходила часто к маме. Мы сделали чугуночку. Если я выжила, то, конечно, благодаря маме, потому что это она хлеб делила. Ее и мой хлеб она делила на три части, подсушивала на чугунке, заливала кипятком, и три раза в день мы это ели, если это можно так назвать. А второго марта мама ослабела, и, когда я пришла, она умерла. Она при мне умерла. Я хотела похоронить маму на Волковом кладбище, где похоронена была моя сестренка. Я пошла на кладбище. Город был совсем пустынный. Это трудно сказать даже, какой был город. Почему-то нам всегда казалось, что это на дне моря, потому что он был весь в огромном инее, все провода были в инее, толстые, вот такие, как когда в холодильнике намерзает. Такой был каждый провод. Трамваи стояли мертвые, застывшие. Это было застывшее царство какого-то морского царя. И кто-то пришел с земли и вот ходит! Пришла я на Волково кладбище. И встретила женщину, которая выглядела хорошо. Она спросила: «Вам...» — нет, она сказала: «Тебе нужно похоронить кого-нибудь?» — «Да». — «Я могу тебе это сделать. Но не даром». — «Хорошо», — сказала я. «Тогда послезавтра в четыре часа ты придешь. Где мне копать могилу?» Я говорю: «Я бы хотела рядом с сестрой». Мы пошли. Она посмотрела и сказала: «Вот тут рядом и выкопаю могилу».

Мне помогли с работы, сделали гроб, мы взяли санки и поехали по Невскому. Это было седьмого марта, там снега мало уже было. Мы повезли эти санки. Около Литейного был такой обстрел! Милиционер кричал: «Что? Я за вас буду отвечать?! Бегите под ворота!» А рабочий и наша уборщица сказали, что никуда не пойдут. И я говорю: я тоже. Мы сели на гроб и подождали, пока пройдет обстрел. Пошли дальше. Долго мы шли — часа два, наверно. Когда мы пришли туда, могила была выкопана только вот настолько, потому что была земля такая, что ее было действительно невозможно копать. Эта женщина сказала: «Ну, подожди, я буду копать». Мои друзья посмотрели и сказали: «Мы пойдем, Людмила Алексеевна». А был такой вечер, такой закат, все пылало. На кладбище все видно. Я говорю: «Вы идите, а я останусь». Ну, они заплакали, и я заплакала. И они ушли. Я осталась. Я чувствую, что замерзаю. А она копает. Она сильная такая, здоровая была. Она мне говорит: «Ты ж замерзаешь?» Я говорю: «Замерзаю». — «Я живу в этом доме церковном, вон там вот. Ты пойди туда, — говорит она мне, — у меня отдохни немножко. Потом, через часик, приходи. Посмотрим, что будет дальше». Ну, я пошла туда. С час я посидела.

— Там было тепло?

— Нет, там было холодно. Но это все-таки не мороз. Я посидела. Потом прихожу — она ничего не сделала, еще, может быть, вот настолько прибавилось. Тогда мы решили: поставим гроб в снег, сделаем большой сугроб. Она сказала: «Ну, ты придешь через месяц, в начале апреля, и я тебе все сделаю. Через месяц ужо оттает. Я тебе все сделаю». У меня не было чувств никаких. Я говорю: «Хорошо. Я пойду». Она на меня так поглядела и говорит: «Ты, наверно, не дойдешь». — «Ну, наверно, не дойду». — «Так останься у меня». А я принесла ей буханку хлеба, сахар. И потом она обращается ко мне и совершенно спокойно мне говорит: «А ты не бойся, я тебе ничего не сделаю». Я сказала: «Я не боюсь». — «Ну тогда пойдем».

И вот мы пришли в ее комнатушку — маленькая, крошечная, ничего в ней не было. Ничего, только внизу нары, как в поезде в общем

99

вагоне, и наверху нары. Она нарубила чурочек от гроба какого-то, затопила печурку, согрела кипяток, отрезала от моей буханки кусок хлеба, от моего сахара кусок сахара и сказала: «Съешь». Я съела. «Теперь, говорит, ложись наверх». Я провалилась. Мне было совершенно все равно!»

А потом человек возвращался к живым — жить. Скудна была радостями внешнего существования та жизнь, но ленинградцы искали и находили в себе (и в других) силу, волю, богатство душевное, и вдруг светлее и теплее становилось им в блокадном кольце...

Вот и Людмила Алексеевна вернулась из той кладбищенской жути в свой мир... «Мы не просто так жили», — говорит она, как бы споря с ею же недавно нарисованной картиной. И не она, а сама жизнь противопоставила иные картины — картины взлета человеческого духа.

«— Я хочу вот что интересное рассказать. Был такой — вы, наверно, его знаете, он потом работал директором Института международных отношений — Францев Юрий Павлович. Это был профессор. Он жил тоже на казарменном положении. На Мойке тогда был Кабинет изучения истории партии. И мы были на казарменном положении. Я с ним не была знакома раньше. Однажды он пришел ко мне и сказал: «Я хочу посмотреть, как живут мои соседи». — «Пожалуйста». Он очень милый, очень интересный человек был. Однажды, уже весной, он мне сказал: «Людмила Алексеевна, давайте что-нибудь придумаем. Ну мы же не можем только так. (Он худой-худой, высокий такой был, седоватый.) Мы же не можем все время только так жить». Я говорю: «Давайте. А что мы будем делать?» — «Давайте соберем историков и будем говорить о том, о чем каждый хочет. А собираться мы будем в архиве Академии наук, внизу». Знаете? На набережной, там же пустое место было. И вот он, я, мы собрали тех, кто оставался в Ленинграде. Вот вы обязательно поговорите, есть такая (она, по-моему, сейчас замещает директора Института истории)

Сербина Ксения Николаевна. Она всю блокаду прожила в Ленинграде. И она вам много может рассказать... Иногда нас было пять человек, иногда семь человек. Это был очень своеобразный семинар. И каждый говорил, делал такие рефераты, доклады о том, о чем хотел. Я, например, занималась двенадцатым годом, я говорила о партизанской тактике Дениса Давыдова. Ираида Федоровна Петровская, наш научный сотрудник (она сейчас работает в Институте театра и музыки), говорила о московском ополчении, псковском ополчении, о петербургском ополчении. Из Института истории Академии наук (не помню ее фамилии) говорила об устройстве виноградников в пятом веке в Риме[1].

— Наверно, и это помогало?

— И это помогало. Сербина рассказывала о борьбе тихвинцев со шведскими интервентами.

— Лишь бы подальше от голода?

— Да, это же была отдушина! Мы делали доклады часами, причем слушали так, что я не помню, чтобы когда-нибудь потом так слушали.

— А сколько народу сидело?

— Тут уж больше приходило, начиная с десяти человек и кончая тридцатью. Никто не шевелился, никто не вышел, никто! Вот мы каждую пятницу и собирались. Сегодня мы не смогли, не кончили, тогда говорили: продолжим в следующий раз.

— И что, с удовольствием об этом вспоминаете?

— С огромным удовольствием я это вспоминаю! Это была такая большая отдушина, ты там занимался тем, чем бы ты мог заниматься, если бы всего этого не было... Потому еще так было. Пришел как-то ко мне в Военно-исторический архив журналист Викторов Александр Викторович и говорит: «Людмила Алексеевна, я хожу собираю сведения, чем занимаются ученые. Не важно, какой специальности. Чем занимаются,

---

[1] К. Н. Сербина любезно сообщила нам фамилию докладчика: Сергеенко Мария Ефимовна.

какой научной работой? Дом ученых имени Горького ведет работу по сбору таких материалов. Пожалуйста, опросите историков». Оказывается, почти все чем-нибудь занимались. Потом должна была быть издана книга. Это была бы прекрасная книга. По-моему, Орбели возглавлял это дело. Была даже корректура. Но потом наступили сложные годы в Ленинграде, и осталась эта корректура лежать у нас в отделе рукописей. Ее легко посмотреть...»

Блокадный быт

Фашисты пытали Ленинград, ленинградцев голодом. Матерей пытали жалостью к умирающим на глазах у них детям и мужьям, а солдат — жалостью к угасающим матерям, женам, детям, надеясь, что дрогнут ленинградцы, откроют ворота в город.

Гитлер так объяснял немцам и миру непредвиденную «задержку» с Ленинградом: «Ленинград мы не штурмуем сейчас сознательно. Ленинград выжрет сам себя».

Штурмы тем временем следовали один за другим. Продолжались. В том числе и самый грозный штурм — голодом.

Потребности человека стремительно сужались, концентрировались, заострялись на хлебе, тепле, воде.

«Голод — все!» — восклицает врач-блокадница Г. А. Самоварова. И проверила она это не только на других — на себе самой. «Знаете, какая самая большая радость была? Это когда прибавили до трехсот граммов хлеба. Вы знаете? Люди в булочной плакали, обнимались. Это было светлое Христово воскресение, это уже такая большая радость была!»

Но и 300 граммов (без других продуктов) — это все еще «смертельная» норма. А было и 200, и 125 граммов! Без воды, без дров, без света...

Условия города мешали приспособиться. Паровое отопление не действовало, а печек во многих домах уже не было. Ведро воды, равно как и полено, становилось проблемой часто сложной, а иногда неразрешимой. А освещение? Коптилка — казалось бы, просто. Но чем ее заправить? Где достать керосин, лампадное масло? Ведь даже дневным светом нельзя было пользоваться, потому что во многих домах, может, даже в большинстве домов, от обстрелов, от бомбежки повылетали стекла, и окна были забиты фанерой, завешены одеялами, заткнуты тряпьем, матрацами. Так что в комнатах была постоянная темь (и слово появилось «зафанерил» вместо «застеклил»).

«Боря придумал хорошую коптилочку — чернильница-невыливайка, в нее вставляют стеклянную трубочку-фитилек», — записывает в дневник *Фаина Прусова*. Это было изобретением, это было событием.

Даже на улицах темень: в целях светомаскировки ввинтили в домовых фонарях синие лампочки.

«Когда погасли и синие лампочки, то приходилось ходить по памяти.

Когда ночь светлая, то ориентируешься по крышам домов, а когда темная, то хуже. Машины не ходили, натыкаешься на людей, у которых не было на груди значка-светлячка» (из дневника *О. П. Соловьевой*, работницы Прядильно-ниточного комбината имени Кирова).

Темнота действовала угнетающе. К этой морозной темноте трудно было привыкнуть, приспособиться.

В наивном и искреннем дневничке семнадцатилетней «К. Лиды»[1], работавшей (пока они действовали) в парикмахерской, ночная пробежка по тесному от бесконечной темноты Ленинграду описывается так:

«Бывало, выйдешь с парикмахерской, а на улице так темно, что будто пропасть какая, идешь, и руки вперед перед собой держишь.

---

[1] Ничего, кроме этого инициала, в заголовке принесенных нам записок, нет. Фамилию автора установить не удалось.

Однажды иду, совсем темно, лунные ночи кончились, мне надо переходить дорогу, слышу, автомобиль едет, я жду, слышу, ехал и где-то вдали остановился. Я спокойно перехожу дорогу, все время держа вперед руки, одну пустую, другую с чемоданом, где я носила свой инструмент, иду (а я чуть ли не бегом ходила в темноте) и, видимо, так сильно шла рядом с панелью, что натолкнулась на машину и даже упала назад, потому что так быстро шла. Чуть чемоданчик не выронила. Слышу, открывается кабина, шофер спрашивает: «Кто здесь?» — а я притихла, неудобно стало, но подумала — наплевать, все равно не видно. Тогда решила идти по панели (а почему я не любила по панели ходить — из-за того, что наталкиваешься на людей все время), ну, вот, дохожу я до угла Советской улицы и Суворовского проспекта, иду около стенки и знаю, что сейчас надо поворачивать направо. Вдруг — не пойму, что это, куда я зашла? наткнулась на что-то большое, круглое и тут сообразила, что это бочка с песком, значит, это я с ней в обнимку стояла, пока соображала, что это, в собственном дворе и заблудилась».

«— Итак, вы вернулись из стационара? — спрашиваем мы Ирину Алексеевну Кирееву.

— Да, пролежав там некоторое время, вернулась. Няня была еще жива, но она уже погибала от голода. Помню, что мы ее поднимали. В стационаре нам давали какие-то порошки — на вес золота! — и мы считали, что, если эти порошки принесем домой, мы можем спасти своих близких. Помню, что усиленно питали няню, которая, конечно, уже сильно была истощена, настолько, что начался у нее голодный понос. Она скончалась на наших глазах. А до этого умерли наш восемнадцатилетний двоюродный брат, и тетя, и дядя. В январе — феврале вымирали прямо семьями. Что тут было — страшно! Тетя — в госпитале. Мама моя лежит со страшной водянкой (по возрасту она была, наверно, моложе, чем я сейчас).

Лежит бабушка. Лежит няня. Воды нету. Темно, холодно.

— Электричества уже не было?

— Электричества не было. Поставлена была времянка, такая печурка. Пришел боец и сложил нам такую времяночку. Тут мне приходилось, поскольку я оказалась самая жизнеспособная и самая старшая из детей (сестра моложе меня была), приходилось ходить за водой. Воду мы брали из люка. Каждое утро выходили — это тоже был подвиг. Ведра нет. Мы приспособили кувшинчик, наверно, литра на три воды. Надо было достать эту воду. До Невы идти далеко. Открыт был люк. Каждый день мы находили новые и новые трупы тех, которые не доходили до воды, потом их заливало водой. Вот такая это горка была: гора и корка льда, а под этой коркой трупы. Это было страшно. Мы по ним ползли, брали воду и носили домой.

— Видны они были сквозь лед?

— Да, видны».

Клавдии Петровне Дубровиной (ул. Сердобольская, 71) было тогда двадцать с чем-то лет, работала она токарем, служила в МПВО. Многое в этой блокадной молодости ей вспоминается сейчас с улыбкой. Для нас вроде ничего веселого, а она почему-то улыбается тому своему нелегкому быту.

«Перед войной я была такая, что у меня простых чулок даже не было, — знаете, как говорится, модница была: все шелковые чулочки на мне, туфельки на каблучках. И вот когда жизнь так стукнула меня, то я сразу перестроилась. Правда, в Ленинграде в течение, может быть, нескольких дней пропало все сразу. В магазинах, например, раньше лежали, вот как сейчас лежат, шоколадные плитки, и в течение нескольких дней — абсолютно ничего! Все сразу раскупили: запасы стали кое-какие делать. Но карточки были быстро введены. И так же было с промтоварами. Я схватилась: что же я так осталась? Я побежала в магазин и успела еще захватить простые хлопчатобумажные, причем черные, чулки в резинку. Сколько там было, не помню, кажется, шесть пар, я купила и все шесть пар на себя надела. И вот так эти шесть пар не снимались. Представляете, черные чулки, шесть пар не снимались — это чтобы от холода спастись! Потом — как я ноги обула. Тоже думаю — что же мне делать? Я пропаду. А у меня какие-то старые лисьи шкуры валялись. И тоже я где-то схватила, купила с рук (тогда еще продавали за кусочек хлеба) такие вроде бурочки, они были буквально сшиты на машине из байки, тоненькие такие. Но все же туда можно было всадить ногу. Я что сделала? Я эти шкуры намотала себе вместо портянок и всадила ноги в бурки. Но в них же не будешь ходить по улице, это типа домашних, подошва-то тонкая. Где-то в коридоре нашла старые мужские галоши громадного размера (это был, видимо, самый большой размер), с такими острыми носами. Я бурки свои всадила в эти галоши, проколола дырочки, шнурочками, как лапти, перекрестила, завязала — и вот так я спасла ноги. В тепле я ходила все время. Иначе я пропала бы... Теперь в смысле умывания. Конечно, воды не было. Вот когда я еще выходила из дому, шла на завод, у меня единственно что было — кусочек тряпочки в кармане. Я выходила на улицу — снег. Я беру, немного потру руки о снег, это вместо воды, — и все. Ну, лицо, кажется, тряпкой протирала. А так больше никогда ничего, не умывались, воды никакой не было. Ну, воды в столовой, где нас кормили, было немножко».

Менять на хлеб, на дуранду можно было лишь женские вещи. Модные женские вещи были еще в цене: продукты ведь были только у подавальщиц, продавщиц, поварих. Золотые часы Лихачевы вымяняли на 750 граммов риса.

Иван Андреевич Коротков, художник:

«Какие тут события происходили? Водопровод работал кое-где, и оттуда можно было ведром доставать воду, но получались такие большие ледяные горы. На Невском, как раз около Гостиного Двора, была такая башня. Почему она образовалась? Потому что когда ведра наполняли, то воду проливали, она скатывалась, лед нарастал, нарастал и на метра два-три поднимался от земли. Потом забраться туда было целым событием. Воду я носил. Заберешься (я был в ботинках солдатских), а как обратно? С ведрами? Ну, иногда сядешь на горку и скатишься ничего, а иногда грохнешься. И опять проливаешь. И гора эта растет без конца. Так и на спусках к Неве, кто ходил за водой на Неву».

Галина Иосифовна Петрова:

«Да, возили мы воду из Невы. Это я помню очень хорошо. Это против Медного всадника. Мы туда ездили через Александровский сад. Там прорубь была большая. Мы на коленочки вставали около проруби и черпали воду ведром. Я с папой всегда ходила, у нас ведро было и большой бидон. И вот пока довезем эту воду, она, конечно, уже в лед превращается. Приносили домой, оттаивали ее. Эта вода, конечно, грязная была. Ну, кипятили ее. На еду немножко, а потом на мытье надо было. Приходилось чаще ходить за водой. И было страшно скользко. Спускаться вниз к проруби было очень трудно. Потому что люди очень слабые были: часто наберет воду в ведро, а подняться не может. Друг другу помогали, тащили вверх, а вода опять проливалась. Около Сената и Синода стоял какой-то корабль. Там, бывало, моряки приходили и помогали пожилым. Да было и не понять, пожилой это человек или молодой, настолько были, во-первых, все закутаны, а во-вторых, были же коптилки, и из-за этих коптилок мы были как черти».

«Как-то я мужчину попросила, а он говорит (это из рассказа *Заборовской Валентины Алексеевны*, ул. Варшавская, 116): «Доченька! Если бы я мог достать, я бы достал тебе хоть десять ведер».

Мужчина не мог достать мне воды! Не поймешь: то ли он молодой мужчина, или он старый, ничего не поймешь, потому что люди какие-то были изменившиеся очень.

Ну, как-то я воду эту достала. Я ее подымала! Бабушка жила у нас. Я сейчас скажу, — на втором этаже бабушка жила у нас. И я, значит, эту воду — по одной ступеньке, и всё считала, сколько мне ступенек еще пройти! Вот прошла я ступеньку, считаю — раз, два, три, четыре. Сколько мне еще пройти надо? Я не держусь за перила, веревка у меня привязана к кастрюле, и я иду. Ступеньку пройду — отдохну. Я не могла принести кастрюлю воды. Вот до чего была ослабевши!»

«На лютом морозе мы простояли около двух часов и, наконец, наполнили все наши вместилища. Мы везли наши санки с возможной осторожностью по оледенелым улицам. Надо было еще проехать по двору и завернуть за угол дома. Двор был завален смерзшимся снегом, между сугробов узкой траншеей шла тропинка. Когда мы приближались к повороту, из-за дома навстречу нам вышла девушка-дружинница тоже с санками. На них лежали два уже, верно, уже давно застывших трупа. Тропинка узкая, разлучиться было трудно, на повороте окостеневшая нога задела наши санки, и они опрокинулись. Наша вода! Мы с сестрой стояли ошеломленно, совершенно обессиленные. Присели на санки и расплакались...» (*Зинаида Владимировна Островская*, ул. Ленина, 34).

На топливо, на дрова разбирались деревянные дома для заводов, учреждений, часть дров давали тем, кто выходил на разборку.

Этим занимались постоянно бойцы МПВО. Звучит мужественно: «бойцы», а на самом деле — восемнадцати-девятнадцатилетние, к тому же истощенные голодом, девчонки.

Вот рассказ одной из них — Дубровиной Клавдии Петровны:

«— И вот обязательно каждый день выделялось несколько человек на ломку дома и чтобы привезти вот это. Не знаю, сколько у нас сил тогда было, — но было, может быть, потому что молодые были.

У нас такие вот большие сани были, самые обычные большие сани, мы ломы туда клали. Сначала мы близко — вот в Новой Деревне, вот здесь — ломали, а потом нам уже приходилось далеко ехать — Озерки, Шувалова, вот туда ехали. Ехали утром на целый день, ломали там дома этими ломами, взваливали на эти сани и везли сюда.

— На себе?

— На себе.

— Лошадей не было?

— Нет! Ну что вы!

Везли мы на себе, но нас несколько человек. Ну, когда зима была — это еще полегче, а когда весна наступила, то было уже очень тяжело. Мы через мост буквально тащили: на мосту снег быстро таял и по мосту было тяжело тащить.

Но опять я должна сказать: пусть это тяжело было, но это нас спасло! Дома я бы не могла, мне было бы нечем — еще впереди было три зимы страшных, — мне бы нечем было топиться, и я бы пропала. А здесь мы везли и для госпиталей, и для райкома, и для своей казармы. Мы находились в тепле, мы отапливались. Для себя мы же везли. Мы отапливались, мы сушили свои портянки, нам нужно было всё сушить, на нас все же было мокрое, нужно было сушить, и мы таким образом, значит, жили...»

Но каждый ленинградец искал, что поближе и что по силам ему было.

«У нас центральное отопление было в доме сорок, но его не топили. Холодно в комнатах, а на кухне дровяная плита была. Соседка там у нас одна оставалась, так мы с ней ходили. Заборов-то нам не досталось — все спилили (заборы кругом деревянные были). А мы с ней столбики — вот такие от земли — подпиливали. То я лежа попилю ножовкой такой одноручной (что там силы мои были), то она лежа попилит. Так вот принесем, истопим, иногда и сварим там все...» (*Зоя Ефимовна Васильева*).

Еще ребенком была, но помнит и уже не забудет *Галина Александровна Марченко* (Приморский пр., 55), как это безмерно важно — хлеб, вода, дрова:

«— Потом, как я сказала, мы перестали ходить в бомбоубежище, потому что у нас и сил не было. И, как тревога, мы просто ложились и закрывались. Мы жили на втором этаже, окна все намертво были забиты; никогда не уходили. Из квартиры все уехали. Квартира была коммунальная. Там четыре комнаты было. Мы перебрались в самую маленькую комнатку — моей тетки. А во всех остальных комнатах мы потихонечку выламывали пол. Полы уже не помню: паркетные были или простые, крашеные? И мы жгли. Книг у нас было не очень много, и их жалели жечь. Остались у нас одна кровать, стулья и диван. На диване три каких-то подушечки и валики, их тоже постепенно сожгли, там была стружка. Откуда появилась «буржуйка», кто ее принес, когда мы ее купили? Я не помню. Небольшая «буржуечка». Мы так мелко-мелко резали хлеб долечками маленькими и на ней сушили, просто прилепляли. Хлеб-то был клейкий такой. Эти сухарики и жевали.

— Хлеб водянистый, а есть его было лучше сухим? Почему?

— Потому что так дольше сохранялся вкус хлеба...»

А бывшая работница ленинградского радио *Александра Борисовна Ден*, рассказывая, показывала:

«Вот здесь у нас была времянка, и паркет испорчен до сих пор... Сначала полки с кухни пошли, кухонные столы. А потом пошла мебель вообще».

Владимир Рудольфович Ден, сын Александры Борисовны, тоже вступил в беседу:

«Разговоры о еде, по-моему, считались непристойными. Люди хорошо научились, придя к кому-то в дом, вести себя так, как будто они ну совсем есть не хотят. Можно было при постороннем человеке есть, хотя это считалось, в общем-то, дурным тоном. Да, но можно было, и люди очень искусно притворялись, что они не хотят...»

Это наблюдал, подметил, запомнил он, тогда еще мальчик.

«— Еще не касались вопроса, на чем готовили, — напомнила Александра Борисовна.

— Книжки я жег собственноручно, причем я их старался как-то отбирать, сначала что похуже, — продолжает Владимир Рудольфович, поглядывая на мать. — Сначала всякую ерунду — то чего я даже до войны не видел. За стеллажом оказалось много всякой ерунды — какие-то брошюры, инструкции по техническим вопросам, случайно, видно, попавшие. Потом начал с наименее интересных для меня — журнал «Вестник Европы», что-то еще было. Потом спалили сначала, по-моему, немецких классиков. Потом уже Шекспира я спалил. Пушкина я спалил. Вот и не помню чье издание. По-моему, марксовское, синее с золотом. Толстого — знаменитый многотомник, серо-зеленая такая обложка, и медальон в уголке вклеен металлический.

— А я в основном пихала в печку Шиллера, Гёте — немецких классиков, — виновато и тихо дополнила маленькая росточком Александра Борисовна.

— Жгли мебель, — продолжает Владимир Рудольфович. — Был такой гардероб старорежимный, знаете, с двумя ящиками внизу. Топили им двадцать дней. Отец был человек пунктуальный, он решил посмотреть, на сколько его хватит? Заметил. Двадцать дней топили шкафом».

Вот так нам рассказывали мать и сын, а их квартира, уцелевшие в квартире вещи, стены, обожженный паркет тоже как бы участвовали в беседе, «вспоминали».

Ценились не вещи — настоящими блокадниками, во всяком случае, — не шкаф, например, а дрова из массивного шкафа...

«Приятель мужа рассказывает: он вывез на рынок шкаф — и никто не покупает. Он тогда здесь же, на глазах у всех, этот шкаф разломал; причем за шкаф он там просил, — я не знаю сколько, — предположим, десять рублей, а дров он продал рублей на двадцать! Я помню только, что в два раза больше за дрова выручил, чем стоил этот шкаф» (*Рогова Нина Васильевна*).

...В комнате, в которой жила *Александра Михайловна Арсеньева*, не было самого главного — печки!

«Нету печки! Я не знаю, где мне купить печку за хлеб? И как хлеб оторвать? Ведь у меня служащая карточка, а на детскую карточку в столовой ничего не дают. Детская карточка пропадала, а в столовой на одну служащую питались с дочкой вдвоем. Я знала, что не сегодня-завтра упаду. Девочка еще ничего была. Правда, она такая молчаливая была, тихо сидела и ждала, когда мы пойдем в столовую...»

Находили иногда где-нибудь на чердаках «буржуйки» от первых лет революции. Топили тряпьем, старой обувью, паркетом, матрацами, но главным топливом стали деревянные дома. Ими отапливались учреждения, предприятия. Их распределяли организованно, через райисполкомы.

Мало было найти, купить, выменять, добыть дрова, надо было расколоть их, принести. И это было проблемой.

«Пошла искать каких-нибудь дров в подвал, нашла полено, которое необходимо расколоть на мелкие щепки для «буржуйки», но силы не оказалось, я подняла топор, и он тут же опустился на землю. Я расплакалась; говорила: что со мной, я не больна, здорова, а сил у меня нет?» (из дневника *Поповой Ульяны Тимофеевны*, Васильевский остров, 11 линия, д. 46).

Спали, не раздеваясь. Месяцами так. Живые рядом с умершими.

К Дубровиной Клавдии Петровне перешла жить соседка («Мне ее очень жалко было»). И умерла в ее квартире.

«— Здесь же лежала вместе со мной: тут я лежала, тут — она лежала (показывает, где стояли койки).

— И долго так было?

— Долго, до весны.

— До весны?

— Да, и так лежали мы. В квартире у нас, рядом, — девочка, мужчина, еще женщина лежали мертвые...

— А вы ходите на работу, возвращаетесь?

— Да, я дома днем не бывала, дома мне, собственно, нечего... Я там по карточке и кушала на работе что давали.

— Ну, а ночевали вы где?

— Дома, здесь. Ночевать было, конечно, страшно, потому что вот это все выбито, мороз, холод страшный. Во-первых, я лишила себя дневного света окончательно: еще пока силы были, я взяла эти два окна забила — одно одеялом, другое — старым ковром, так, чтобы хотя не дуло сюда. Но это, собственно, лишило меня света. И я приспособилась так: я приходила в темноте и знала, что вот здесь — у меня кровать, залезала в эту нору, как я ее называла, ложилась до утра и в таком холоде... Но я как делала? Несколько подушек на себя наваливала. Я, собственно, сделала нору.

— И не раздеваясь?

— Да, не раздевалась абсолютно.

— Что, и в валенках?

— Нет, это я снимала. Вот с ног снимала, пальто снимала, а остальное не снимала, и так до весны не снимала.

— До какого времени?

— Я как-то подсчитала: до тех пор, пока меня не призвали в МПВО в марте, — вот до марта месяца.

— То есть с декабря до марта?

— Да, да, примерно так, может быть, даже больше.

— А с соседкой вы жили вместе в этой комнате?

— Нет, она рядом жила, но она была такая старая, пожилая женщина, совсем уже не могла... болезненная такая. Так она еще меня пока просила, чтобы я хоть бы воды сначала принесла, там кипяточку погрела. Вот я приобрела такую «буржуечку» за хлеб, тоже маленькую такую. Ну что за «буржуечка»? Пока топишь, пока тут кипяток поставишь... И вот мы сожгли в этой «буржуйке»... весь паркет разобрали, все стулья сломали (это я все делала, поскольку я сильнее), книги. У меня было много книг, и у нее много книг (она интеллигентная такая женщина, у нее было очень много книг). Мы не смотрели — мы всё жгли. Но этого хватило ненадолго, а потом — уже ничего нет! Вот она умерла у меня.

— У вас в комнате?

— Да, я прихожу — она мертвая лежит. Мне это как-то тоже безразлично было: тут кругом умирали люди. И я вот только залезала в эту нору, — снимала пальто, снимала валенки, — залезала туда, потому что холод страшный, такой платок на себя одевала старый. И когда я утром вставала, то у меня к шее, вот здесь, примерзало все. Отрывала все это, поднималась, одевала пальто и шла на работу...»

«Спала под двумя ватными одеялами и клала два нагретых утюга: один согревал ноги, а другой грудь и руки. Утром одеяла покрывались белым инеем» (Попова Ульяна Тимофеевна).

«Цвет кожи необъяснимый — многомесячные коптилки, и все это въедалось... В валенках спали... Свитер, валенки, пальто, брата пальто» (Бабич Майя Яновна).

«Все люди ходили грязные, но мы умывались, тратили на это стакана два воды и воду не выливали — мыли в ней руки до тех пор, пока вода не становилась черной. Уборная не действовала. Первое время можно было сливать, но потом где-то внизу замерзло. Мы ходили через кухню на чердак. Другие заворачивали сделанное в бумагу и выбрасывали на улицу. Поэтому около домов было опасно ходить. Но тропки все равно были протоптаны по середине мостовой. К счастью, по серьезным делам мы ходили раз в неделю, даже раз в десять дней. И это было понятно: тело переваривало все, да и перевариваемого было слишком мало. Хорошо все-таки, что у нас был пятый этаж и ход на чердак был такой удобный...» (Дмитрий Сергеевич Лихачев).

И после этого — баня! Представляете?

«Первая баня! — восклицает Майя Яновна. — Ой!.. В первые дни стояли часов по восемь — с десяти утра занимали очередь и к вечеру попадали. Я все-таки прорвалась туда недели через две.

Это был такой ужас, когда они все голые и падали — силы не было тазы нести. Господи! Какой кошмар там можно было увидеть! Мыла у многих не было, терлись-терлись некоторые и без мыла. И тут же падали. Медленно очередь шла, медленно мылись, но горячая вода была».

Нам передали много дневников блокадного времени. Некоторые авторы нам прочитывали — для записи на магнитную ленту. И сами же комментировали. *Галина Григорьевна Бобинская* — высокая, красивая, хоть и не молодая уже женщина, специалист по краеведению, научный работник — свою квартиру воспринимает, кажется, как своеобразный «музей» пережитого ее семьей в блокаду. Показала осколки стекла, все еще поблескивающие в поврежденном глянце рояля. Лепной потолок — старая петербургская квартира — был тоже порушен, и это также заметно.

В дневнике Галины Григорьевны есть про баню (ей было тогда 18 лет). И другие вспоминают это редчайшее весною 42-го чудо — случайную баню. И про то, каким себя человек вдруг осознавал, ощущал, когда заново видел свое и другие нагие тела.

Вот запись из дневника: «Третьего марта открылась Разночинная баня (это баня на Разночинной улице). Пошли мы в баню всей семьей. Моемся-моемся, но почему-то в женском отделении довольно холодно. Одна из наших бабушек-старушек увидела, что в соседнем отделении значительно теплее. Она сама туда заглянула и пригласила нас туда. Мы спокойненько заняли лавочку. И не только мы, но там еще и другие женщины мылись. Но, когда уже сквозь пар огляделись, оказалось, что это было мужское отделение. И все совершенно спокойно мылись — мужчины и женщины. И никто друг на друга не обращал абсолютно никакого внимания, всем было все равно». Или еще рассказ об этом же — *Маргариты Федоровны Неверовой*, бывшей актрисы (ул. Рубинштейна, 26).

«И вдруг нам говорят:

— Бегите, девчонки. Баню на Казачьем затопили. Скорей, скорей.

И вот весь исполком, как сумасшедшие, побежал в баню». Прибежали в баню, моемся, счастливые, довольные... Слышу, мужские голоса раздаются! Господи, твоя воля! Оказывается. Милицию тоже пригласили. Вот мы и мылись все вместе. Ну тут не до шуток было, не до смеха, не до разглядывания. Все были не разнополые, а как бы бесполые. Так что все старались, чтобы скорее только схватить водички тепленькой и помыться».

Мария Андреевна Сюткина — бывший парторг одного из цехов Кировского завода:

«Выстроили мы баню. При стационаре. Баня была по-черному, как деревенская баня. И вот был случай тут с этим Ходаковым.

Пришли туда с девчонками. Дверь закрыта, кто-то там моется. Никто двери не открывает. Стоим полчаса — никто не открывает. Вода-то булькает в тазу, а никто ничего не говорит. Мы потом решили: кто-то там забрался! И решили все-таки с петель сорвать эту самую дверь. Входим. Сидит Ходаков. Мыться он не может. Сидит. Таз у него холодный, и баня эта была по-черному, если не поддавать пара на каменку, то в ней холодно. И замерз он уже весь. Вот мы, значит, разделись, пара нагнали, вымыли его, одели. Отвезли его в стационар».

Елена Николаевна Аверьянова-Федорова, которая вела дневник, вспоминает о том же:

«...Нам дали талончики — это уже март 42 года. И ходили в Мытнинскую баню, все вместе: и женщины, и мужчины, и дети, и взрослые — неважно, потому что талончиков мало, и давали лучшим работникам. Мы хорошо помылись. Стоишь в очереди за водой, спрашиваешь: «Тетенька, ты последняя?» — а тебе отвечают басом: «Я последний». Оказывается, это дяденька. Там уже не разбираешь — мужчина или женщина.

— И никакого юмора?

— Вы знаете, почему-то юмора не было, и на нас не обращали внимания».

Вода, дрова, тепло... И конечно же — хлеб. В первую очередь он, к нему и сейчас стягиваются главные нити воспоминаний, с ним связаны, может быть, самые острые и жестокие переживания. Граммами хлеба (ленинградскими «граммиками») измерялись в те дни шансы и надежды человека выжить, дождаться неизбежной победы.

И какие драмы — видимые и не видимые миру — разыгрывались ежедневно вокруг кусочка хлеба (ведь он был мерой жизни и смерти!), какие сложные, самые высокие и самые низкие чувства клокотали в очередях, где дожидались хлеба, над «буржуйками», где его сушили!

Бесценные и безжалостные «граммики» — о них и сегодня говорят с восторгом и с ужасом:

«Когда нам давали этот хлеб — 125 граммов, представляете?! И отпускали нам буханкой, и вот приносили мы весы и начинали делить по 125 грамм.

Вы представляете, что в комнате! Вот все эти рабочие смотрят. Даже глазам не верят, что это такой кусок, и причем каждый боится за каждую каплю хлеба» (Сюткина М. А.).

«В наш дом попала авиабомба. Она не разорвалась, но нас выселили в соседнее бомбоубежище. Это были бывшие царские винные подвалы под зданием Эрмитажа, со стороны Дворцовой набережной... Подвалы огромные, сводчатые, целая анфилада... Света не было, кое-где горели коптилки. В одной из сводчатых ниш, на нарах, ютилась мама — совсем девочка — с тремя малыми детьми. На детей страшно было смотреть — крошечные старички: большая голова на тонких ножках, еле переступающих по полу в темноте огромного подвала. 25 декабря я рано утром зашла в бомбоубежище. У титана (кипятильника) стояла девочка-мама. Руки у нее тряслись, она со слезами радости показывала всем кусок клейкой и тяжелой буханки и все повторяла: «Прибавили, видите, прибавили! Будет теперь ребятам...»

В этот день увеличили норму выдачи хлеба, и она получила на всех четырех — 800 граммов.

И появилась надежда» (Островская Зинаида Владимировна).

Попадались некоторые истории — неясные, вторичные — о том, как отнимали хлеб (подростки или мужчины, наиболее страдавшие от мук голода и наименее, как оказалось, выносливые). Но, когда начинаешь спрашивать, уточнять, сколько раз, сами ли видели, оказывается, все-таки не очень частые случаи. Разное, конечно, в огромном городе бывало.

«Один раз я шла на работу утром, на углу Лесного и Нишлотского переулка ехал на лошади старикашка с хлебом. Хлеб был покрыт брезентом. Откуда ни возьмись, человек пятнадцать мальчишек в форме ФЗУ. Железными крючками повыдергивали хлеб и убежали. Остановить их было некому, да и невозможно. Бедный старик плачет: меня, мол, расстреляют! Но тут милиционер подскочил и ряд рабочих-очевидцев, составили акт; оказалось, не хватило пятьдесят две буханки. Что было дальше, не знаю, думаю, что старика ни в чем не винили. Это были не воры, эти ребята. Они были голодные, холодные, немытые и совершенно, совсем еще дети, у многих уже не было родных, а ведь работали они у станков» (из записок-воспоминаний *Екатерины Павловны Янишевской;* Гражданский проспект, д. 90).

Или разбило снарядом телегу с бочками, повидло разбросало. Хватают кто во что собирает! Но опять же не это диво, а совсем другое: машину снарядом разнесло, хлеб лежит, собрали и никто себе не взял!

«Начался сильный обстрел... Я кое-как доползла до булочной, на углу у нас на проспекте Стачек была булочная, сейчас там кафе. Крик там был, шум. Все бросились. Кто лежит на полу, кто спрятался за прилавком. *Но никто ничего не тронул!* Буханки хлеба были — и никто ничего» (*Евгения Семеновна Козловская,* пр. Стачек, д. 8/2, работала в блокаду заместителем председателя Кировского райисполкома).

Неполной будет картина, если упоминать про одни рассказы и умалчивать о других. Вот и об этих похитителях хлеба, хлебных довесков. О них рассказывают тоже по-разному. С одной стороны, очень врезались в память такие случаи. Еще бы: женщина, ее дети мечтали об этом «завтрашнем» хлебе еще вчера, ночью видели во сне, как едят его, — и вдруг чья-то рука хватает, запихивает в рот!.. Запомнилось, хотя самые лютые обстрелы могли уже выпасть из памяти. И так этого довесочка жалко — все тридцать лет он в памяти! Даже самим рассказчицам неловко. Но еще более жалко им тех подростков, мужчин, потерявших себя. И тогда, в тот миг тоже их жалели, хотя и кричали на них вместе с возмущенной очередью, даже били.

«Со мной вместе жила жена моего брата с ребенком маленьким, четырех годков, и ее мать-старушка, потом еще карточки ее сестры дали мне и просили, чтобы я пошла получить хлеб. Вот я пошла в булочную. Я получила хлеб на всю семью. Ну, дали мне такую маленькую буханочку и небольшой довесочек. Не знаю, сколько в этом довеске было, граммов пятьдесят, что ли. И вот только я беру у продавца этот хлеб, и вдруг какой-то парнишка, голодный, истощенный парнишка лет шестнадцати-семнадцати, как выхватит у меня эту буханку хлеба! Ну и стал скорей кусать от голода — ест, ест, ест ее! Я закричала: «Ой! Что же мне делать, я ведь на всю большую семью получила хлеб, с чем же я приду домой?!» Тут женщины сразу же закрыли дверь булочной, чтобы он не убежал, и начали его бить! Что ты, мол, сделал, ты оставил семью без хлеба! А он скорее глотает, глотает. Остатки буханки отобрали от него, и у меня этот довесок остался. Я стою и думаю: с чем же я домой-то приду? И в то же время и его так жаль; думаю, ведь это голод заставил его сделать, иначе он так не сделал бы. И так мне его жалко стало. Я говорю: «Ладно уж, перестаньте его бить». Этот случай мне запомнился, думала: надо же, чтобы голод человека на такой поступок толкнул! Ведь из-за голода он выхватил хлеб!» (*Юлия Тимофеевна Попова*).

Со слезами смущения, вины, удивления перед тем, что голод с нею сделал, вспоминает Таисия Васильевна Мещанкина про такой случай. Подошла она к магазину, и там как раз похожая сцена: выхватил парень хлеб, упал и ест, глотает, глотает лежа... Карающий гнев, обида в ней заговорила, она тоже стала его бить, толкать, чтобы спасти чей-то хлеб. Вдруг рука ее нащупала на земле кусок... Но лучше послушать ее, ее рассказ, начиная с тех трех дней в январе, когда в магазинах совсем хлеба не давали. Не было. Хлебозаводы стали.

«— В эти три дня тяжелые я одну ночь почувствовала — умираю. У меня длинная слюна бесконечная была. Рядом лежала девочка, моя дочка. Я чувствую, что в эту ночь я должна умереть. Но поскольку я верующая (я это скрывать не буду), я стала на колени в темноте ночью и говорю: «Господи! Пошли мне, чтобы я до утра дожила, чтобы ребенок меня не увидел мертвую. Потом ее возьмут в детское учреждение, а вот чтобы она меня мертвой не увидела». Я пошла на кухню. Это было в чужой квартире (мы там жили, мой дом на улице Комсомола, пятьдесят четыре, был разбомблен). Пошла на кухню и — откуда силы взялись — отодвинула столы. И за столом нахожу (вот перед Богом говорю) бумагу из-под масла сливочного, валяется там еще три горошины и шелуха от картошки. Я с такой жадностью это поднимаю: это оставлю, я завтра суп сварю. А бумагу себе запихиваю в рот. И мне кажется, что из-за этой бумаги я дожила.

— Только бумага от масла? Масла не было?

— Да, бумага. Из-за этой бумаги я дожила до шести часов утра. В шесть часов утра мы побежали все за хлебом. Прихожу я в булочную и смотрю — там дерутся. Боже мой! Что же это дерутся? Говорят: бьют парня, который у кого-то отнял хлеб. Я, знаете, тоже начинаю его толкать — как же так ты, мы три дня хлеба не получали! И вы представляете себе, не знаю как, но евонный хлеб попадает мне в руку, я кладу в рот — чудеса — и продолжаю того парня тискать. А потом говорю себе: «Господи! Что же я делаю? Хлеб-то уже у меня во рту?!» Я отошла и ушла из булочной.

— И не получили хлеба?

— Я потом пришла за хлебом. Мне стало стыдно, я опомнилась. Пришла домой и простить себе не могу. Потом пошла и получила хлеб. Я получала двести пятьдесят граммов, я была рабочая, и девочка сто двадцать пять».

...Но настоящей трагедией была потеря карточек. Особенно если в начале месяца и особенно если карточек лишалась вся семья. Потерявший их мог считать себя убийцей всей семьи. «Я крикнула так, что остановился трамвай», — вспоминает *Анна Викторовна Кузьмина*. Рука вернулась к карману, а там — ни кармана, ни карточек... Крик был такой, что остановился трамвай, подошла какая-то женщина, предложила ехать с нею. Она-то, незнакомая женщина из столовой, и подкормила четырнадцатилетнюю Аню, ее сестренку и мать несколько критических дней какими-то остатками щей, какими-то крохами.

В воспоминаниях Екатерины Павловны Янишевской есть сцена, кажется вобравшая в себя всю трагедию утерянных карточек и особую нравственность первой блокадной зимы.

«Видела на проспекте Энгельса такое: везет старик полные дровни трупов, слегка покрытых рогожей. А сзади старушонка еле идет: «Подожди, милый, посади». Остановился: «Ну, что, старая, ты не видишь, какую кладь везу?» — «Вижу, вижу, вот мне и по пути. Вчера я потеряла карточку, все равно помирать, так чтоб мои-то не мыкались со мной, довези меня до кладбища, посижу на пеньке, замерзну, а там и зароют»... Был у меня в кармане кусочек хлеба граммов сто пятьдесят, я ей отдала...»

Конечно же, сужался круг интересов, потребностей человеческих. Но те потребности, что оставались, приобретали значение, силу, каких не имели в другое время. В числе оставшихся и усилившихся не только потребность в пище да в тепле «буржуйки». Но и в тепле участия. Никогда так не нуждался ленинградец в помощи, поддержке, и никогда его поддержка так не нужна была кому-то другому, как в дни, месяцы, годы блокады. «У каждого был свой спаситель», — убежденно сказала нам ленинградка. Каждый в нем нуждался и сам был необходим, как хлеб, вода, тепло, другому.

И не только помощь физическая.

Пища духовная, когда так мало было просто хлеба, она не обесценивалась, она значила больше, чем в «сытые» времена.

«Я думаю, что никогда больше не будут люди слушать стихи так, как слушали стихи ленинградских поэтов в ту зиму голодные, опухшие, еле живые ленинградцы, — пишет Ольга Берггольц в предисловии к сборнику «Говорит Ленинград». — Мы знаем это потому, что они находили в себе силы *писать* об этом в радиокомитет, даже приходить сюда за тем или иным запомнившимся им стихотворением; это были самые разные люди — студенты, домохозяйки, военные».

У блокадного Ленинграда была своя богиня Сострадания и Надежды, и она разговаривала с блокадником стихами. Стихами Ольги Берггольц.

«А ее стихи часто просто, просто вот так они настолько запоминались, настолько как-то ритмично укладывались в голову... Ну вот идешь и так, шагая, бормочешь эти стихи ее... «Пусть так стоит всегда зарей покрытый...» Когда-то я знала это наизусть, и как-то это очень помогало, когда я лезла на вышку и когда приходилось стоять там под обстрелом на нашей крыше библиотечной» (*Озерова Галина Александровна*, ул. Седова, 124).

«Потом по радио стали передавать стихи Ольги Берггольц. Это я отлично помню, действительно было здорово, это было под настроение. Это очень встряхнуло от этого животного думания об еде!» (*Бабич Майя Яновна*).

Казалось, хлеб, прежде всего хлеб, ну еще вода и тепло! И все говорили и думали, что все желания сосредоточились только на этом, на самом насущном. Ничего другого. Так ведь нет. В иссушенном организме душа, страдающая и униженная голодом, тоже искала себе пищи. Жизнь духа продолжалась. Человек порой сам себе удивлялся, своей восприимчивости к слову, музыке, театру. Стихи стали нужны. Стихи, песни, которые помогали верить, что не бесполезны и не тщетны его муки беспредельные. И еще многое нужно, просто необходимо было ленинградцу. Живой голос брата по судьбе — осажденного Севастополя. И уверенность, что Москва устоит и отбросит танки Гудериана. И обязательно — больше, чем даже хлеб, вода, тепло! — необходима была надежда, свет победы в конце ледяного тоннеля...

По этому тоннелю люди и двигались, зажав в себе все, что могло казаться лишним, не главным.

Но стоило человеку получить чуть больше тепла, света, как чувства его с невероятной остротой начинали воспринимать простые радости:

солнце, небо, краски. Ничего не было вкуснее лепешек из картофельной шелухи. Никогда так ярко не светила электрическая лампочка. Человек научился ценить самое простое и самое главное.

Александра Михайловна Амосова, сотрудник Эрмитажа, рассказывала, как весной 1942 года блокадники снова — но как бы впервые в жизни! — вырвались к зелени, к земле кормящей...

«Набрали мешки лебеды, конского щавеля (считался деликатесом этот дикий щавель), набрали всякой травы. И вот у меня было такое чувство, что хотелось лечь на землю и целовать ее за то, что только земля может спасти человека. Даже если бы в тяжелые времена, зимой, была бы эта трава, то, может быть, такой гибели, такого количества мертвых, смертности такой не было бы. Свет. Солнце. Где-то в небесах жаворонок поет. А здесь мы просто этой травы наелись досыта. Конечно, это не пища. Но помню это чувство очень хорошо: хотелось лечь, распластаться и целовать землю! Понимаете?! Землю, которая дает нам все — и хлеб, и все абсолютно, чем может существовать человек».

...Малейшего облегчения было достаточно, лишней пайки хлеба, тарелки крапивных щей, чтобы очнулась стиснутая до предела, замершая душа. И тогда с небывалым прежде восторгом, благоговением ценились простые радости: сухой чистый асфальт, оконная рама с целым стеклом, нагретая солнцем стена, зелень деревьев, ни в одну весну не были они такими зелеными, как в ту весну! Чудом была и кровать с чистыми простынями, и цветок, который можно было не рвать, не жевать, не готовить из него салат, а оставить просто цветком, который вырос на газоне.

На работе

Что же можно было противопоставить такому голоду? Довольно скоро многие почувствовали спасительную силу товарищества, старались соединиться, быть вместе. Происходило это и организованно, под руководством партийных комитетов. Происходило и инстинктивно, стихийно, соединялись через работу, переходили на так называемое *казарменное положение*. Приспосабливали в рабочих помещениях комнаты, ставили кровати, налаживали отопление, быт. Скучивались, собирались по цехам, по отделам, жались друг к другу, ища тепла, помощи. Да и работать так было легче, не ходить из дома и домой пешком в непогоду. Первыми, естественно, переходили на казарменное одинокие и те, у кого семьи были эвакуированы. Хуже приходилось, когда семья жила в городе и нельзя было оставить мать, жену, детей одних.

Многие на казарменном прожили всю блокаду, почти не выходя «в город». Все силы забирала работа, дежурства, восстановление разрушенных цехов. Мир съеживался, как сжимается человек на морозе, втягивает голову в плечи, уходит в себя. Так уходили в спасительное лоно своего предприятия, старались быть среди людей. На миру и смерть красна, миру со смертью тягаться легче.

Главный библиограф Публичной библиотеки им. Салтыкова-Щедрина *Озерова Галина Александровна* об этом так рассказывает:

«— Я думаю, что они умерли потому, что оставались в этой квартире одиночками. А мы — кто были на казарменном положении в первую, блокадную осень в Центральной библиотеке, — мы сохранились благодаря коллективу. Всетаки у кого было больше сил и сноровки, те занимались такими работами, как заготовка топлива, колка, пилка, как расчистка снега, как добывание воды. Заставляли людей — тех, которые укладывались и не хотели двигаться, — заставляли их двигаться и выходить на воздух. Ну, скажем, я на далекие концы города таскала на саночках дрова нашим сотрудникам, которые решили отсиживаться у себя на квартирах и уже не имели сил ходить в библиотеку. Они умерли.

— А вы таскали дрова им?

— Да.

— Ну вот, вы помните ваше появление в этих квартирах. Как это все выглядело?

— Это очень страшно: затемненные квартиры, замерзшие, совершенно желтые, опухшие люди.

— Встречи проходили молча?

— Да нет, мы говорили. Они интересовались, что делается у нас в библиотеке, кто жив, кто умер — вот самое первое; какие прогнозы относительно немцев, что, продвигаются они, не продвигаются... Но вот, главным образом, как живет и как работает библиотека и кто из товарищей жив и кто как себя ведет, как держит себя, — вот такие разговоры были, главным образом».

Но и «в городе» тоже происходила как бы концентрация. Внутри квартир все сселялись в одну комнату: чем теснее, тем теплее. Согревали друг друга своим дыханием. Переезжали к друзьям, близким. По две, по три семьи собирались вместе из разных районов города. Оживали родственные связи. Сообща легче было управиться, стоять в очередях за хлебом, носить воду, смотреть за детьми.

Казарменное положение было в той обстановке, может, самой действенной помощью людям. Организованность, воля, ум коллектива изыскивали, казалось бы, совершенно невероятные возможности. Работники типографии, которая печатала карточки для города, рассказывали: когда на эти карточки стали давать все меньше (с 20 ноября рабочим — 250 граммов хлеба, служащим, иждивенцам, детям — 125 граммов хлеба, черного, липкого как замазка, водянистого, с примесью целлюлозы и опилок, и ничего кроме этого), начали искать, оглядывать, как бы проверять заново все, что было под рукой, в смысле съедобности, пытать окружающее воспаленными глазами голода.

«— Матрицы были. Там папиросная бумага и какое-то количество мучного клея, чтобы смазывать. Матрицы отработанные — свинца, красок нет, только бумага. Так мы мололи их, делали кашу и говорили, что каша ничего. Или столярный клей — это же студень.

— Получается, что у вас было профессиональное блюдо, из матриц?

— Да. Мы эту кашу ели, и ничего! Доля муки там была очень незначительная, в основном была бумага, клей и ряд других компонентов» (*Евгений Александрович Тренке,* наб. Мартынова, д. 12).

Питание хоть какое-то на производстве организовать было легче.

«Питались мы в столовой, — рассказывает *Клавдия Петровна Дубровина* и тут же переспрашивает: — Если вам, конечно, интересно? Питались по карточкам...»

Она работала в зиму сорок первого — сорок второго года токарем на заводе. В рассказах ее драгоценные подробности, но она то и дело стеснительно обрывает себя:

«Я кратко... Может, лишнее что, может, короче надо?»

«Нам выдали талончики. На них дадут немножко жидкой-жидкой каши, а мы еще подходим и разбавляем кипятком, чтобы ее было побольше, вроде впечатление, что больше поел. Там кипяток стоял в столовой, и мы еще разбавляем. Потом у нас без карточек так называемый дрожжевой суп давали. Ну, в то время что только шло в рот, как говорится, то и ели. Вот потом мужчины, которые у нас остались по возрасту или по броне, потому что было что делать, знаете, вот даже в столовой сидит за столом и, видишь, упал и умер. Такой тихой смертью умирали, так спокойно... На заводе было страшно, конечно. Ну и что? Голодные у станков работали, всюду были выбиты окна, руки примерзали к металлу. Я работала в перчатках, потому что все примерзало. Помогали мне, даже к мастеру не обращалась. Там инженер-технолог один, такой Вася Кириченко, перешел на станок, так он часто подходил ко мне. Придет: «Ну что, не умеешь? Так я помогу тебе». (А его не призывали, потому что он моряк, а моряков не призывали, держали до весны.) И вот он мне все показывал, и я таким образом научилась и работала.

Потом уже мы и так не работали. Придем к началу — нет электроэнергии. Мастер говорит: «Сидите ждите». Сначала сидим по нескольку часов, ждем — нет электроэнергии. Потом уже стало это в дни превращаться, уже днями ее не стало. Нам говорят: «Приходите только дня через три». Мы стали меньше ходить на работу. Вот так примерно мы и работали, с промежутками все работали. Я кратко!»

Мария Андреевна Сюткина, заканчивая свой рассказ, вдруг вспомнила, что у нее есть меню сорок второго года столовой одного из цехов, и прочитала нам названия блюд, которые заменяли мясные, рыбные, мучные. Но и это уже весна — лето 1942, когда с питанием стало немного лучше:

«Щи из подорожника
Пюре из крапивы и щавеля
Котлеты из свекольной ботвы
Биточки из лебеды
Шницель из капустного листа
Печень из жмыха
Торт из дуранды
Соус из рыбнокостной муки
Оладьи из казеина
Суп из дрожжей
Соевое молоко (по талонам)».

Чего только не варили, чего не ели, чего не изыскивали! Воистину, как говаривали немцы в старину: «Лучший повар — голод!»

«Деда! А танковый жир?» — напомнила вдруг присутствовавшая при нашем разговоре внучка *Зенькова,* и *Петр Ефимович* сам не без удивления вспомнил, видимо, один из семейных рассказов:

«Во! Танковый жир ел. Боже мой! А знаете как? Одна моя знакомая работала. А до войны я в том цехе работал. Секретарем там был один созыв, освобожденным. Да. И вот она говорит: «Знаешь что, Ефимыч? У меня бочка целая

Вход в Эрмитаж (с улицы Халтурина)

Вероника Александровна Опахова
с дочерьми Лорой и Долорес

Александра Михайловна Арсеньева, 1940

Сергей Александрович Васильев с сыном Володей,
Евдокия Васильевна Васильева, ее дочь Кира,
мальчик Боря (сын замполита), 1942

Зинаида Александровна Игнатович

Володя Ден, 1939

Ольга Федоровна Берггольц

Родные Веры Николаевны Лободы
(справа в верхнем ряду Вера Николаевна), 1936

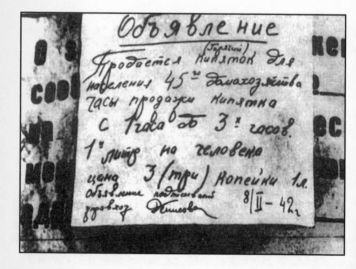

Зампред Ленгорисполкома, зав. отделом торговли
Иван Андреевич Андреенко, 1941

Георгий Алексеевич Князев, 1959

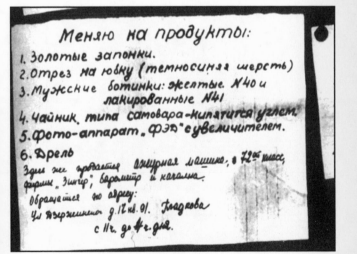

Мария Михайловна Ершова, 1945

Лидия Георгиевна Охапкина с сыном Толей, 1939

жиру — танки что смазывают. Приходи!» И я взял. Какая прекрасная штука! Как мы его елито! И домой принес. Понимаете?..»

Главным в казарменном положении, в этой коллективной жизни была взаимовыручка, взаимодействие, которое поддерживало дух.

Часть судостроительного завода имени Жданова была эвакуирована на Выборгскую сторону, там начали делать мины, работали до декабря, пока была электроэнергия. А потом могли разойтись по домам, но многие продолжали оставаться на заводе, жили там.

Чем голоднее становилось, тем труднее было работать, но тем нужнее была работа и для фронта и для города, да и для самого ленинградца. Работа помогала держаться. И за работу держались. В этом вымороженном, безлюдном, обессиленном до предела городе продолжалась деятельность большинства учреждений. Почтальоны разносили письма, типографии печатали карточки, газеты, листовки, работали райисполкомы, детские сады, поликлиники, теплилась жизнь в архивах, в Публичной библиотеке, в симфоническом оркестре. Работа заглушала непрестанные, доводящие до безумия мысли о еде. Через работу люди приобщались к жизни страны, от которой они были отрезаны.

Г. А. Князев и его сотрудники продолжали писать «Историю Академии наук СССР». Эта работа в первую очередь нужна была им самим. Они исполняли свой долг, они, архивисты, историки, делали что могли, что умели.

Большинство же занималось куда более насущными делами — для того чтобы поддерживать жизнь города, а главное, для того чтобы обеспечивать Ленинградский фронт, и, кстати говоря, не только Ленинградский. Делали оружие, мины, снаряды.

Мария Андреевна Сюткина вспоминает, как на Кировском заводе жили в комнатах технологического бюро, как топили деревянными шашками, которыми выстланы были полы в цехах.

«Ну, значит, когда началась у нас весна, мы решили — так как каждый день сбрасывали на нас листовки: мол, все равно вы погибнете, помрете от голода, от холода, — мы решили, что должны народ как-то морально поднять. Вы понимаете, если каждый день такое! Надо как-то дух у людей поднять. Вот решили мы восстановить меднолитейный цех. Часть женщин у нас были стерженщицами. Нам дали задание — пятидесятидвухмиллиметровую мину делать. Делали по силам, чтобы можно было трамбовкой в ящиках-то трамбовать. Основной медный участок пустить нельзя — у нас не было металла. А для вагранки у нас был металл. Мы решили пустить вагранку. Но как пустить вагранку? У нас остался только один вагранщик из семи. Вагранщики были здоровые такие мужчины, высокие, и от голода они погибли. Остался один Чагинский. Он знал хорошо вагранку. Но что делать? У него зубы выпадали — цинга! Многие заболели тогда цингой, к весне-то. Решили обучать женщин на вагранщиков. И вот этому Чагинскому мы *пеленали ноги* (!), *чтобы его на ноги поставить и вести к вагранке* (от стационара метрах в пятидесяти этот цех был). И туда его под руки водили. Он давал инструкцию, как пустить вагранку. Вагранку мы пустили. Женщины стали работать на вагранке. Участок этот у нас заработал. Как только заработал участок, вы представьте, народ ровно воскрес, у него какая-то живость появилась, даже улыбка появилась. Стал он верить, что все-таки мы победим».

Внутри самой работы все изменилось. Блокада и голод сделали особенным все, начиная от движения транспорта вплоть до, казалось бы, незыблемой технологии станочников.

Работа связалась с бытом, с семьей, связалась как никогда прежде. Рассказы о работе необычные даже среди всего этого невероятного быта. Сместились понятия возможного. В обыденной привычной обстановке цехов появились вещи, казалось бы, невозможные для производства. Темень. Женщины, не знающие самых простых приемов работы. Мальчики и девочки, совсем дети. Все слабые, неумелые...

Федор Иустинович Козодой (ул. Тракторная, д. 13), начальник цеха, а потом партработник, секретарь райкома, сейчас, спустя три с лишним десятилетия, начисто не может понять, каким образом они сумели без лифта, без крана втащить в четырехэтажное здание тяжелые станки, когда налаживали производство мин на Выборгской стороне.

Рассказы о работе поражают.

«— В каком же году это? Это в сорок первом году, значит, — старается припомнить *Вера Антоновна Гаврилова* (Касимовская ул., д. 14). — Завод пластмасс эвакуировался в Боровичи. Оборудование у нас было очень неплохое, очень дружный коллектив, как я вспоминаю. На заводе остались почти пустые цеха. Станки самые лучшие увезли. Все цеха уже стояли — пластмассового сырья не было. И вот мы начали осваивать гранаты «Ф-1» и «РГД». У нас шло это хорошо. Работала половина женщин, половина мужчин. Ночная смена в двенадцать часов, диспетчера нету, смотрю, там два станка стоят — людей нету. Иду искать. А мы перед этим приняли на завод по разверстке из детского дома ребят-ремесленников. Иду к ним в общежитие (общежитие рядом было). Смотрю: Петька живой лежит, спит, а сверху-то него мертвый...

— Постойте! Я не понял. Где они лежат?

— Да в общежитии! Ну, ребята истощенные, голодные, подкормить-то ведь нечем — кроме карточек, ничего не было. Это позднее догадались есть казеин. Ну, прихожу. «Господи, Петька! Ты чего?» — «Да я проспал!» — «А Витька что?» — «А Витька, ну, чего — он уже мертвый!»

И вот мальчишка пришел и начал работать. Не спрашивайте, как он стоял! Но все равно дырочки и все что надо в гранатах лучше вот этих мальчишек никто, конечно, не делал».

Работали по-всякому. Электроэнергии не было, не давали, если и включали на несколько часов, то в первую очередь тем производствам, которые делали оружие. А работать надо было и остальным. И тогда где можно работали вручную. На фабрике имени Бебеля было так, что крутили машины руками. Шили гранатные сумки, ремонтировали полушубки, чинили ремни.

«Летом будет легче, там свет будет, а зимой самое трудное время. В цеху холодно, не топят. Цех большой, окна с двух сторон. На улице мороз 30°. Руки, ноги отмерзают. Машины вертим руками, машины замерзшие».

Это из дневника Елены Николаевны Аверьяновой-Федоровой. Она читала нам свои записи, поясняла их. Читала, поясняла и плакала.

«26.1.1942 г. Сегодня так перемерзла на работе, несмотря на то, что тепло одета! Но когда в желудке пусто, то хоть что надевай — тепло не будет...

27.1.1942 г. Нигде не было хлеба. Очереди стояли с пяти утра. Открыли булочные — и пустые. Приходилось ждать, пока выпекут да подвезут. Шура стояла с семи утра и только в семь вечера получила хлеб. Двенадцать часов простоять на воздухе. А мы этот хлеб моментально съели. Ведь за целый день ничего во рту не было: конечно, если принесли хлеб, то не удержаться. Вот раньше могли его делить на какое-то время, а тут не до этого было.

Сегодня я работала один час, потом отпустили домой, чтобы достать хлеб.

Второй день иду на работу и ничего не ела. Как работать в таком холоде и что делать? Так и пошла. По дороге, на Кирилловской, около дома 22, брошены два покойника. Вот идешь, и хоть бы что! До чего притуплено все, явление считается обычным, как будто так и надо, уже не коробит этот случай, мы уже привыкли к нему.

Но хуже всего то, что сегодня только надежда на хлеб. Ведь продуктов опять не дают. Подразнили немного, дали крупки по 50 грамм и думают, хватит. А тут уже хуже быть не может. Хлеб — это же жизнь. Одним словом, держаться! Как трудно пережить эти тяжелые дни!

28.1.1942 г. Сегодня с работы не отпустили, несмотря ни на какие уговоры и просьбы отпустить домой. Директор у нас жестокий — не велел отпускать. Но что толку? Все равно работать никто не может. Машины все замерзли. Мы все как кочерыжки. И не мудрено замерзнуть, если в цеху кипяток сразу превращается в лед. Стены все покрылись снегом, а стекла все покрылись толстым слоем льда. Да разве можно работать в таком цеху, где мороз минус 25, если на улице 30, — только что нет ветра?!

Кончили работу в 3 часа. Пошли домой. Опять плохо, опять ничего нет. Я пошла искать, где дают хлеб на 29-е. Ведь гибель без хлеба».

...Вернемся к семье Васильевых. Рассказ Зои Ефимовны мы приводили раньше, теперь обратимся к тому, что сообщил нам ее муж, Никандр Иванович, мастер Металлического завода. Если можно было бы не прерывать повествование, не возвращаться назад, не располагать рассказы один за другим, а как-то показать одновременно, что происходило с детьми Васильевых, и с людьми на его заводе, и дома с женой, а потом с ней в больнице, и сравнить, как в это же самое время работали и жили другие семьи, как работала почтальон *Наталья Сидоровна Петрушина* и трамвайщица Анна Алексеевна Петрова, и как работали в своих разбитых цехах кировцы, краснозаревцы...

В разных частях огромного города боролись, страдали, одолевали эти страдания и не одолевали их, и все в одни и те же дни, и все это сливалось в единую картину и не сливалось, потому что каждая судьба имела свою особую историю, неповторимые подробности, и память сохраняла их тоже по-разному.

Хотелось передать эту множественность жизни, не возвращаясь всякий раз назад. Хотя бы так: «А в это время». Или: «А в этот же час»... Но все равно приходится возвращаться. Возвращаться же значит повторяться. И нам немало придется повторяться. Речь идет о том же — и все же о другом. Потому что каждый рассказ таит в себе новый, хотя бы небольшой поворот жизни. Потому что бесчисленные эти повторы в рассказах людей не были повторами. Они открывали новые и новые обстоятельства, казалось бы, достаточно известного. Они подтверждали и вели вглубь, придавали тем же событиям всеобщность, закономерность, объемность.

Вот рассказ *Никандра Ивановича Васильева:*
«— Мне сейчас шестьдесят один год, значит в войну мне было двадцать шесть. В армии я не служил, потому что меня сразу взяли на броню. Когда война началась, я был старшим мастером: у меня было около восьмидесяти человек ребят и мужиков. И, конечно, сразу же все — я сам призывал идти защищать родину, — все ребята, конечно, пошли в армию. А меня сразу за рукав: «Ты что? (Я был, конечно, комсомолец.) Не только на фронте воевать надо. Надо здесь воевать, цех надо готовить, вооружение делать». Короче говоря, получилось, что от меня ушли лучшие люди, квалифицированные, а мне дали, конечно, женщин.

— И ремесленников?

— Ремесленников тогда мало было. Были, но они были настолько слабые от голодухи... Два-три человека их у меня было. А в основном, конечно, женщины. Женщин забирали из столовых, отовсюду... Вы понимаете, что такое мастер? На заводе, в цеху? Ему нужно выполнять задание и работать с людьми. А люди, понимаете, голодные, холодные. Я вот не забуду, мы выполняли такой заказ. Уже «катюша» пошла, а нам дали задание: мы снаряды точили, женщины на операциях. Как сейчас помню, тридцать семь операций (меня даже наградили орденом Красной Звезды), и на всех — женщины. Вначале даже плакали, а потом освоили. Холодина — минус двадцать два — двадцать пять градусов в цеху. А нам дали такие трубы длинные, с «Большевика» привезли. Диаметр миллиметров сто восемьдесят — двести, стенка толщиной миллиметров двадцать. Сталь такая вязкая (специально для вооружения). Трубы метров восемь длиной, а нужно нарезать заготовки по восемьсот миллиметров. И резать на строгальных станках, на больших. А делается это очень долго, потому что нужно поливать, а вода замерзает на ходу. Стружка не вылетает. Резец ломается. А резцы в то время где ты возьмешь? Кузница там была тогда — три-четыре молотка. Я потом, значит, мужиков своих взял, которые были более или менее ничего и сами резцы ковали. К чему я это говорю? А к тому, что этот холод, мороз нам с трубами помог. И на «Большевике» тоже мучились с этой резкой, самая тяжелая была операция. (Я сам токарем в прошлом был, до мастерства. Я стал мастером в тридцать восьмом году.) Мы стали делать так. Начинаешь надрезать, примерно миллиметров десять надрежешь, потом тюк по кольцу — все, готово, труба обламывается. Потому что она хрупкая на морозе. Короче говоря, мы удивили всех.

— И ровно?

— Ровно, как ножом. Короче говоря, все это шло до тех пор, пока основные люди у меня не умерли. Вот помню такой случай. У меня до войны был один шлифовщик, единственный! Это такой мужик был! Ну, добротный наш русский мужик. Выпивал, закладывал, конечно. Ну, это не важно. Вы поймите, как он работал! И его настолько хвалили на заводе! Ну, везде плакаты, ну, герой, понимаете? Я его поддерживал повсякому. У меня были моряки, но и они голодали. Кое-что нам давали, а мы все ему совали.

И вот этот мужик приходит ко мне и говорит: «Знаешь, Васильич (он так меня звал), я умру сейчас». Я говорю: «Да ты что! Ты один шлифовщик, ты что?!» — «Умру!» И он ушел из кабинета. Что вы думаете? Приходит ко мне женщина минут через двадцать и говорит: «Умер!» Жил он где-то на Васильевском острове, ходить было далеко. У нас конторка была у механика, я ее утеплил, но, конечно, там особого тепла не было. Он там спал. Семья? У него жена умерла, двоих парней в армию взяли, вот он один остался. Этот человек точно знал, что он через несколько минут умрет. И он до самой смерти тянул, понимаете?»

То ли это особенность гибели от дистрофии, от голода, то ли обострившееся чувство смерти, которой так много было кругом, но известно было в то время, что многие точно ощущали момент ее приближения. Как будто слышали ее подход, видели ее.

«— К чему я это говорю? Люди в таких тяжелых условиях работали, и действительно безотказно. До войны были указания: за двадцать минут опоздания — увольнение, потом судить. Чуть ли не каждый обеденный перерыв собирали людей: такой-то прогулял! А вот в тяжелое время блокады не было случая, чтобы человек, который еще может двигаться, чтобы он не работал. Не было таких.

— Так что, тогда не нужно было приказов?

— Никаких приказов! И я не забуду никогда. Я вижу, что народ валится от голода, а больше от холода. Я решил «буржуйку» сделать. Был у нас такой красный уголок, и в нем я сделал вместе с работягами «буржуйку». И решили: полчаса работать — десять минут обогрев. И я потом пришел к такому заключению, что они у меня за эти полчаса дают больше, чем за два часа... Назначили нового директора. Он в шинели начал ходить. Я и не знал, что он директор. Он до этого раз был у меня. Ничего не сказал. А потом приходит и говорит: «Где твои люди?» Я говорю: «Греются». — «Фронт требует оружия, задания надо выполнять, а тут у тебя люди сидят!» Я говорю: «Не сидят, а обогреваются. Они больше потом сделают». В общем, короче говоря, взыскание на меня наложил. Пришел курьер, принес мне выговор. А через две недели, когда он лучше познакомился, пришел извинился передо мной и издал приказ: везде «буржуйки» сделать! Вот так... В силу того что моя семья жила рядом, я, понимаете ли, в неделю раза два-три дома бывал. Тут быстро пробежать, минут пять. У меня две дочки были и жена. Мы жили тут, в доме сорок. И одна дочка умерла. Я ее сам схоронил. Потом жена свалилась Ее положили не в стационар, а в госпиталь. Вот у меня одна дочка умерла, а вторая одна дома. А ей три, четвертый годик. Так я что? Натоплю плиту (мы не в комнате жили, а на кухне). Я дочку на плиту, тряпками накрою, а сам на завод. Потом прихожу. Бурдой накормлю, чтобы она не умерла. Так и бегал. Прибегу, накормлю ее, переодену, понимаете? И убежал. А она опять одна! Я думал, что она озвереет. Я другой раз прихожу, открываю дверь, а она стоит — маленькая девочка одна в квартире. Ведь все там умерли.

— А какая часть работников умерла?

— Большая. Хорошие, квалифицированные люди были. Ну, что же сделаешь?! Если взять, допустим, ноябрь — декабрь сорок первого года, меньше чем половина, нет — одна треть осталась. Если взять сорок второй год, так я прямо вам могу сказать: в целом по заводу примерно тысячи полторы — две осталось из восьми.

— И на фронт ушли многие?

— Да, на фронт многие ушли, очень многие». На место ушедших на фронт становились подростки и женщины. Так бывало на всех предприятиях. Город, который остановил у своих стен фашистские армии и устоял перед штурмом, продолжал снабжать своих защитников оружием. Даже на Большую землю попадала его продукция в самые трудные для Москвы месяцы. Сейчас кажется непонятным, как могли ослабевшие от голода детские руки поднимать, закреплять в станки тяжелые заготовки.

«Привязывались к станкам... Чтобы в станок не упасть. Не просто боялись упасть, а в станок чтобы не упасть, не искалечиться, — вспоминает *Михаил Петрович Пелевин*, который пятнадцатилетним мальчиком работал на заводе имени Кулакова. — Нас, мальчишек, использовали на подсобных работах. Берегли металл, и доверить его порой нам, бывшим ученикам-ремесленникам, было не всегда возможно. В те дни брак исключался. И конечно, когда на время кое-кого из нас и ставили за станок, главной нашей заповедью становилось — не спеши!»

Нечего скрывать и того, что на завод такой мальчишка тянулся из последних сил еще и потому, что там можно было в заводской столовой на один крупяной талончик в 12,5 грамма получить сразу три тарелки горячего дрожжевого супа и бутылку соевого молока. Это молоко только-только начало появляться. Его изобрели тут, в блокадном городе.

Была у нас встреча с *Ольгой Николаевной Мельниковой-Писаренко*. Ее военная (да и послевоенная) судьба связана была со знаменитой «Дорогой жизни» через Ладогу (об этом будет ниже). Но было в ее рассказе и такое вот отступление:

«— Я никогда не забуду, что видела на Кировском заводе. Я случайно попала туда. Как раз мы оттуда возили дрова. Там много деревянных домов было. Это для госпиталя везли. И случайно я туда забежала. Смотрю — подростки, мальчики по двенадцать-тринадцать лет, девочки по четырнадцать лет стоят у станков и работают. Они заменили своих отцов или старших братьев. Этим подросткам подставляли скамейки или ящики, для того чтобы они могли работать. Рассказывали, что одна девочка, работая на станке, еще играла в куклы... Это неправда! Это она брала куклу, идя на работу. Она должна была брать с собой какую-нибудь, знаете, дорогую вещь, то есть для нее дорогую. Она куклу брала с собой, потому что считала ее такой ценной вещью.

— Это оттого, что дом могут разбомбить?

— Да. Она не играла, а это просто ее личная вещь. О какой игре в куклы можно говорить, когда она недоедала, недопивала, когда знала, что нужно деталь сделать. Она куклу брала, чтобы сохранить; дом может разрушиться, а эта ее дорогая вещь сохранится.

— А сколько этим девочкам было лет?

— По тринадцать — четырнадцать... Другой раз бежишь куда-нибудь, смотришь: стоит подросток. Говоришь: «Что ты стоишь? Давай выходи, уже всё, обстрел кончился». Подойдешь к нему, а он мертвый! Он, конечно, от голода умирал. И вот стоя, прислонясь к стене, умирали!»

Рассказывает *Петр Ефимович Зеньков*, бывший мастер Кировского завода:

«— Я двадцать пять дней пролежал в больнице, в стационаре... Потом поправился. Пришел в цех. Начальником был Иван Иванович Плотников. Он сейчас жив-здоров. Плотников и говорит мне: «Зеньков, расчищай у цеха снег. Надо начинать работать». А с кем работать? Вот у меня один был слесарь Маникин, а остальные все женщины. И девочки были по шестнадцать-семнадцать лет, слабые были, разный народ. Никто ничего не умеет. Сам я и мастер, и настройщик, и рабочий, что угодно! Сверло заточу, резец заточу, резец установлю, пущу станок. А Нарышкина была у меня, так она посмотрит на меня и плачет, — почему-то она меня боялась, сам не знаю почему, и станка боялась, и меня.

— Это девочка была?

— Женщина! Пожилая. У нее муж старый большевик, еще с дореволюции. На «Жданова» работал. Ну, я стал набирать народ. Стал этих людей обучать. Интересно — сварка. Сам я никогда сварщиком не был. А нужно опоки делать. Это по нынешним временам преступление, но я делал опоки алюминиевые, чтобы женщинам больным поднимать, выколачивать мины было легче. Вот делал алюминиевые опоки, и туда три мины ставили. И одна сторона все как-то приваривалась. Жалко же — одна мина не выходит, она приваривается, брак получается. Вот думал-думал, что сделать. Придумал: пятимиллиметровую шайбу сделал отсюдова, а тут контргайку внутри затягивал... Получилось у меня. Начальник говорит: «Ну и молодец же ты!» Стало выходить три мины — во!!! Ну и делал я эти алюминиевые опоки. И втулочки заливали там, и всё с этими бабками. Ну, все сами обрабатывали. На карусельном станке обрабатывали. Нашел карусельный станок заброшенный. Установил. Думаю, по-хозяйски это будет, хорошо будет. Мины-то нужны. И ДОТ сделал — там прятались, когда сильный обстрел.

Однажды такой обстрел был! А у меня была украинка Кормилицина. У нее муж на Кировском работал. Ушел на фронт и погиб. Ну вот, обстрел, а я там около строгального ковыряюсь. Я говорю Кормилициной: «Сходи-ка послушай, где снаряды ложатся?» Она пошла. Идет. «Хозяин! За фасонкой!» Только она сказала — как ахнет у меня над головой снаряд! Меня контузило. Я ничего не помню. Я эту Кормилицину, тоже раненую, веду через весь цех и не чувствую, что у меня человек в руках. А когда подошел, зацепился за опоки, опомнился — человек в руках. Пришел. Кровь тут у меня течет, ну — смерть! Значит, нужно, наверно, было живому остаться: у меня тамбур был, двери двойные. Я в этом тамбуре повалился и думаю: тут уже смерть! Кусак стоял у меня как раз перед дверью. И в это время как ахнет снаряд по этому кусаку! Если бы я шаганул два шага — мне бы смерть! А потом я уже без памяти летел, снаряды — жжи-жжи! Я прилетел в подвал, в медпункт. Пришла жена. Брат прибежал. Плачут. Я говорю: «Чего плакать? Жив-здоров». — «В больницу!» — «Никуда не пойду. Работать некому. Работать же надо. Кто будет делать все это? В больницу я не пойду». После стал немец так бить! Один раз я вышел, смотрю — самолеты. Считаю — семь, восемь. Ну, думаю, наши летят! Как он тут стал бомбить! Боже мой! Вот так стою, и земля подо мной ходуном. Все дрожит. Он много тогда побил у нас. Цех один положил, буквально положил!.. Потом — труба стояла у нас. Громадная труба. Как стал бить по этой трубе! А у нас как раз печки тут.

— Это в каком цехе?

— В медно-чугунолитейном. В эту трубу попал и пробил. Несколько пробоин сделал. Валить ее надо, иначе может упасть, нас убить. А моя мастерская рядом — между столовой и меднолитейным, меня тоже эвакуировали с народом. И положили эту трубу, она как струнка упала. Перестал стрелять по этой трубе. У нас померло больше, чем на фронт ушло наших кировцев. Вот я не знаю, как я остался живой! Голодали здорово. Но я пил соевое молоко и ел шроты. У нас никто не пил соевое молоко, а я пил. Я воду не пил. Пил соевое молоко и шроты ел... Потом стали давать нам рационы — пятьсот граммов хлеба. И потом давали рационы и на рабочих, и на нас. Водку давали. Пиво давали — по талончикам нам как рабочим. И тут стало положение все лучше».

Валентина Степановна Мороз, которая как раз была одной из тех девочек четырнадцатилетних, что должны были на заводах, в мастерских заменять не просто мужчин, а квалифицированных мужчин-рабочих, это же помнит «со своего места»:

«Смерть матери на меня подействовала угнетающе. Я не могла вообще дома находиться. Я несколько дней провела у соседей, а потом меня отвели на завод там же у нас, на Петроградской стороне. Я устроилась на заводе и перешла на казарменное положение. Завод стал оборонным. До войны выпускал кассовые аппараты или что-то вроде. Теперь, в блокаду, он стал оборонным заводом. Оборудование вывезли в Свердловск, но кое-что оставалось. Ну, я пришла, ничего не зная. Стала ученицей токаря, так как надо было очень быстро что-то осваивать. Я делала такие маленькие эксцентрики. Это когда стабилизатор приваривается к снаряду, маленькие эксцентрики на эту заточенную часть. Работа была по микрометру, очень хлопотливая и точная работа. У меня не было сменщицы, и я одна над этими эксцентриками работала...»

«Человеческий мозг умирал последним. Когда переставали действовать руки и ноги, пальцы не застегивали пуговицы, не было сил закрыть рот, кожа темнела и обтягивала зубы и на лице ясно проступал череп с обнажающимися, смеющимися зубами, — мозг продолжал работать. Люди писали дневники, философские сочинения, научные работы, искренно, «от души» мыслили и проявляли необыкновенную твердость, не уступая давлению ветра, не поддаваясь суете и тщеславию.

Художник Чупятов и его жена умерли от голода. Умирая, он рисовал, писал картины. Когда не хватало холста, он писал на фанере и на картоне. Он был «левый» художник, из старинной аристократической семьи, его знали Аничковы. Аничковы передали нам его два наброска, написанные перед смертью: краснолиций апокалипсический ангел, полный спокойного гнева на мерзость злых, и Спаситель — в его облике что-то от ленинградских большелобых дистрофиков. Лучшая его картина осталась у Аничковых: темный ленинградский двор колодцем, вниз уходят темные окна, ни единого огня в них нет: смерть там победила жизнь, хотя жизнь, возможно, и жива еще, но у ней нет силы зажечь коптилку. Над двором на фоне темного ночного неба — Покров Богоматери. Богоматерь наклонила голову, с ужасом смотрит вниз, как бы видя все, что происходит в темных ленинградских квартирах, и распростерла ризы, на ризах — изображение древнерусского храма (м. б., это храм Покрова на Нерли — первый Покровский храм)» (академик Д. С. Лихачев).

А еще была работа — убирать трупы, свозить к траншеям, спасать город от эпидемий. Работа повседневная, постоянная, даже «привычная» уже. И все равно страшная для человека.

В блокадной памяти она «записана» наряду с другими работами и делами ленинградцев. Но когда эта «запись» звучит сегодня — не только слушающему, читающему, но и рассказывающему, пишущему, помнящему *это, такое* — не по себе...

А ведь ее, эту работу, необходимо было выполнять. Притом часто — женщинам, женскими руками.

«Я боялась покойников, а пришлось грузить эти трупы. Прямо на машины с трупами садились, сверху, и везли. И сердце было как бы выключено. Почему? Потому что мы знали, что сегодня я везу их, а завтра меня повезут, может быть.

Но кто-то ведь останется жив. Мы твердо верили, что город ни за что немцам не взять» (Арсеньева А. М.).

Сердце «выключалось» — такое не придумаешь, такое надо испытать, как испытала *Анна Алексеевна Петрова* (Бассейная, д. 74).

«— Потом еще была такая работа. Возили в 1942 году покойников, которые были последними в голодную зиму. Нас послали на Марата улицу — мое отделение МПВО. Приезжаем на трамвае. Брали в разных районах и местах. И разные люди были. В Кировском районе, там больше мужчин, крупные и потом животы большие, а когда несем носилки, то в этих покойниках переливается вода, как вроде в бочке. В Невском районе большинство — дети и старики. Нам сказали — без документов не брать трупы. Вот по этому поводу был у нас такой случай. День был воскресенье. Мы брали трупы в больнице Бехтерева. Там был только сторож. И вот я сказала своим подчиненным взять в покойницкой столько человек, сколько было документов. Пока я со сторожем оформляла бумаги, мои уже успели погрузить трупы. И здесь сторож стал ругаться, зачем не тех взяли, требовать, чтобы обратно сгрузили. К этим, мол, еще родные придут...

Девочки отказались сгружать, тогда этот сторож сам залез в кузов машины. За покойника, через плечо и обратно в покойницкую. Трупы не были застывшие, они гнулись в любом направлении, и вот таким образом сторож забрал своих покойников. Нам же пришлось самим забирать тех, что черные. Ругался шофер на меня: не дотрагивайся до трупов, а то не посажу в кабину!»

Она рассказывала без брезгливости, это была работа, жребий пал на А. А. Петрову, и ничего тут не поделаешь, кому-то ведь надо было... Вы просили рассказать все как было, пожалуйста, вот так тоже было. И нам тоже необходимо рассказать об этом не стыдясь, не жеманничая, отвергая все упреки в натурализме, антиэстетичности, рассказать, чтобы отдать должное всем, кто, подобно Анне Алексеевне, делал эту тяжкую работу.

Какие сложные функции обретали, казалось бы, самые незаметные, вроде самые простые профессии, какую значительность и действенность они получили! Например, почтальон. Уже упомянутая нами *Наталья Сидоровна Петришина* (Большой проспект, д. 51/9) и сейчас еще очень подвижная женщина, несмотря на годы (она 1914 года рождения). Так и представляешь ее с тяжелой сумкой, а в блокаду сумка эта казалась куда тяжелее, и дом от дома стоял дальше, и лестницы были круче. Тогда ведь носили письма прямо в квартиру, в каждую квартиру, да еще лично адресату старались вручить.

«— Конечно, я и сама-то была еле-еле. Когда блокада началась, мы жили в Новой Деревне, там было общежитие. Бомбили рынок — там ка-

144

кие-то объекты были, — и наше общежитие, конечно, разбомбили. Ну, нас перевели сюда, на Большой проспект, дом тридцать один. Мы тут, значит, жили. Нас было шестьдесят человек. А я работала в сто двадцать девятом почтовом отделении. Это Каменный остров. Ну, кое-кто у нас уехал, а большинство, конечно, умерло от голода. Муж у меня на заводе погиб от артобстрела. Пошел туда и не вернулся. Дети во время войны тоже умерли, двое. Начался основательный голод: уже на карточки мы ничего не получали приблизительно с половины декабря.

— Вы продолжали работать?

— Работать я продолжала. Я как раз обслуживала улицу Академика Павлова, а там Институт экспериментальной медицины и вакцин-сывороток. Когда я туда приходила, это уже когда голод начался, мне работники медицинские объяснили: «Ни в коем случае, товарищ почтальон, как бы вы ни чувствовали плохо себя, не ложитесь и старайтесь работать».

— Это вам ученые сказали?

— Да, как раз там был профессор Гуревич (ему было много корреспонденции), он мне сказал: «Я, говорит, эвакуируюсь, потому что меня заставляют. Но я вам объясню: вы никогда не ложитесь. И не падайте духом. Сколько можете, столько и ходите». Ну вот, я эти наставки и от многих других слыхала и не падала духом! Корреспонденцию, пока возили нам, мы, значит, разносили, это пока морозов больших не было. А потом уже не стало у нас машин. Нам приходилось, значит, вот так делать: в четыре-пять часов два-три человека сами ехали с санками на почтамт. Там корреспонденции другой раз неделю не бывало, две, а потом она вся прорывается. Тогда мы ее забирали в мешки и везли. Но везли как? Друг друга подталкивали и в течение дня привозили. В отделениях почти не топили, но нас, правда, пускали в ЖАКТ. В ЖАКТе были дежурные, там топили (как раз в доме семьдесят дробь семьдесят пять).

— Вы помните, как ходили в дома?

— Мы корреспонденцию разбирали в течение дня, потому что шло писем по двадцать в квартиру. Это надо было разобрать. Вы себе представляете, мешки какие?! А разбирать? Рукам холодно, хотя и топили. Один разбирает, один несет. А лестницы эти! Несешь приблизительно часа два, потому что приходишь — темно. На лестницах темно, скользко, отходы, кто мог, сюда выливали, потому что туалеты не работали (воды не было), люди все на лестницу! Другой раз идешь, упадешь и обратно скатишься, потому что скользко, особенно темно когда. Ну, приходишь в квартиру: комнаты открыты, квартиры не запирались, темно, спотыкаешься. Другой раз придешь — человек лежит. Думаешь — мертвый! Потрясешь его немножко: вам письмо! Человек, если в сознании, так он, конечно, начинает шевелиться. А другому безразлично, письмо или что. Ну, начинаешь тормошить его. Если просит — прочтешь. Иногда даже такое сообщение читаешь, что такой-то без вести пропал или раненый, отправлен в госпиталь, — не плачут. «Ну, говорят, хорошо». А другой раз придешь — человек уже мертвый лежит на кровати... Идешь по улице, конечно, людей почти не видишь. А если идет человек, то его не узнаешь: это ребенок, или старуха, или девушка, или кто?! В таком все были состоянии.

Было у меня два таких случая. Отец ждал письма от сына. Пошел в столовую за питанием. Ну а питание какое там? Вода да две крупинки! И то не всегда давали. Постоишь в очереди и уйдешь, потому что не хватало и этого. Я пришла, а он сидит на лестнице. Я назвала его (забыла уж имя-отчество), говорю: «Вам письмо!» Он говорит: «Прочтите, пожалуйста». Я прочла. Сын пишет, что бои тяжелые, наступление как раз было, — и все. Он взял это письмо, поблагодарил. Потом говорит: «Знаете что? Помогите мне встать». Представляете себе — встать! Мужчина! Ну, правда, он худой был. Я начала поднимать — и сама уселась на лестнице. И нам было не встать, ни тому, ни другому. Вот такой ужас! Тут, правда, шел еще другой мужчина, видать, более сильный. И вот мы друг за друга так и поднялись. Ну, пошел он еле-еле домой. Потом еще такой случай: письмо тоже по дороге вручила одному мужчине (большинство так вот) на улице Академика Павлова. Так он это письмо даже не прочитал. Был обстрел, и волной его как отбросит! И он ударился об дом. Тут как раз работники Дома пионеров, дворники были. Они его и подобрали. Так что человек даже письмо не успел прочитать.

— А почему вас просили читать письма? Такие слабые были?

— Слабые, конечно. Уже не может человек даже рукой шевелить. Вот как тот мужчина, что на лестнице сидел, сеточку держал в руке. Он сел и уже не мог встать. У него руки закоченели уже. А поскольку человек не шевелится, с ним уже все.

— А ваши детишки дома были, когда вы ходили?

— Нет. У меня сын умер в начале войны. А дочка умерла в конце ноября. Мы все в бомбоубежище ходили, она простудилась, воспалением легких заболела и умерла. А тот, маленький, в яслях был, и его хотели эвакуировать с яслями, но он простыл и то же самое умер от простуды. Так что дети у меня умерли оба почти в один год, и муж погиб на заводе от артобстрела... Было так, что вот видишь, человек сидит без сил, а ты ему помочь не можешь — не можешь, потому что ему дашь руку и сама садишься. И не можешь подняться. Не было ни страха, ничего. Ходили, конечно, один раз в день, корреспонденцию носили. Кое-как забираешься, а уж с лестницы считайте что как на санках едешь, лед, за перила держишься... Приходишь — квартиры совершенно пустые, людей нету: или на казарменном, или у родственников — съезжались тогда в одно место. У меня рост сто пятьдесят один. Сейчас во мне пятьдесят два килограмма, а вы представляете, тогда было тридцать шесть килограммов? Потом, когда уже пришла весна (ранняя, правда, весна), пошли раз на Каменный остров. Там много деревьев. Подходишь к дереву молодому, маленькие листочки зеленые рвешь и прямо ешь. Потом в сумку наберешь. Когда корреспонденцию разнесешь, наберешь этих листьев, нарвешь крапивы, лебеды. Приходишь, сомнешь мокрые — и на «буржуйку»! Напечешь и ешь! Вставала я в пять часов, чтобы взять свои двести пятьдесят граммов хлеба.

А другой раз стоишь в очереди, и кто-нибудь посильней, пока тебе хлеб вешают, сзади схватил, — в рот, и все.

— У вас были такие случаи?

— Были несколько раз, — более сильный человек, особенно мужчина или женщина более сильная (каждый ей казался сильным!). Стоят. Ведь не думаешь, что она хочет схватить. И она с карточкой. Но такая жадность и безразличность, что только для себя. Хлеб был как глина или как земля. Такой кусочек — 250 — его в рот сразу положишь. Продавец ничего не может сделать. Подошел человек — главное что сразу — в рот. Ничего не сделаешь! Потом я уже научилась, — стоишь и когда вешают, вот так! (Складывает руки шалашиком.)

— Как над огоньком?

— Да».

Это почтальон. А вот другая профессия — печатник. И она получила непредвиденную значительность, даже более того...

Евгений Александрович Тренке (набережная Мартынова, 12) работал в типографии имени Володарского в цеху, который печатал карточки.

Цехом этим, разумеется, интересовались разного рода жулики и фашистская агентура. Старались дезорганизовать работу цеха, выведать, какие карточки выпускаются на следующий месяц. Менялся и цвет карточек, и размеры их:

«...В конце месяца нам давали указание: цвет такой-то, сетка такая-то, размер такой-то.

Мы за каких-нибудь шесть дней, работая, конечно, круглые сутки, не уходя, должны были их отпечатать... Это как деньги... Счет был строжайший. Бумага была специальная. Были карточные бюро на каждый район. Они должны были у нас за день-два принять эти карточки, по счету, строго. На прикрепление карточек населению давали два дня. Все это делалось, чтобы не успели изготовить фальшивые карточки».

Как же сами они обеспечивались, те, кто изготавливал карточки для Ленинграда? Да никак, на общих основаниях. Голодали. И сам Тренке голодал, и его семья. Сын его пятнадцатилетний, а за ним и жена Евгения Александровича умерли в начале 1942 года.

Люди работали, и работа их была необходима. Правда, зачастую связь ее с судьбами войны, города, других людей угадывалась смутно.

Но была работа, от которой все зависело, были при той работе люди, которые сознавали, видели, от того, сделают они или не сделают, сумеют вопреки всем трудностям или не сумеют, от них непосредственно зависит, умрут еще тысячи и тысячи сегодня-завтра или же продержатся...

Это пекари, работники хлебозаводов.

В квартиру *Николая Антоновича Лободы* (Новосибирская, д. 4) мы попали к обеду. Вера Николаевна, хозяйка, согласилась с нами, что раньше работа, а угощение можно и потом, и охотно, даже весело рассказывала о блокаде, о себе, о школьных своих годах. Муж ее угрюмо, как нам показалось, отмалчивался. «Ну, из этого человека много не вытянешь», — профессионально прикидывали мы. Так, кажется, и ушли бы, не попадись нам на глаза в ворохе семейных документов старая газета, в которой сообщалось про подвиг Лободы Н. А., который отремонтировал горячую печь, и благодаря этому хлебозавод смог к утру дать продукцию. Дать хлеб Ленинграду.

Тут Николай Антонович впервые улыбнулся, виновато так, и стал, чтобы отвлечь внимание от своей особы, усаживать нас за обеденный стол...

Рассказ его нам все-таки записать удалось. Николай Антонович по службе моряк, механик.

...«— Это был первый месяц войны. Ну что же? Пришел я на завод. Никого нет: директора нет, главного энергетика нет. Главный механик Михайлов (теперь он уже на пенсии) был за месяц до войны взят на сбор, и обязанности главного механика исполнял я. Пекли мы круглый хлеб. Проходит месяц. Это уже в сентябре. Муки нет. Говорят: надо переходить на формовой хлеб, а не то закрывать завод.

— А почему формовой хлеб?

— Разница между формовым и круглым в припеке. Больше припек в формовом. В форму вы можете долить воды или чего хотите, а в круглый — он на под кладется — не можете, потому что все расплывется... Был у нас начальник управления Смирнов. И был тогда (его уже нет) директором Мочаловский. Вот вызывают они меня и говорят: «Вот что, поедем в горисполком». — «Ну что ж, поедем». Приезжаем. Попков и Кузнецов говорят: «Товарищи! Надо хлеб, только не круглый, а формовой и с добавками». (Целлюлозу добавляли.) — «Но мы выпускаем круглые хлеба». — «А сколько потребуется времени для того, чтобы вы переделали? Вот даем вам двадцать дней — подумайте и доложите!» Приехали мы обратно. Я, значит, прикинул. Нет материалов, не из чего делать. Я говорю: так и так, мне надо полосу двести миллиметров любой толщины, чтобы люльки выкинуть, а формы поставить по тринадцать штук — чертова дюжина (так и по сей день называется). Вот, значит, я написал, что мне надо — и время и людей. Мне дали с «Вулкана» десять человек, и мы за семь дней переоборудовали. А материалы? На Каменном острове были какие-то склады. Мне дали пропуск. Я туда приехал на машинах, нагрузил одну, нагрузил вторую. Приехал с третьей. Приходят два товарища в штатском: «Кто вам разрешил брать?» Я говорю: «У меня есть бумажка». — «Это только Москва может разрешить». — «Я не знаю, вот у меня есть». Тут меня в машину и повезли в «Большой дом». Там, видать, созвонились и говорят: «Извините! Вы здесь ни при чем. Высшая власть дала указание». Вот мы первое кольцо переделали. Когда выпускали первый хлеб формовой, так я вам скажу — вот так в руку взять, сдавить, так там половина воды. И вот такого — сто двадцать пять граммов! И ничего сверх... Когда началась бомбежка, воды стало не хватать. Так мы построили на Малой Невке (это уже в декабре) насосную станцию, протащили туда провода. А труб-то нет! Что мы сделали? Взяли шланги пожарные и эти шланги протянули вместо труб. Тут мороз стал припекать: как два-три дня, так шланги все промерзают. Что делали? Изоляцию накрутили на них... А сперва когда воду отключили, то пытались носить ведрами с Невки на седьмой этаж».

Вот так, вручную, воду таскали для целого хлебозавода. По лестнице да на седьмой этаж! А какое здоровье, силы у людей были, мы уже знаем.

«Рядом был лесопильный завод Калинина. Энергии не было. У нас имелась своя маленькая блок-станция, но она не обеспечивала. Так вот на территории лесопильного завода было огромное количество бревен (доски они делали) и разных отходов. Они три месяца этими бревнами топили и давали нам энергию. Сначала мы построили насосную станцию на льду; потом уже, когда город стал давать воду, то этот завод Калинина нам давал электроэнергию. Мы протянули оттуда кабель, а машины-то ходят и перерубили кабель. Машины еще ничего, а танк, видать, прошел — гусеницами кабель разрезал. Тогда мы вынуждены были поднять кабель на два с половиной метра, чтобы вверху он был. И так жили уже до мая месяца. Стали нам давать более стабильную электроэнергию с Волхова, а топить печи нечем было. Так вот на Каменном острове разбирали дома. Нам говорят: вот вам десять домов. А там все — мебель, одежда, все. Разбирали, естественно, днем: тот, кто работает в вечер, выходит в день, и кто в ночь — идет также в день.

Дала нам воинская часть два трактора «Сталинец». Так вот трос стальной пропустим через верх (а там все дома были деревянные, одноэтажные и двухэтажные) и тросом раздергиваем. Воинская часть нам дала три машины. На машинах возили на территорию хлебозавода дрова, для того чтобы топить и печь хлеб. И давали по одному метру тому, кто разбирал дома (квартиры топить тоже нечем было). Однажды работница прохлопала — и забила печь. Я примерно прикинул, что на семь метров от того места, где посадочный механизм ходит, там и садит формы. Отмерил и говорю: долбай! Вот продолбили, чтобы можно было влезть туда. А температура двести сорок градусов! Погасил печь, все! Сначала полил туда водой. Пар идет наверх. Сбил температуру. Наверно, уже было примерно сто шестьдесят — сто восемьдесят градусов. Обвязал голову, ватник намочил, валенки, ватные брюки, двое рукавиц. Влез туда. За первый раз я так и не смог. И уже чувствую, что я теряю соображение. Я тогда вылез, минут десять посидел — и второй раз. Вот за второй раз выдернул все. Я говорю: «Ну, теперь закладывайте». И поехали! Стояли примерно около двух с чем-то часов — и пустили, то есть мы не сорвали снабжение хлебом. Меня за это правительство отметило: наградили за эту работу орденом Трудового Красного Знамени...»

Что можно было сделать

Улицы, засыпанные снегом, заваленные обломками порушенных домов.

Снег то девственно, не по-городскому белый, то густо присыпанный летучей копотью пожаров.

Город стал пешим. Расстояния обрели реальность. Они измерялись силой своих ног. Не временем, как раньше, — трамвайным временем, автобусным, — а шагами. Иногда количеством шагов. От этого город обрел новые очертания, не зависимые от транспортных маршрутов. Когда-то только своя улица и ближние к ней имели протяженность, выхоженную ногами, физически ощутимую. В блокадную зиму попасть с Васильевского на Петроградскую, с Выборгской на Невский, означало поход, и готовились как к походу.

Тропинки крутят между снежными сугробами, заледенелыми троллейбусами, тропинки к домам, прорубям, к магазинам, тропинки через Неву, через площади, тропинки к райкомам, райсоветам. Тротуары завалены, люди ходят посреди мостовой. Окна повыбиты, заделаны фанерой, заткнуты подушками, матрацами, и всюду торчат трубы «буржуек». На щитах, закрывающих от осколков витрины магазинов, объявления: «Продается гроб», «Делаю печки-времянки», «Меняю кубометр дров на пшено»... Объявления той поры — удивительные документы жизни. Они сохранились лишь на редких, случайных фотографиях да в чьей-то памяти, и то не буквально. И нет никакой возможности воспроизвести поразительные их тексты-свидетельства.

А ленинградские дворы, а ленинградские лестницы...

А столовые, где двигались безмолвные очереди людей с кастрюльками, котелками.

Можно без конца приводить поражающие воображение картины разрушения, голодного быта блокадников, картины города закоченелого, парализованного, обессиленного...

Куда труднее высмотреть за всем этим железные скрепы воли — энергичную, целеустремленную деятельность, которая поддерживала жизнь города в страшных условиях. Кому-то ведь приходилось распределять крохи электроэнергии, давать задания заводам, изыскивать сырье.

Нужно было убирать трупы, хоронить, нужно было создавать стационары, собирать комсомольские бытовые отряды, набирать девушек в МПВО...

Ничего не делалось само по себе. Те же печи-времянки: надо было наладить их производство силами местной промышленности, найти для этого железный лист или прокатать металл, а для этого выделить металлокомбинату электроэнергию... Открылись бани. Но для этого надо было дать им уголь, а уголь этот надо привезти... Все было проблемой почти неразрешимой и требовало прежде всего огромных усилий организаторских.

Уже в январе бюро Ленинградского горкома потребовало от исполкомов: отогреть замерзшие водопроводные сети и по графику начать подавать воду в верхние этажи домов для промывки фановой канализации.

Выделяли керосин и бензин, чтобы отогревать замерзшие трубы. В свою очередь, для этого надо было снабдить домохозяйства паяльными лампами. И в это вникало бюро Ленинградского горкома, потому что в условиях блокады изготовить пятьсот паяльных ламп было серьезной проблемой. Постановления, решения тех месяцев, жесткие, категоричные, кажутся порой нереальными (а тогда и вовсе выглядели непосильными), и тем не менее они выполнялись, и выполнялись большей частью в срок, без отговорок и ссылок на обстоятельства. Без ссылок на обстрелы, на смерти исполнителей, на пожары, на отсутствие материалов. Причин хватало, решали не эти причины, решала настоятельная нужда, исполнение каждого пункта спасало жизни людей, спасало город.

Работа райкомов и райисполкомов проходила в условиях непривычных, даже невероятных. Город был тот же — те же районы, те же кварталы, домохозяйства, те же учреждения, те же склады, те же мостовые, школы, магазины. Но речь шла уже не, как прежде, о нуждах района, о планах улучшения быта, о ремонте — речь шла о жизни и смерти жителей.

Впервые на плечи партийных и советских работников легла такая тяжкая ответственность.

А возможностей у них становилось все меньше. Не было транспорта, фронт забирал врачей, милиционеров, строителей — физически крепких мужчин, — да они и сами рвались на передовую. Других забирала дистрофия. Голод не различал профессий — он косил литейщиков и прокуроров, водопроводчиков и композиторов.

Число мест в стационарах было ограничено. Иногда сами секретари райкомов распределяли эти спасительные места. Но перед этим надо было еще организовать эти самые стационары. Наладить там отопление, питание, уход.

А организация эвакуации с ее бесчисленными сложностями доставки людей, погрузки, регистрации. Одних надо было уговаривать, другим помогать, надо было устанавливать очередность, собирать детей, выделять сопровождающих.

Каждому из городских районов каждодневно приходилось заниматься множеством подобных проблем, среди которых, оказывается, не было мелких. Их невозможно ни перечислить, ни восстановить в живых подробностях. То, что нам удалось собрать, — всего лишь отдельные факты, они совсем не дают полной картины, но представление об этой работе они дают.

Сергей Михайлович Гастеев был одним из тех районных руководителей, которые непосредственно и занимались всем этим. Он работал в Ленинском районе начальником жилищного управления, заместителем председателя райисполкома. Вот он рассказывает про деревянные дома, которые давали на слом для дров. Людей оттуда надо было переселить в дома своего района, а для этого найти площадь, приготовить ордера, прописать.

«— ...За два-три дня, помню, мне надо было чуть ли не пятьдесят домов на слом срочно распределить госпиталям, детским садам и что останется — столовым, баням, прачечным. Нужно срочно было топливо, а топлива не было никакого. Стульями топили. Я видел сам — после бомбежки крышками от пианино и роялей топили... Войдешь в квартиру — ничего нет, пусто, сидеть негде. Поэтому очень строгое распоряжение было горисполкома — срочно ломать. «Даешь топливо!» Люди замерзали. Разбомбят дом или снаряд разорвется — все раскрыто, стекла выбиты, фанеры нет, закрыть нечем, — люди уходят в другой район. К родным, к близким. Квартиры оставляют пустыми... Как снаряд разорвется — стекла все летят. Люди бегут, потому что страшный мороз. Куда — неизвестно. Потом их разыскивают. Мне приходилось при бомбежке срочно переселять людей, которые остались живы... Вызываешь нескольких управдомов, ближних от разбомбленного дома, и спрашиваешь: «Какие у тебя комнаты, квартиры свободны?» — и сразу по списку срочно переселял. Тут уж не до ордеров было. Люди на улице стоят, дрожат, негде же греться. Это моя обязанность была — бомбоубежища, газоубежища, квартиры, переселение и дома деревянные ломать. Мне давали, например, для района около Кировского завода сотню домов (Правая Тентелевка, Левая Тентелевка и другие), и я должен был в короткие сроки переселить людей в свой район.

— Как они перетаскивали свои вещи?

— На салазках, конечно. А было еще решение горисполкома каждому району приготовить помещение-склад и, прежде чем дома ломать, составить опись вещей жильца, который отсутствует. И вещи по описи на склад... И в этих складах заведующие должны были по углам расставлять мебель, вещи такого-то дома, такой-то квартиры... После этого только можно дома разбирать».

Трудно представить, каким образом ухитрялись в тех условиях соблюдать эту хлопотную юридическую процедуру во всех районах города.

В рассказе председателя Выборгского райсовета *Александра Яковлевича Тихонова* повторяется та же история.

«На всех деревянных домах мелом вывели «ПС» — «подлежит сносу»... Многие не хотели уезжать, особенно те, кто имел возле дома клочок земли. Были такие моменты: дом ломают, а бабушка сидит, не уходит: «Я туда не поеду». Люди ей доказывают: «Все равно нужно. Сама погибнешь тут без топлива, и люди погибнут»... А некоторых людей, которые переезжали, потом разбомбило, и им приходилось переселяться еще раз.

Была и другая тяжелая задача. Вот, например, был такой Дом специалистов. Мы там, как и всюду, проводили инвентаризацию имущества всех эвакуированных. Сами инвентаризировали имущество, которое у них осталось, и хранили его на складе завода «Красная заря». Никакой техники у нас не было. Это сейчас можно сказать: «Приготовьте двадцать машин». А тогда были люди ослабевшие, попробуйте с их помощью вывезти ценные вещи на склады. Долго на этих складах потом вещи хранили, специально отопление устроили, подобрали кладовщиков, зарплату им платили, и они охраняли имущество граждан. Это казалось несколько фантастическим: город в блокаде, немцы обстреливают — и в этот момент райком, исполком занимаются не только сохранностью государственного имущества, но охраняют имущество уехавших граждан. Смотрели и чтобы квартиры не разрушались после бомбежки — фанерой заделывали окна, двери забивали.

Когда произошел прорыв блокады, были и такие эпизоды. Допустим, пишет гражданин: «Пришлите мне опись, как сохранилась моя квартира». Пишут из Средней Азии, из Свердловска, все запросы шли на райисполком. Надо было дать ответ. Создали специальные группы депутатов, актив, ходили на этот склад, шли на квартиру, если вещи сохранялись там, и составляли ответ».

Деревянные дома, которые сгорали в котлах, в «буржуйках», в плитах, не могли обеспечить всех теплом.

«Всем дать дрова мы не могли, — говорит *Александр Петрович Борисов* (Невский проспект, 84), — но кто приходил, давали немного топлива. Нам выделяли деревянные строения в Новой Деревне. Во многих домах все равно оставалось холодно. Вот на улице Рубинштейна, 17, большой дом был, в нем жило до пяти тысяч человек. Придешь в квартиру — открыта, люди полуживые, некоторые лежат, некоторые бродят, матери умирали, дети оставались живыми. Страшные случаи были. Как руководство исполкома мы должны были обходить дома».

Александра Петровича Борисова война застала на должности заместителя председателя исполкома Куйбышевского района, одного из центральных районов города. После войны с ним случилось тяжкое несчастье. Александр Петрович уже много лет слепой. По тому, как внешне легко несет этот человек свою тяжелейшую беду, стараясь не удручать близких, можно догадываться, каким он был там, в блокадном своем районе, как много чужого горя брал на себя. И сейчас он иногда бывает на Пискаревском кладбище. Слушает вечную музыку и за ней тишину, покой зеленого мемориала и видит...

«Мне представляется только та картина, которую я видел сам. Это не теперешнее кладбище, облагороженное, особенно там, где памятник Матери-родине. А в то время эти трупы, эта траншея метров в сто длиной!.. Туда закладывали тысячи трупов, зарывали тракторами, лопатами, как только могли. Боялись, чтобы весной не было эпидемии, но все обошлось благополучно, потому что в какой-то степени удавалось соблюдать санитарное состояние».

Память его удерживает многое уже в масштабе не только своего дома или завода, а в масштабах района, а район этот и по населению и по размеру — целый город.

«— Мне пришлось проверять хлебозавод один. Люди как будто полностью обеспечены были хлебом на том заводе, однако большой процент рабочих не выходил на работу — болели цингой. Что спасло? Настой хвои. Это очень помогало. В первые дни, когда голод начался, смотрим — люди идут с ветками хвои. В чем дело? Оказалось, они хвою настаивали на воде и эту воду пили... А надо сказать, что наш район — район служащих, самый голодный район был: получали хлеба сто пятьдесят граммов. Ну конечно, это не такой хлеб, который мы сейчас едим... Утром мы всегда объезжали район. Едешь — тут трупы выброшены, тут оставлены. И не знаешь, откуда трупы. Это являлось тоже формой обеспечения живых — смерть не регистрировали, чтобы карточки оставались...Если придешь, спросишь: когда умер? — не скажут, что умер полмесяца назад, скажут, что сегодня умер, вчера.

— Карточки изымали в таких случаях?

— Нет, оставляли карточки...

— И что же вы могли сделать в таких квартирах?

— Некоторым помогали. Чаще удавалось спасти людей, которые как-то были связаны с производством, с учреждениями. А так только успевай трупы собирать. Груды трупов были при больнице Куйбышева. И в других пунктах сосредоточивали трупы, чтобы потом свозить на кладбище. Специальные машины были выделены, они ежедневно трупы собирали и увозили на кладбища... На Пискаревском кладбище много хоронили из нашего района. Рыли рвы. У нас были тракторы, мы мобилизовали людей из районных организаций. Набирали человек двести и туда направляли, чтобы они рыли рвы и зарывали. Картина ужасная. Трупов — глазом не окинешь! Особенно на Богословском и Пискаревском кладбищах. Трупы были всякие. И дети и старики, кто в сидячем положении, у кого руки подняты, у кого нога согнута...»

Захоронение мертвых — зимой это стало проблемой едва ли не первоочередной: грозили эпидемии, которые добили бы живых, если вдруг бы кончился мороз.

«Когда началась массовая смертность, — продолжает свой рассказ Тихонов Александр Яковлевич, — раскрепили кладбища. Нам достáлось Пискаревское кладбище (за лесом здесь было). Мы должны были выкопать рвы силами населения нашего района. Трупы на улицах валялись. Район разбили на микрорайоны. К каждому микрорайону прикрепили исполкомовский актив. Создали бюро по захоронению. Вели учет: должны были ежедневно сводку давать в горком партии: сколько мы сегодня выкопали рвов, сколько похоронили. Самое максимальное захоронение мы делали до двух тысяч... Ну месяца два длились массовые захоронения, а потом к весне цифра стала уменьшаться.

Я на кладбище в день бывал четыре раза. Начинал свой рабочий день с кладбища и кончал кладбищем...»

Ученые города изыскивали возможность изготовить какие-то полноценные заменители продуктов, чем-то помочь населению. Каждый район стремился участвовать в этом деле, выявляли сырье на своих предприятиях, предлагали оборудование.

Выборгский райком во главе с секретарем райкома Кедровым налаживал производство белковых дрожжей из древесины.

Эти знаменитые в блокаду белковые дрожжи спасли, наверное, немало ленинградцев. Белковые дрожжи выдавались как дополнительное питание. Во многих рассказах мы слышали о тарелках супа из белковых дрожжей. Но ни рассказчики, ни мы как-то не задавались вопросом, откуда появились эти белковые дрожжи.

Между тем с ними связано имя замечательного ленинградского ученого Василия Ивановича Шаркова, который не только разработал технологию производства этих дрожжей, но более

160

того — он предложил использовать в качестве примеси к муке гидроцеллюлозу, наладил производство этой пищевой целлюлозы, и уже в середине ноября она стала поступать на хлебозаводы. Гидроцеллюлоза не содержала ничего питательного, но она увеличивала припек, позволяла давать населению установленную норму хлеба, делала его пористым, съедобным.

Доктор технических наук В. И. Шарков был одним из тех ученых, знания которых сохранили жизнь сотням тысяч голодающих горожан. Было создано 16 дрожжевых заводов, часть в Выборгском районе:

«Все делала промышленность нашего района. Было распределено, кому сделать эту часть к машине, кому сделать кузов, кому — контейнер, кому достать мотор, кому перемотать мотор. Все до малейших деталей распределили. Коллективно участвовали все организации. Быстро пустили цех. Производительность (в тоннах) была большой. Использовали для этого березу».

Тут же при фабрике, а затем при хлебозаводах стали гнать витамин из хвои для хвойного экстракта.

«Некоторые сами приходили и спрашивали: «Чем я могу помочь в решении этой задачи?» Чувство локтя было необычайно высоким, может, выше, чем чувство желудка.

Остро стоял вопрос: как обогреться? Распределили силы членов исполкома и создали утепленные чайные, чтобы ослабевшие люди, у которых не было отопления дома, могли попить кипятку. Установили кипятильники. Отапливали их дворники. Снабдили их топливом. Бытовые комсомольские отряды носили кипяток тем, кто по слабости не мог спуститься с верхних этажей. Часть депутатов раскрепили по квартирам, они слабым носили по карточкам хлеб. В чайных проводили беседы о положении на фронтах.

Мы наладили изготовление «буржуек» для населения, налаживали подвоз дров, создали склады».

Чем только не занимались районы. Вот, например, зимой 1942 года пускали трамвай через Ленинский район, и С. М. Гастеев вспоминает:

«Все пути заморожены, все рельсы залиты водой. А решено было пустить трамваи под Новый год, 1943-й. На моей обязанности было расчистить участок от Нарвских ворот до Калинкина моста. Мне дали сто женщин с «Красного треугольника». Целую ночь мы работали, пока не закончили. Лом, лопаты, кирки...»

Районным руководителям приходилось бывать там, где было особенно тяжело, где происходил обстрел, где горели пожары, где шла бомбежка, где лопнули трубы, где надо было мобилизовать людей, где что-то случилось... Память их поэтому вобрала немало событий чрезвычайных, историй впечатляющих. Так, у А. П. Борисова запечатлелась бомбежка Гостиного Двора:

«Была в Гостином небольшая меховая фабрика. Женщины приходили с детьми, фабрика женской была, по сути. Началась тревога. Часть спустилась в бомбоубежище, а часть осталась на производстве. Здание обрушилось, и одна девочка с матерью попала в промежуток между сейфами. И дочь утешала мать. А дочери было семь лет. «Мама, нас спасут», — говорила она и поддержала мать. Мать потом, когда мы вытащили их, говорила: «Вот моя спасительница». Другая женщина оказалась между балкой и кирпичами. Ее зажало балкой так, что она пошевелиться не могла. Осторожно разрывали ее, потому что если быстро разбирать завал, то могли обвалиться стены. Трое суток по кирпичику разбирали. Пришел муж и все время находился возле нее. У нее единственная мысль была: спасут или нет? Мы в щель разговаривали с ней, и она говорила, что ее окружает смерть и, наверное, ей не вырваться. Все же спасли...»

Он был сначала инструктором Дзержинского райкома партии, *Дубровский Анатолий Иванович*.

162

Через комсомольскую работу, через спорт, учебу искал он свое место в жизни. Тут началась война, он вернулся из Каунаса в Ленинград, его направили работать инструктором в райком партии, и он сразу же уехал на оборонные работы — в первые дни, недели войны сооружение оборонительных рубежей было главной заботой райкомов, райисполкомов. Необходимо было обеспечить «ежесуточное количество работающих на оборонительных укреплениях до 500 тысяч человек»[1].

Все было впервые, и все было неожиданно, трудно, и не только людям молодым и неопытным, таким, как А. И. Дубровский. Опыта такой войны, таких испытаний и трудностей ни у кого не было. Зато была огромная самоотдача, преданность делу. Оборонительные рубежи ленинградцы строили у Луги. И уже там получили первое боевое крещение. Анатолий Иванович Дубровский, один из рядовых участников напряженной работы по организации населения на отпор врагу, и сегодня волнуется, когда вспоминает свои первые «инструкторские задания». В его рассказ о бомбежках, которым подверглись ленинградцы «на окопах», о раненых, которых ему пришлось эвакуировать в Ленинград, врываются такие картины войны:

«А тот эшелон под Шимском был с лошадьми, и там же были бензобаки. Бомбы попали в бензобаки и в сам эшелон, эшелон загорелся, и помню впечатление, как горящие лошади выскакивали из вагонов и бежали... горели и бежали...»

Война сразу обжигала душу, но обстановка требовала хладнокровия, повседневной напряженной деятельности. В октябре, вспоминает Анатолий Иванович, двухсотпятидесятикилограммовая бомба попала в здание Дзержинского райкома, пронизала его насквозь. Запомнился красный столб пыли... С особенной остротой

[1] «900 героических дней». Сборник документов. М.—Л., «Наука», 1966, стр. 47.

и человеческой болью помнится ему тот день, когда погибли сразу трое его инструкторов (он уже заведовал оргинструкторским отделом райкома).

«Эти женщины — три их — всегда уходили с утра по делам на свои предприятия... Немцы к этому времени мало что фугасными и зажигательными нас забрасывали, так еще и шрапнельными стали бить. Чтобы побольше окон высадить. А зима, а мороз — дома без окон, понимаете? Под такой шрапнельный снаряд они и попали сразу все три. Шли по Чайковского, и там, где у нас 17-я пожарная команда и военкомат, там их и убило. Парамонова, Поздняк, а третья была новенькая, я даже фамилии не помню...»[1]

Нет, не просто было это для каждого в отдельности, какой бы пост человек ни занимал, — достойно делить, нести судьбу ленинградца-блокадника. Зато, если ты оказался на высоте, сегодня это помнится, сознается с гордостью.

«— Районный комитет в это время у себя не имел ничего. Я говорю о продовольствии. Работники райкома партии, так же как и все работники других организаций и те лица, которые остались в эту первую зиму охранять помещения после эвакуации или вообще не выехали, — они были в равном положении. Поэтому чем-то прямо помочь в этой части я, например, никому не мог. Единственно что... Нам вот давали эту похлебку — дрожжевой суп, ну, иногда вот придет секретарь партийной организации, знаешь, что он голодный, и вот у нас была столовая так называемая, ну, его пригласишь. И для себя и для других правило у нас было: не ложиться, как бы трудно ни было, не ложиться! Потому что практика показала: как ослабевший человек залег, так он уже большей частью не вставал... Ну, потом немножко оздоровило, разрядило обстанов-

---

[1] Врач Б. Прусов написал нам, что в рассказе А. И. Дубровского есть неточность: одна из троих — Поздняк — была ранена, но осталась жива.

ку с питанием, когда открылась Большая дорога через Ладогу. И особенно когда мы весной
стали организовывать подсобные хозяйства.
Сначала стали вывозить людей, как говорится,
на травку. И там они ползали, рвали и ели что
можно и что нельзя. И потом, когда стали по-
крепче, стали копать огороды, заводить хозяйства. Каждая организация имела свои участки.

Что касается самого райкома партии, то нам
были отведены грядки в Михайловском саду, и
мы старались за ними ухаживать. Старались посеять такую культуру, которая побыстрее дала
бы плоды.

— И мужчины тоже?

— Все, все! Начиная с первого секретаря и
кончая техническим работником. Все копали,
все сеяли, ухаживали... Как правило, нажимали
на огурцы. У кого они получались, у другого вообще ничего. Выгорело, не взошло. Ну, тут де-
лились... Ну а большая часть организаций выве-
дена была за пределы района и там осваивала
участки. И в последующем это были крупные,
хорошо организованные подсобные хозяйства, с
хорошей урожайностью. Мы даже выставку устроили готовой продукции. Многие и сегодня
могут позавидовать тому, что мы получали. Потому что люди, которые наголодались, стали понимать, что и как растет и что с чем едят. Ухаживали, как за своими родными...»

Работники райкомов, райисполкомов, всех
организаций, которые направляли жизнь блокадного города, сами поставлены были в условия, которые исключали всякую деятельность
для проформы, для видимости.

Силы, энергия, ум, чувство, совесть направ-
лялись на самое главное и неотстранимое, без
чего завтра в магазины не поступит хлеб, без
чего насмерть замерзнут тысячи людей, нава-
лятся эпидемии...

В овощах, которые удалось собрать, запасти
для Ленинграда, завелся опасный грибок. Каждый понимал: грибок сожрет не просто карто-

фель, а тысячи и тысячи человеческих жизней, если немедленно не принять меры в масштабах всего города... Это заболевание фитофторой, которое появляется на пятнадцатый день после копки: начинается гниение, картошка «плачет», делается мокрая, и хранить ее уже нельзя, никакая сила не поможет.

Высокий, уже поседевший человек — *Станислав Антонович Пржевальский*[1], который работал до войны и в годы блокады управляющим Лензаготплодовоща, рассказывает о своей отрасли, служащих своего учреждения, о своем «продукте» с не меньшим пафосом, чем любой военачальник о своих победах и поражениях. Еще бы: от того, сохранят его люди эту плачущую картошку или нет, реализуют или загубят ее, зависело очень многое. В блокадном Ленинграде, на всем Ленинградском фронте это понимали все, и поэтому решение принималось очень ответственно и на самом высоком уровне.

«— Я доложил в Смольный... Попков и Лазутин со мной поехали на комбинат. Я им сделал пробную закладку и сказал, что приезжайте через неделю — посмотрите! Приехали через неделю, разрезали сусек: клали хорошую, разрезали — худая! Вот тогда они убедились, что эту картошку надо съесть. И было решение Военного совета: запретить потребление крупы.

— На какое время?

— На определенное время, и пустить весь картофель в расход. Так что мы грамма не испортили картофеля. Все было использовано, но в очень короткий период времени. В данном случае овощи стали заменителем крупы. Овощи были съедены.

— Что, вся картошка урожая сорок второго года, которая поступила в Ленинград, была заражена?

— Вся, абсолютно вся. Вот какая была трагедия. До зимы мы не могли ее держать, до зимы

---

[1] С. А. Пржевальский умер в 1977 году — до того как был напечатан его рассказ.

166

мы все съели. Если бы оставить до зимы, мы похоронили бы все запасы».

...На обстреливаемый, голодный, замерзающий город наступал и еще смертельный враг — цинга. И с ним борьбу нужно было организовать. Заведовавший химико-технологическим отделом Витаминного института Алексей Дмитриевич Беззубов рассказывал, как готовились научные рекомендации «по извлечению витамина С из хвои». Об этом у нас уже шла речь.

Но инструкцию-рекомендацию «по получению антицинготной хвойной настойки в промышленных и домашних условиях» необходимо еще было реализовать, добыв или приспособив какую-то технику. Для нескольких миллионов жителей и солдат нужно было готовить спасительное средство. И надо было еще добраться до той хвои. И доставить ее в Ленинград... Только представив себе всю сложность в тех условиях, казалось бы, нехитрого дела — приготовить настой из хвои, — можно понять, почему Станислав Антонович Пржевальский назовет эту работу ученых, руководителей, ленинградских женщин эпопеей!

«— И вот эта эпопея нигде не описана. Причем в литературе она выглядит, что вот, мол, хвойный настой... Слез было в достатке — женщины приходили со стертыми пятками... Могу вам рассказать, как это было. Это на Дегтярном, пять. У нас там была небольшая плодоовощная переработка. Вот там мы организовали переработку этого хвойного настоя. Использовали мы наши шинковальные машины.

— Это те, которые капусту шинкуют?

— Да, да, те же самые машины. Мы использовали их для дробления хвои. Но для того чтобы сделать хвойный настой, надо было хвою заготовить, причем ее немало шло на это дело. В Парголовском лесу мы заготовляли эту хвою силами нашей погрузочно-разгрузочной конторы, где были только женщины.

— На это шла сосна?

— Да, сосновая хвоя. И вот каждый день группа женщин, голодных, шла в Парголово. Потом кое-как мы сумели организовать доставку их на лошадях (машин-то нам ведь не давали).

— А вначале просто волокли на себе?

— Да, на себе, даже без лошадей. Это от Калининской конторы, от Пискаревки, примерно что-то километров шестнадцать было.

— Шестнадцать километров эту хвою на себе носили?!

— Сначала на себе. Потом мы организовали доставку на лошадях (у нас было несколько лошадей на нашей пискаревской базе) и доставляли ее на Дегтярный, пять. Там ее дробили. Добавляли туда уксус. Этот настой фильтровали. И я вам должен сказать, что мы этот настой делали в таких количествах, что обеспечивали все госпитали полностью, все столовые. И больше того: мы даже организовали для гражданского населения выпуск хвои в пакетах, с инструкцией, как приготовлять. Сами хвойные иглы мы освобождали от сучьев, закладывали в пакет и давали инструкцию, как приготовлять хвою. Если мне память не изменяет, в день мы давали в аптеки что-то до двухсот тысяч доз. Причем торговали мы ими через аптеки ежедневно, бесперебойно. И, таким образом, как мне потом медики говорили, все-таки цинготных заболеваний в том виде, как они ждали, не было. Вот это хвоя. Трудности ее заготовки были колоссальнейшие... Ну, Военный совет нам помог. В каком плане? Мы все-таки этим женщинам дали третью категорию армейского пайка, так что они были наравне с бойцами (не фронтовыми бойцами, а тыловыми — тыловой паек). Это в какой-то степени дало возможность заготовить хвою...

— А настаивали ее в бочках?

— В бочках.

— И сколько она должна стоять?

— Ну, если мы утром делали, к вечеру она была уже в госпитале. Оттуда приезжали к нам, в очередь становились и сразу забирали и пили настой».

И так в большом и малом. Впрочем, ничто не назовешь малым, если от него зависит жизнь стольких людей. Когда мы вспоминаем, говорим про легендарную «Дорогу жизни», про хвойный настой, про топливо, воду, захоронение трупов, стационары, посильную помощь голодающим на дому, которую оказывали работники МПВО или комсомольские «бытовые группы», — за всем этим видим, ощущаем сложнейшую организаторскую работу.

Был такой лозунг: «Ленинграду помогает вся страна!» — и это действительно осуществлялось, несмотря на смертельное кольцо блокады. Участвовали в этом тысячи и тысячи людей вне кольца. Вот один из характерных примеров, который мы берем из рассказа Станислава Антоновича Пржевальского:

«— По «Дороге жизни» и овощи поступали?

— Да, поступали, в большом количестве. Северо-восточные районы нам дали в те годы большое количество сушеного картофеля. Что мы сделали? Ведь эти северо-восточные районы были бездорожные. Это сегодня можно говорить о каких-то проездах на машинах. Мы организовали там производство сушеного картофеля, чтобы из этой глубинки вытащить картофель. У нас работали на дому. Одних надомников у нас было десять тысяч колхозников.

— Они сами сушили в печках?

— Колхозникам раздавали заготовленный картофель, и они его сушили. А часть мы сушили в своих сушильных печах, которые нам удалось как-то слепить.

— Десять тысяч надомников работало?

— Да, работали надомники, сушили картофель для города Ленинграда...»

Мы уже много приводили рассказов, где люди вспоминают, как голод заставлял каждого тревожно и с надеждой снова и снова осматривать, изучать углы и ящики в своей квартире — не завалялось ли что съедобное. Того, что прежде и не считалось съедобным... Но и целый город в голодной осаде вел себя почти так же, как и отдельный человек. Сгорели Бадаевские склады 8 сентября, а землю на том месте копали еще долго сами жители. Но также и организация — тот же Лензаготплодовощ...

«— Много там сгорело сахара?

— Но я же его переварил весь на варенье, — возражает Станислав Антонович. — Правда, оно было с хрустом песочным. Осталось какое-то количество сгоревшего, который не поддавался обработке. Но тот сахар, который спекся, мы его пустили в дело».

И далее он рассказал историю, которую многие сегодня вспоминают с удивлением, даже веселым. Как блокадный город обнаружил у себя под ногами огромные «залежи» квашеной капусты.

«— Мне секретарь горкома партии звонит, Капустин: «Что ты сидишь? Знаешь, что у тебя на комбинате творится?» Я говорю: «А что?» — «Там, говорит, больше десяти тысяч народа копает весь твой комбинат». Ему об этом доложили. Я сел, поехал.

— А когда это было? Осенью?

— Это было в сорок втором году. Ну, поехал. Действительно, одних лопат там директор комбината насобирал пятнадцать тысяч. Они копают, лопаты бросают и капусту берут. Кто-то знал, что был перезавоз в Ленинград в тридцать пятом году (это еще до моего прихода на работу) квашеной капусты и ее не съели.

— В каком году?!

— В тридцать пятом.

— С тридцать пятого года она лежала?

— Прямо в бочках. А закапывали ее в песчаный грунт, причем в такой, я бы сказал, грунт, который создал хорошую среду для сохранности. И кто-то об этом знал. И вот пошла раскопка этого дела. Ну, этой капусты там было пять тысяч тонн. Разнесли ее в течение суток!

— Ну и какая она? Вы пробовали эту капусту?

— Прекрасная.

— Серьезно? С тридцать пятого года!

— Законсервированная квашеная капуста с сохранившейся консистенцией, вкусом. Все как надо!

— Брали бочку, а лопаты бросали? Пятнадцать тысяч лопат собрали, вы говорите?

— Пятнадцать тысяч лопат мы собрали. Их бросали люди.

— Значит, пятнадцать тысяч человек пришло?

— Да, выходит, так. Не останавливать же их, пусть продолжают и дальше. Так очистили территорию».

Условия сложились так, как сложились. Были и просчеты в завозе и хранении продовольствия, эвакуации населения на том первом этапе, когда имела место растерянность, непонимание масштабов происходящего, того, как и куда разворачиваются события. Даже великий положительный фактор, сыгравший огромную роль в стойкой защите Ленинграда, — страстная привязанность ленинградцев к своему городу, патриотизм — обернулся пагубными последствиями. Не уехали из города, не эвакуировались те, кто мог, кто должен был уехать не только в своих интересах, но и в интересах активных защитников города. Достаточно напомнить, что смертельное кольцо блокады замкнулось и вокруг 400 тысяч детей. Остались матери, бабушки, а с ними и дети... Летом и осенью сорок первого не было достаточной настойчивости, твердости, последовательности в эвакуации населения, это пришло позже, в условиях несравненно более трудных, зимой, когда пришлось вывозить (и даже выводить пешком на сотни километров!) около миллиона женщин, детей, ослабленных голодом людей, в морозы, и все под теми же бомбежками и обстрелами.

Обо всем этом говорят, пишут самокритично многие, оценивая сложную обстановку тех лет.

«Надо сказать, и это не новость, — напоминает *Иван Андреевич Андреенко*, — что у нас до войны не была разработана система нормированного снабжения продовольственными и промышленными товарами на случай войны. У нас было разработано, как бороться с зажигалками, с пожарами и т. д., а как тут — нет... Я еще хочу сказать про одно тяжелое обстоятельство. Оно заключается в том, что в блокированном городе осталось 2 миллиона 544 тысячи человек и плюс еще в пригородных районах Ленинграда в кольце блокады 38 тысяч. Причем стариков много, детей более 400 тысяч, иждивенцев больше 700 тысяч. И вот в первую эвакуацию, которая у нас началась с 29 июня (Ленинградский Совет принял решение), мы фактически эвакуировали всего 636 тысяч. Причем даже разговор такой был, что обстановка накалилась, а ленинградцы не бегут, никто не бежит, никто не уезжает. Из районов поступали такие сообщения в Ленинградский Совет, что, так сказать, население настроено никуда не уезжать и защищать город Ленинград. Видите, с одной стороны, хорошо, а с другой стороны, плохо, потому что нам нужно было не 636 тысяч вывезти, а в полтора-два раза больше, а может быть, и в три раза больше. Тогда мы не терпели бы такого положения, какое терпели, — ведь осталось 2 миллиона 544 тысячи.

Вот потом, когда было специальное постановление Государственного Комитета Обороны об эвакуации народа по Ладоге и приехал Алексей Николаевич Косыгин, в один конец стали завозить продовольствие, а в обратный людей вывозили. И надо сказать, что с января сорок второго года по октябрь сорок второго вывезли более 900 тысяч. У меня где-то была точная цифра... Вот она: с января сорок второго года по октябрь сорок второго включительно всего эвакуировано 961 тысяча 79 человек. Осталось около 700 тысяч к сорок третьему году. Да, в ноябре — декабре 1943 года было уже только такое количество населения».

Фамилия Ивана Андреевича памятна блокадникам. Трепетно ожидаемые всеми сообщения о нормах выдачи продуктов скреплялись его подписью: «Андреенко И. А.». Он рассказывал нам:

«Андрей Александрович Жданов говорил: «Использовать надо «Ленинградскую правду» и радио. Кто у нас несет персональную ответственность за снабжение? Андреенко Иван Андреевич... (Я заместителем председателя Ленинградского городского Совета работал, заведовал отделом торговли.) Пусть, — говорит Жданов, — он и сообщает народу...»

Была горькая необходимость сообщать о все новых снижениях и без того голодных, а в конце уже и смертельных норм. Иван Андреевич в те дни и недели (октябрь — декабрь 1941 года) отнюдь не казался блокадникам добрым гением. И он это сознавал. Вознаграждением были дни, когда началось улучшение обстановки, с организацией «Дороги жизни». И можно было подписывать своей фамилией совсем другие сообщения...

«— Я помню, как в декабре я был вечером у секретаря горкома партии Алексея Александровича Кузнецова. Еще раз мы просмотрели наличие запасов продовольствия. Снижать хлебную норму населению уже некуда было, нельзя уже было, народ и так умирал. Разбирали-разбирали, прикидывали. Алексея Александровича я до войны знал, встречался с ним. Он был волевым человеком, много сделал для того, чтобы сохранить больше жизней ленинградцев, но таким мрачным я его еще не видел. И все-таки он потом говорил (об этом записано у меня): «Знаешь, мы не можем опускать руки, нельзя!» И привел он такой пример: «Знаешь, что мне на Кировском заводе сказал один рабочий? Камни будем грызть, но Ленинграда не сдадим!»...» Пошли мы к товарищу Жданову, доложили. И снизили мы тогда нормы продовольственные не населению, а военным, морякам и солдатам. В декабре месяце плохо было дело. Что дальше делать? Снижать некуда.

— А завоз? Через Ладогу?

— А завоз сначала был такой, знаете, — по капле. Тогда у нас были неприкосновенные запасы — сухари в армейских соединениях и мука, рассредоточенные на военных кораблях в Кронштадте. Это были неприкосновенные запасы. Военный совет Ленинградского фронта принял решение использовать эти сухари и эту муку для снабжения моряков, солдат и населения, потому что дальше нельзя было никак снижать».

Вот наконец! Перелом наконец наметился...

«Когда с 21, 22, 23 декабря завоз муки стал превышать расход, тогда мы все у Андрея Александровича Жданова собрались. Потом перенесли рассмотрение этого вопроса на заседание Военного совета. И приняли там решение: с 25 декабря сорок первого года рабочим прибавить 100 граммов, значит, вместо 250 — 350 граммов, а остальным группам населения прибавить по 75 граммов.

Я должен вам сказать, что прибавка, конечно, была небольшая, но как народ, понимаете ли, это встретит?! (Тогда занимались тоже тем, как народ на это реагирует.) Потому что люди не знали (это было вечером сделано), что они придут в булочную, в магазин, а им не 125 граммов будут давать, а 200 граммов.

Люди почувствуют в этом деле силу не столько оттого, что человек стал наедаться этими добавочными 75 граммами, нет, а веру в то, что дело идет все-таки к тому, что мы одолеем этого фашиста и справимся с вопросами, связанными со снабжением».

У каждого руководителя, хочет он того или нет, есть репутация в народе. От этого суда не уйти никуда. А тем более человеку, который сообщал вам приговор: жить или не жить, будет повышение или, наоборот, снижение скудной хлебной нормы... Спрос с такого человека особенно большой. Тем более что быт в тех условиях не был отделен от работы. Все просматривалось насквозь. Большинство жило на казарменном. Можно представить, с какой требовательностью к себе старался относиться всякий честный работник. К себе и к другим... О «щепетильности того времени» говорит Станислав Антонович Пржевальский, приводя такой случай, пример:

«Командующий фронтом заболел. И адъютант приехал ко мне, зная о том, что у меня по распоряжению Павлова в совхозе Мяглово было оставлено пять живых дойных коров, причем с запиской врача приехал, что требуется молоко. Я Андреенко докладываю, что вот совершил такое действие: выдал пять литров. Ну и что я от него получил? Он говорит: «Понимаешь, что в военное время за такие дела расстреливают? Какое ты имел право без разрешения продовольственной тройки давать? У нас есть продовольственная тройка». Я говорю: «Я дал не кому-нибудь, а командующему, которому продовольственная тройка подчинена». Он говорит: «Независимо ни от чего. Раз есть порядок, значит, он не должен нарушаться». Я говорю: «Вас-то ведь не было, все равно вы бы не отказали». — «Нет. В следующий раз таких вещей не делать!» Вот вы понимаете отношение человека к тем порядкам, которые были установлены?»

Все еще энергичный, собранный и не потерявший в жизненных передрягах, послевоенных невзгодах скорую, живую улыбку, Иван Андреевич хранит в памяти как большую награду себе такой случай:

«Однажды на одном заводе — я не помню теперь на каком — после выступления я шел с директором и секретарем парткома. Идем. И вот кто-то басом так говорит: «Ну вот он какой, Андреенко! Сам себя-то накормить не может, куда же ему общим котлом управлять?!» А я был очень худой. Если бы я был полный, конечно, сказали бы: «Ясное дело!» Но за меня вступились женщины, они назвали этого: «Боров ты! Значит, он не заедает твое, а заедал бы твое, то он во какой был бы!»...»

...Когда изучаешь условия жизни, работы в блокированном городе, когда размышляешь о людях, которые должны были принимать непростые, трудные решения, неизбежно приходишь к этому — взаимооценкам руководителей и руководимых. Руководишь людьми так, как понимаешь, как видишь, как ценишь их. У Ивана Андреевича Андреенко взгляд на ленинградца-блокадника отнюдь не упрощенный, не отвлеченно-романтический — обращались люди разные в самые критические моменты жизни, спасая себя и близких...

В рассказах Ивана Андреевича немало хорошего о людях тех лет, он понимал цену проявлений — притом массовых проявлений — сознательности, дисциплины, доброты человеческой.

В условиях, которые, казалось бы, должны были развязать самые эгоистические и грубые инстинкты: массовый голод — состояние критическое!..

«— Был такой случай. Это было что-нибудь в ноябре или декабре сорок первого года — в самое трудное время. В одну из булочных в Володарском районе (ныне это Невский район) зашел мужчина крупного такого телосложения. Он не похож был на всех покупателей и продавцов (они тоже мало чем отличались от покупателей). Он, значит, посмотрел так и сразу пошел к полке и сказал: «Слушайте, что я вам скажу. Нас хотят уморить голодом!» И стал эти батоны хлеба, эти самые кирпичики швырять. «Берите, говорит, и ешьте!» Понимаете? Но народ не брал. Присутствующих там было человек двенадцать. И было три продавца. Они сообразили, и хотя они не особо сильные были, но количеством его взяли — они его свалили. И еще школьники участие приняли в этом деле — побежали в отделение милиции (телефона-то не было). Пришли, его забрали. Он оказался провокатором.

— А вообще была дисциплина?

— В Ленинграде в то время, я помню, в этом отношении было хорошо. Ну, вначале народ привыкал. Я уже об этом говорил: как мы привыкали, так и остальные привыкали. Случаи ограблений были единичные. Ну, тогда можно было что? Вы же знаете, что за килограмм хлеба можно было золотые часы купить.

— А кто же на рынке занимался этой торговлей?

— Разные люди приходили туда. Я могу такой пример вам привести. Тоже на толкучку, понимаете, парень пришел. В семье осталось только два мальчика — один постарше, другой помладше. Карточки у них есть. Отец на фронте. Мать погибла от голода. И они пришли на рынок продать бушлат. Они пришли туда. У них мужчина купил бушлат за триста граммов хлеба. Ну, вот пришли домой и хлеб съели. А на другой день проснулись — бушлат-то, значит, они проели, а карточки где? А карточки остались в бушлате. Парень, который продавал, запомнил покупателя по бородке. И этот мужчина с бородкой пришел к ним. По карточкам — там адрес был написан — нашел, принес и отдал. Видите?

— А как вы узнали про этот случай?

— Ну как, донесения же были. По Ленинграду всегда собирались всякие проявления и отрицательного и положительного характера. Отрицательных было мало, но были, а положительных, конечно, было больше.

— А вам шли донесения по какой линии?

— В Ленинградский Совет. Насчет продажи продовольствия у меня есть еще такой случай. Машина с хлебом шла. В машину попал снаряд. Шофера убило. Это действительно так было. Темно. Народ собрался — хватай и беги! Но ведь этого *не сделали*, все сохранили до крошки. Вызвали милицию, все погрузили и повезли... Или, понимаете, такой случай с двумя школьницами. Загорелся магазин... Нет, их четыре школьницы было. Так вот четыре школьницы бросились в этот магазин и стали таскать вместе с работниками сахар и еще крупу, что ли. И одновременно одна побежала и доложила, чтобы приезжала, значит, пожарная команда. Так спасли очень много продовольствия, предназначенного для выдачи. Такой случай... Но я вам еще не сказал, что, как это ни странно, хотя было очень туго, а все-таки Ленинградский Совет, наш исполком при поддержке Военного совета Ленинградского фронта, городского и областного комитетов партии приняли решение об организации школьных елок с первого по десятое января сорок второго года. У меня есть один документ. Вот он: «Устраивать новогодние елки в помещениях, обеспеченных бомбоубежищами». Ленглавресторан организовал обслуживание участников новогодним обедом без вырезки талонов из продовольственных карточек и елочными подарками. Вот пришли ленинградцам мандарины из Грузии. Тогда решили, что эти самые мандарины надо доставить в Ленинград к Новому году, и доставку эту поручили шоферам триста девяностого автобатальона. И они были доставлены. Когда новогодние елки проводили, давали детям эти подарки».

Эти фантастические в тех условиях мандарины помнят сотни людей. Память эта теплой волной связывает тех, кто добывал, доставлял их в Ленинград, кто их получал, брал детской рукой, прятал, прижимая под одеждой, уносил домой — маме...

Эти рассказы мы приводим в главе «Ленинградские дети».

Особая большая тема ленинградской блокады — организация «Дороги жизни». По литературе хорошо известно, кто и как участвовал в осуществлении, реализации спасительной идеи, каких усилий, трудов, самоотверженности от руководителей и от работников ледяной трассы это потребовало. Но это особая тема. Скажем лишь, что браться за такую невиданную по смелости и сложности задачу — организацию ледяной дороги через Ладогу — можно было, лишь веря в то, что люди наши способны на невозможное...

Неудивительно, что у многих бывших блокадников и поныне особое чувство товарищества и долга друг перед другом. Чтобы понять, почему *Емельян Сергеевич Лагуткин*, генерал-майор, получивший боевую закалку еще в Испании, до сих пор озабочен судьбой ветеранов МПВО — неотступно добивается, чтобы наконец приравнены они были к «полноценным бойцам, участникам Великой Отечественной войны», — надо послушать рассказы его об этих «девочках семнадцати- девятнадцатилетних», которые, заменив ушедших в окопы мужчин, вынесли и смогли все...

«— Я рассказывал о тяжелом периоде блокады, я имею в виду первую зиму. Это была, я бы сказал, самая страшная схватка с врагом у стен Ленинграда. Кроме защиты непосредственно города перед нами часто стояла задача помогать фронту.

— Вы говорите, восемь тысяч отправили на фронт?

— Да, восемь тысяч.

— В какие дни?

— В самый трудный момент, и оказалось, что у нас, если не ошибаюсь, осталось всего две с половиной тысячи личного состава. Я поставил вопрос: а что дальше? И доложил командованию, в частности начальнику штаба фронта генералу Гусеву Дмитрию Николаевичу: «А что дальше будем делать? Не с кем город будет защищать». Он мне сказал: «Емельян Сергеевич, не беспокойтесь, мы вам поможем». Через некоторое время вызвал командующий фронтом Говоров. Командующий выслушал и тоже сказал мне: «Радуйтесь, Емельян Сергеевич, к вам идет пополнение!» — «Какое? Кто? Откуда?» — «К вам придут женщины-ленинградки». А потом я спросил: «А что вы так смотрите на меня?» — «Женщины к вам придут!» Я говорю: «Слушайте! Из армии?» Он мне сказал тихим голосом: «Вы поймите, поймите, товарищ Лагуткин, дорогой! У нас мужского контингента в Ленинграде не осталось. А теперь вы сделайте выводы сами, сделайте все, чтобы они были солдатами!» Через некоторое время к нам пришли около семнадцати тысяч женщин-ленинградок, молодых женщин и девушек. Это был замечательный контингент... Знаю хорошо историю вообще, нашу военную историю: пожалуй, никогда не было такого случая, чтобы кадровые части войск комплектовались женщинами. Я вообще этого не встречал. И поэтому первое время мы растерялись... пока поняли, что и с этим составом нужно уметь воевать, тем более что враг готовил наступление на город. И мы стали их обучать.

— Это начало сорок второго года?

— Если не ошибаюсь, март сорок второго. И мы стали их обучать, личный состав обучать».

Легко сказать — обучать. Извечно мужскому делу — женщин, часто почти девочек, да еще голодных, истощенных до предела.

Как это выглядело поначалу и как было, потом рассказывал нам (не без юмора, тоже извечно мужского) *Калягин Иван Васильевич* — бывший подводник, а позже — помощник директора Кировского завода по МПВО...

«— Ну, во-первых, когда женщин привели в казармы (а казармы у нас были тоже запущены; мужчины ведь не особенно там ухорашивали хоромы свои — они не всегда и помоют), вот в эти хоромы пришли женщины. Школы мы занимали и детские сады.

Ну, как положено, командиры роты оставались мужчины. Скомандовали: «Смирно!» И вот, вы представляете себе, — встал строй женщин; закутаны в платки, волосы торчат отовсюду, лица синие! Я поглядел — напугался. Отвел командира роты Лапина и спрашиваю:

«Почему у тебя все женщины беременные? Ведь они только пришли еще».

Он говорит:

«Да нет, что вы! Это они травы наелись. Знаете, травы нащипают, наварят баланды-супу и едят. Есть-то хочется!»

180

А ведь женщины оставались женщинами, старались даже понравиться: иначе, чего доброго, и не возьмут...

Арсеньева Александра Михайловна так вступала в «комсомольский полк», подруга увидела ее и позвала:

«Знаешь, говорит, работать очень много приходится, но кормят три раза в день горячей пищей».

Я говорю:

«Люсенька! Ну, как же меня возьмут? Ведь я как былинка, — на меня дунь, и я упаду!»

Она говорит:

«Знаешь что! Ты накрасься! Ты хорошо одевалась, приходи нарядная. Тебя примут. Ты только покрасься!»

А у меня ни помады, ничего уже нет. Я у соседки прошу помаду, крашу щеки, крашу губы. Надеваю шляпу меховую и иду! Ну, эта Люсенька Будакова, которая в Алтайском крае нашлась теперь, она уже командиру сказала, что вот развитая девушка, очень политически подготовленная, художник — она много наговорила, — рисует, пишет и черт знает что. (Я тогда там, все стихи писала.) Командир уже был както подготовлен. Когда он меня встретил, я хорошо держалась, и вот он меня послал на Песочную. Знаете Песочную? С Баскова переулка, с конца Баскова переулка — на Песочную идти оформляться в штаб полка! Это было ужасно!

— Он поверил вашему румянцу?

— Стойкая краска была! Но когда я дошла до этой Песочной — обратно, думала, не дойду! Где-то лежала, где-то сидела и думала: как же мне дойти? Но надо же, надо! У меня ребенок на Моховой сидел один. И вот ребенок меня подгонял все время — ребенок! Если бы не ребенок — я пала бы духом. Но у меня девочка — хорошенькая такая девочка была. Мне нужно было встать ради дочери. И вот я шла, шла. Иду по Марсову полю и вдруг вижу: мужчина наклонился, нагнулся, что-то в снеге выковырнул и в рот — красные какие-то, малиновые пятна. И все идут, выковыривают — и в рот. Я нагнулась: оказывается, кто-то сироп пролил какой-то. Тогда давали сироп, и вот капельки сиропа выковыривали из снега! И я выковырнула этот сироп, немножко! Иду, иду, иду. Бегом. Остановлюсь. Нет, нельзя останавливаться — упаду. Надо идти — там же дочка. Опять про свою доченьку! Ну вот, дошла. Командир спрашивает:

«Не устала? Принесла документы?»

Люся мне мигает, а я улыбнулась такой глупо-глупой улыбочкой: «Нет!» И думаю: только бы ноги выдержали, только бы не упасть!

«— Ну, потом мы их привели в порядок, — говорит Калягин И. В. — Я сперва струсил, рапорт подал (потому что я специалист морского флота и меня приглашали во флот), — отпустите меня! Ну, получил соответствующую отповедь.

— Взбучку?

— Да. Меня назвали трусом. Что, говорят, захотел паек первой нормы? А тут боишься с голоду помереть? Ну, это меня задело, и я, конечно, остался. Нам предстояло сделать из этих женщин солдат. Начинать нужно было с сержантского состава. Ну, создали школу сержантского состава — трехмесячную. Нужно соответствующих командиров ведь, чтобы они подготовили. У меня подвернулся один командир, вышедший из госпиталя, — кавалерист. В первых боях на подступах к Ленинграду он был изрублен весь, на него, откровенно говоря, страшно смотреть было: все лицо исполосовано шрамами. Но он кадровый командир. Он не представлял себе, чтобы быть уволенным из армии (его отчисляли потому, что у него череп был поврежден). Я попросил военкома отдать мне его. И он стал начальником школы. Ну, девки, конечно, плакали, когда теперь за них по-настоящему взялись. Но в три месяца нужно пройти программу шести лет. Ну, обстреливать нас нечего было — у нас кругом все обстрелянные были. Но все же я получал иногда сообщения, что школа снялась с места дислокации и направилась к фронту.

— Что это значит?

— Это значит, что он построил школу ночью по тревоге и повел их на передок обстреливать. Ну, правда, сперва мы паниковали, думали, что, может быть, человек больной, может, у него заскок какой-нибудь. Нет! Он это делал с целью. Работал он с ними и день и ночь.

— И как это выглядела стажировка на фронте?

— Ну, как? Довел до больницы Фореля, там их минометным огнем накрыло, все расползлись по канавам, проползли, выползли из зоны обстрела. Построил — и назад повел. Это просто было на войне, довольно просто. Мы отвечали морально за жизнь человека, но его надо готовить. По окончании школы состоялся выпуск. И в нашей школе ни один не был отчислен — все получили звание сержантов. Некоторые получили старших сержантов, а несколько человек — старшин. Все женщины. И вот, когда пришел подготовленный состав в роты, они, конечно, сделали революцию: роты на глазах превращались в солдат — настоящих солдат. Я потом командовал полком по восстановлению железнодорожной линии до Пскова, и, работая на Карельском перешейке, работая на минных полях, имел дело с воинскими частями. И, когда командиры частей воочию убеждались, что это за народ, я неоднократно слышал от них, говорят: «Любую роту мужчин меняем на твоих девчат».

«— Сейчас, — вторит Калягину генерал Лагуткин, — вспоминая прошлое, я бы прямо сказал: перед нашими женщинами мы, солдаты, офицеры, мужчины, должны снять шапки, поклониться. Ведь это они сбрасывали зажигательные бомбы с крыш домов, со зданий, тушили пожары, откапывали заваленных, помогали голодным, умирающим, хоронили мертвых, спасая город от эпидемий... После прорыва блокады, вернее после снятия ее, наши части — подчеркиваю, все те же девушки — по заданию командования Ленфронта помогали частям фронта громить противника. В тяжелых зимних условиях, часто на заминированной территории наши полки, двигаясь за наступающими войсками, восстанавливали железные дороги на главнейших направлениях. Они восстановили двести два километра железных дорог, пятнадцать железнодорожных мостов и семнадцать мостов деревянных. Они разминировали много площади, для того чтобы наши войска прошли. Когда я был на одном из направлений и по этим дорогам, которые восстанавливали наши бойцы, двигались эшелоны войск, то из вагонов солдаты и офицеры так кричали «ура», так они приветствовали со слезами на глазах этих замечательных бойцов-девушек, благодарили! Дальше. Нельзя списать со счетов и такие мероприятия, как разминирование пригородов Ленинграда. Вот взять Пулковские высоты, Пушкин, Колпино, Петродворец и много, много других. Ведь там были миллионы мин и снарядов! Кто их разминировал? Большинство из них разминировали солдаты МПВО.

— То есть девушки?

— Девушки. Они обезвредили на большой территории более семи миллионов взрывоопасных предметов. Что это? Разве это не героизм? Разве это можно забыть? (Калягин И. В.: «Много подрывалось. У нас были потери 18%».) Они же восстановили почти все основные здания города. Ведь из них подготовили тысячи штукатуров, электромонтеров, шоферов, плотников и других необходимых специалистов... Это же они восстановили набережную Фонтанки, они проложили трамвайный путь по Старо-Невскому, они восстановили сотни зданий школ, больниц и т. д. ...Вот передо мною сейчас встает картина, как мы отправляли людей после демобилизации. Но они не ушли! Ведь раз демобилизованы — можно домой! Так нет! Этого нельзя забывать. Они не ушли домой, они пошли по разнарядке восстанавливать промышленность на заводы, фабрики и во многие другие места...»

С помощью МПВО делалось и великое дело, чрезвычайно важное для обороны всей страны — вывозили из Ленинграда зимой 1941/42 года уникальное оборудование, броневую сталь, цветные металлы, необходимые для промышленности Урала.

Люди, с которыми мы встречались, которых расспрашивали, записывали, называли нам имена своих коллег и товарищей по работе, им отдавая все заслуги, говоря о труде и подвиге известных и забытых руководителей блокадного фронта, которые вносили в жизнь города волю и спокойствие, распорядительность и смекалистый поиск выходов из положений зачастую безвыходных. О тех, кто сначала в уме, а затем на карте и по не ставшему еще льду Ладоги прокладывал дорогу к спасению, кто нашелся и распорядился, когда стали хлебозаводы и город замер в предсмертном забытьи, дать электроэнергию с военных кораблей, кто добыл и снабдил горожан семенами и картофельными глазками весной и летом 1942 года, когда ленинградцы сделались еще и земледельцами, — всего и всех не перечислить и не назвать.

Нас поражали неиссякаемые резервы душевных сил людей. Но также поражало и другое: чего можно добиться организованностью, какие возможности создавала та работа, которую называют таким холодным словом — организационная. Сколько можно, оказывается, сделать, когда ничего уже сделать нельзя, какие можно найти слова, какие чувства извлечь, как много можно (спокойно!) потребовать от других и от себя самого, когда, кажется, никто и ничего уже не в состоянии...

Подсчитано, что за неполных шесть военных месяцев 1941 года рабочий Ленинград сдал Красной Армии и Флоту 713 танков, 480 бронемашин, 58 бронепоездов, 2405 полковых и 648 противотанковых пушек, около 10 тысяч минометов, изготовил свыше 3 миллионов снарядов и мин, более 80 тысяч реактивных снарядов, авиабомб. Кроме того, на Кировском заводе, на заводе «Металлист» и других было отремонтировано около 500 танков и более 300 орудий. Адмиралтейский, Балтийский и другие заводы перевооружили, отремонтировали 186 кораблей.

В труднейшем 1942 году было эвакуировано около миллиона человек...

И все это, и все это в тех условиях, *в таких* условиях!.

Изо дня в день

Для живых жизнь продолжалась: работа, тревожные мысли о последней радиосводке, заботы о еде, тепле, близких, — в сутках были все те же двадцать четыре часа, каждый день проходил сквозь человека и ни один мимо. В рассказах, в сегодняшних воспоминаниях блокадников много точных фактов, состояний, деталей. В них и повседневная жизнь запечатлена: память (особенно женская) цепко, резко зафиксировала невероятную реальность тех дней и ночей.

Но именно дневники особенно полно передают дыхание того времени, знобящей повседневности, когда жизнь и смерть сошлись предельно близко, склонились вместе с блокадником над его чуть теплой «буржуйкой»...

Как ни странно, многие вели дневники. Некоторые по старой привычке, по давней привычке к бумаге, перу. Нередко в этих дневниках не только умение фиксировать факты и переживания, но и стремление осмыслить заново и человека, и историю, и вообще целый мир: война, блокада давали для этого предостаточно и поводов и «материала». К такому типу дневника относятся «подневные записки» директора Архива Академии наук СССР *Георгия Алексеевича Князева* «В осажденном Ленинграде», которые передала нам его вдова *Мария Федоровна Князева*. Документ этот (в нем более 1200 машинописных страниц!) заслуживает специального изучения и разговора. Пока приведем лишь некоторые места, раскрывающие саму «идею» дневника Г. А. Князева.

«Ухожу на службу[1]. Стараюсь думать о работе, об истории культуры... Пишу о себе не как о субъекте, а как объекте. Все, что я пережил, переживают и многие другие... Многие переживают то же, но все и кончается «трепыханием» сердца, смутно отражаясь, без ярких образов, без ясной мысли в мозгу. Сколько переживаний! И все они забываются, затухают, испаряются. Потом все кажется по-иному, *как надо после*. И какими героями, умниками становятся многие на самом деле обыкновенные люди. Котурны, ходули являются на сцену, лишь когда смотрит зритель.

Но никто не знает, что делается в душе человека, когда он сам с собой, со всеми своими противоречиями, подъемом и упадком духа. Вот мне и хочется запечатлеть такого человека... Самое позорное для воина — малодушие, трусость. То же и для нас — невоенных. Но 24 часа в сутки «обывателю» никак не удается остаться в натянутом, как стальная струна, положении. Всякую струну нужно настраивать».

Вот человек, автор дневника, и настраивает себя — и через дневниковый самоконтроль также. Чтобы не позволить голоду сожрать вместе с мышцами и душу. Записывая то, что наблюдает на «малом радиусе» (дом, улица по дороге к архиву, работа), старается выходить на «большой радиус».

О «невоенных» защитниках Ленинграда, о погибших и погибающих от голода, обстрелов говорит с уважением, но поскольку это и о себе, формулирует так: «пассивные героические защитники Ленинграда», «героические пассивные защитники» (имея в виду, что не видят врага и не могут нанести ему прямого урона).

«Интеллигентщина! Да, да, чем мы были, тем и останемся... У нас есть еще стыд, совесть. Это

---

[1] Г. А. Князев жил неподалеку от Архива АН СССР, на 7-й линии Васильевского острова, д. 2 — дом Академии наук. Он ездил в инвалидной коляске, ноги были парализованы.

старые, «смешные» интеллигенты создавали великую русскую гуманистическую культуру и предпосылки Великого Октября... Я все силы напрягаю к тому, чтобы сохранить в отношениях с людьми предупредительность, мягкость, чтобы легче было. У меня нет хлеба, но есть покуда слово, бодрое и доброе слово. Оно не заменит хлеба... Но как противно, когда другие, не имея хлеба, швыряются камнями...

1941.X.12. Воскресенье. Сто тринадцатый день.

Целый день приводил свои папки с бумагами в порядок. Запаковал в три папки — одну в другую — свои записки. Сохранятся ли они или пропадут: сгорят, взрывная волна развеет их? Что бы там ни случилось, сложил их, а также и все ранее написанное в книжный шкаф на нижнюю полку».

Среди разных предположений ему ни в ноябре, ни в декабре, ни позже не приходит мысль, что записи его могут достаться вошедшим в город фашистам. Ни разу в дневнике, который в любую минуту мог оборваться смертью, следовательно, в документе искреннем, думается, исповедально откровенном, — ни разу Князев всерьез не представляет себе падения Ленинграда. Он не то чтобы гонит эту мысль как слабость, но просто *представить себе* этого не может.

Дневник свой он вел не для того, чтобы занять время. Архив АН СССР продолжал работать. Под руководством Г. Князева продолжалось создание «Истории Академии наук», сотрудники ходили на работу, собирали документы, часть документов, наиболее ценных, эвакуировали. Это был дневник рабочего человека. Каждодневные записи по нескольку страниц производились после рабочего дня. В них не только описание тревог, бомбежек, голода, в них — работа архива, быт учреждения, сотрудников, общественная жизнь города.

Интересно по дневнику следить, как менялись взгляды и оценки самого автора и на войну, и на голод, и на назначение человека. В такого рода подлинных документах драгоценны подробности городского быта, вид улиц, зданий, запахи, краски, звуки — все, с помощью чего можно представить себе Ленинград того времени. Детали такого рода уцелели большей частью лишь в дневниках. Там они сохраняются в подлинности, не зависимые от капризов памяти.

«Сфинксы, мои древние друзья, одиноко стоят на полупустынной набережной...

Напротив них мрачно глядит заколоченными окнами массивное здание Академии художеств. Каким-то тяжелым белым величием оно и теперь подавляет. Поредел и обнажился Румянцевский сквер. Там бивак. Бродят красноармейцы, горит костер, лошадь щиплет остатки пожелтевшей травы. Около обелиска стоит какой-то фургон; по аллеям — несколько грузовых автомобилей; остальные, почти целиком наполнявшие сад, куда-то ушли. На Неве темная свинцовая вода рябит под падающими крупинками мокрого снега. Против Сената стоит трехтрубный военный корабль, почти закрывая с Невы величественное здание. Дивный памятник Петру потонул в насыпанном кругом него песке... Основатель города — в темноте деревянного футляра с песочными мешками... Осенний пейзаж. Я каждый день и каждый раз взволнованно переживаю видение этой дивной ленинградской панорамы. Выходя из дверей парадной, я первым взглядом убеждаюсь: целы сфинксы, цел Исаакий, цела Адмиралтейская игла, цел ангел с крестом на Александровской колонне...

1941.XI. 8. Суббота. Сто сороковой день войны.

Печальное зрелище представляет собой ряд старинных домов по набережной от 1-й линии до университета: все они стоят с вылетевшими или разбитыми окнами. И Меншиковский дворец был, по-видимому, в центре взрывной волны, все его круглые окна вверху и окна в среднем этаже над балконом зияют пустотой, не осталось ни одного стекла. В нижнем этаже выбиты только отдельные стекла. В крыльях Меншиковского дворца также множество разбитых и вылетевших стекол, исковерканных рам. Такие же разрушения в доме б. Архива военно-учебных заведений и в филологическом факультете университета. Что случилось, так я и не мог понять: разрушений от бомб самих зданий нет, цела и набережная. Дворник сказал мне, что бомба упала в Неву близко от берега и разбила все стекла на набережной. Но, может быть, это результаты разорвавшихся снарядов вчерашнего артиллерийского обстрела, когда мы утром слышали канонаду. Есть и третий вариант. Напротив, у Сената, стоит трехтрубный военный корабль с морскими дальнобойными орудиями. Из них, говорят, третьего дня во время налета стервятников было сделано несколько залпов. Мне и раньше говорили моряки, что если заговорят дальнобойные орудия с кораблей на Неве, то у нас на набережной все стекла из окон повылетят.

В Академии наук покуда все по-прежнему; только старые рамы в окнах Зоологического и Этнографического музеев закрывают пластырем из фанеры.

Всматривался в набережную противоположного берега Невы. Новых разрушений в окнах не видно, потому что большинство из них давно забиты щитами.

1941.XI.19. Трубы кораблей, стоящих вдоль набережных по Неве, окрасили в белый цвет. Автомобили грузовые из окрашенных зелеными пятнами покрылись белою краской, под цвет снега.

Нева начинает затягиваться льдом.

Около здания Первого кадетского корпуса по Съездовской линии все время у ворот и подъездов толпятся женщины, молодые, старые, дети, ожидающие свидания с родными — ранеными и выздоравливающими бойцами. Иногда почему-то толпа быстро перебегает с одного места на другое, заглядывает в окна. У одних вдруг глаза повеселеют, другие стоят угрюмые, раздраженные или совершенно ко всему равнодушные. У некоторых узелочки в руках.

И без того плохо одевавшиеся ленинградцы теперь совершенно потеряли всякий стиль, особенно женщины. Вчера видел пару: он в военной форме, она под ручку с ним в серой стеганке, ватных штанах-шароварах и коричневой феске с кисточкой. А лицо молодое, простое, довольное. Идет, по-видимому, с женихом или молодым мужем. Одежда других сборная, с «хронологическими наслоениями». Трудно, почти невозможно будет восстановить впоследствии художнику, писателю эту толпу, как она выглядит на улице; неизбежно придется прибегать к выдумкам и бутафории».

Такие дневники редкость. Большинство людей записывали свои переживания, свою борьбу за жизнь, за близких. Есть дневники — трагические повествования о судьбе какой-либо семьи или человека, о том, как он отчаянно сопротивлялся, как работал (большинство дневников вели люди работавшие). Попадались нам дневники, описывающие главным образом, где и что съедено, как отоваривали карточки, сколько продуктов выдавали. В одном из них со всевозрастающей скрупулезностью *В. Беляков* записывал:

6 января 1942 г. Ходил в столовую на Чубаровом пер. Скушал четыре порции каши из дуранды — больше ничего не было. За кашу оборвали 50 гр. крупы... Каша плохо переваривается, чувствую боли в желудке...

16 января. За хлебом стоял около двух часов. Встал в 5 ч. утра... и только в 8 часов получил теплый хлеб... Обед сегодня принял сказочный характер, он длился с 11 ч. до 16-30. За это время скушал одну тарелку щей, один суп-лапшу и один перловый суп. Много пил воды, лицо сильно опухло...»

С непонятной ныне настойчивостью перечисляются почти ежедневно эти цифры, тарелки, граммы. В этом была жизнь, а может, это казалось самым важным, самым ценным и для истории? И тут же изо дня в день тянется рассказ о том, как он, Беляков, искал, кто бы ему переделал боксерские перчатки в рукавицы, потому что руки мерзли беспощадно, а надо было носить и дрова, и хлеб, и воду.

Многие только с наступлением блокады принялись — впервые в жизни — записывать. Люди вдруг ощутили, что оказались в центре событий таких, в которые завтра они сами не поверят: да было ли, могло ли такое происходить, можно ли было пережить все это? Вот записи нашего разговора с Галиной Григорьевной Бабинской. О ней мы уже упоминали — высокая немолодая красивая женщина, живущая в старой «петербургской» квартире, где и рояль, и стены, и лепной потолок тоже как бы часть «блокадного дневника».

«— Вот обваленный потолок был заделан потом, знаете, как это ни странно, пленными немцами.

— Что? Вот эти рисунки — это они делали?

— Нет, там штукатурка просто была. Вот эта заплата, светлая, это заделали они. У нас сосед был, которому дали немцев на ремонт его комнаты, а он к нам их направил ремонтировать потолок. Это было, наверно, в сорок шестом или сорок пятом году. Если не в сорок четвертом. Здесь нужно восстановить лепнину и роспись, но это дорого и руки не доходят. А вот осколки стекла тут, в рояле, блестят до сих пор. В доме напротив взорвалась бомба. Дом был тогда двухэтажным (сейчас надстроено два этажа). Я была на работе. А мои мама и бабушки оставались здесь. Это был сорок второй год. Сейчас я старший научный сотрудник Государственного музея этнографии народов СССР. Так что я этнограф, до некоторой степени путешественник. Заодно мы еще и туристы: вдвоем с мужем лодочники. Вот у нас и байдарка тут стоит.

— Дневник писался, когда вам было девятнадцать лет?

— Да, мне было девятнадцать.

— Скажите, с какой мыслью вы его писали?

— Трудно сказать. Вероятно, все-таки события были таковы, что как-то остаться незафиксированными они просто не могли. Самая главная мысль была та, чтоб когда-то, когда все это кончится (а в этом сомнения не было, раз мы писали такие вещи), вот когда все это кончится, и самой читать, и, очевидно, прочесть тем, кто этого не видел.

— А до войны вели дневник?

— Ну, школьный, какой-то там ерундовый... Привычка писать у меня, надо сказать, и до сих пор сохранилась.

— И уверенность была, что выживете?

— То есть в этом не было никакого сомнения! Это какая-то глупая надежда была. Вот даже идешь по улице, — обстрел и бомбежка, и почему-то думы о том, что это может коснуться меня или моих близких, у меня никогда не было: где-то с кем-то что-то, но не со мной и не с моими близкими.

— А какая у вас была семья? С кем вы тогда жили?

— Я, мама, две бабушки было на тот момент».

Галина Григорьевна читала нам свой дневник и поясняла его время от времени:

«— «15 декабря 41 года. Прошел последний трамвай. Трамвайные пути занесены снегом и покрыты льдом. Провода повреждены. Вагоны стоят на путях»... А надо сказать, что потом я стала работать в Трамвайно-троллейбусном управлении и восстанавливала как раз вот ту самую трамвайно-троллейбусную сеть, о которой первые строчки моего дневника. «25 декабря. Увеличили норму хлеба: со 125 граммов до 200 граммов (это служащим) и с 250 до 350 — рабочим. Кузька спасен от смерти...» Кузька — это кот. Этого кота мы собирались со дня на день съесть, со дня на день покушались на его жизнь. Кот был чистый, домашний, очень хороший и очень любимый. И запись эта не случайна, поскольку каким-то образом этот момент был отсрочен. Ну, мы думали, что он вообще спасен, но ничего не получилось. «28 декабря. В квартиру перестала поступать вода. Приходится брать ее в первых этажах... Деликатный момент: 30 декабря последний раз пользовались уборной. Двор принял первый «подарок» в конвертике...» Понятно? Да? Можно не комментировать. «Редко чистим зубы. Моемся не больше одного раза в сутки. Вода в ведрах и банках на кухне замерзает. В конце января переставились в комнате: в комнате «буржуйка». Греемся, готовим пищу три раза в день и пользуемся ею (то есть «буржуйкой») как освещением. 18 января. Догорела последняя свечка. В керосиновую лампу налит бензин. Пользуемся ею только во время еды...» А вот это существенно, это вообще говорит о нашем состоянии: во время утреннего завтрака, на кровати, рядом с обеденным столом, в той вот комнате умер Меншиков. Это одной из наших бабушек приемный сын. Ну, это, в конце концов, неважно — приемный, не приемный. Важно то, что человек лежал тут же в комнате на кровати, пока мы принимали вот эту самую долю утренней пищи. Он умер, но завтрак был доведен до конца. Наступило уже какое-то торможение, не было места для таких эмоций, которые естественны для нормального человека и для нормального состояния... «За рытье могилы и похороны просили килограмм хлеба и 300 рублей деньгами».

— За похороны триста рублей?

— Да, и один килограмм хлеба. А где взять килограмм хлеба, когда по карточке не хватает, а на рынке совершенно бешеные цены. Вот поэтому так и свозили — в простыне, на саночках и куда-то в угол. В связи с этим обязательством управхоза (это, видимо, по распоряжению милиции — управхозами милиция, наверно, ведала) «Обязуюсь трупы умерших безродных граждан не вывозить на кладбище без гроба». Потому что часто трупы находили во дворах, на чердаках, на лестницах. «По словам врача К., умирает 80%

194

мужчин»... Это все середина января. «Дрова из сараев переносятся в квартиры, потому что из сараев и дрова тащат, и сараи разбирают на дрова... Мама ежедневно распределяет нормы хлеба по кускам...» Это то, что я вам уже говорила. Ну, вся эта норма делилась на три части в день, а потом еще каждая эта часть должна была делиться по членам семьи. «На улицах нет ни одной кошки, ни собаки: все съедены в январе. А еще в начале ноября дохлые кошки валялись, завернутые в бумагу».

— Выбрасывали?

— Их тогда еще выбрасывали, а теперь уже нет.

— А кошка ваша уже съедена?

— Еще нет... «В начале ноября получено разрешение на разборку предохранительных ящиков из-за недостатка света днем, в связи с чем резко ухудшилась светомаскировка... Декабрь и январь — месяцы астрономической смертности: люди мрут возле дома, на улице, на работе... Умирая буквально на улице от голода, перенося сверхъестественные лишения — отсутствие света, тепла, бытовых удобств и т. д., а главное, достаточного количества пищи, — никогда не слышно ни жалоб, ни пораженческих разговоров...» Вот так у меня записано. И это действительно было так: абсолютно никто ничего. Характерно, что большинство ленинградцев чем дальше, тем больше принимали свои желания за действительность. Так было с прорывом кольца блокады, прибавкой норм, занятием Мги и т. д. Тут еще записан целый ряд моментов: закрыты парикмахерские, закрыты кинотеатры, Театр комедии, Ленинского комсомола. Музкомедия работала сначала периодически, вскоре прекратила свое существование. Город замер. «Объявление на двери магазина: «Продается новый гроб». Дальше идет цена, размер...» 17 января. По Пионерской улице резко пронеслась овчарка. Прохожие проводили ее жадными бессильными взглядами». ...Вообще удивительно, потому что откуда эта овчарка, да еще так резво пронеслась?..

— Может быть, военных?

— Да, может быть... «Выгорают каменные здания. Пожары длятся неделями. Мер к тушению не принимают: нет воды, неисправен водопровод. Затопило проспект Карла Либкнехта на участке Блохина — Пионерская и Введенская. Это почти от Тучкова моста и Пионерской и Введенской. Вода вышла на панель, в воду попадают автомобили до половины колес». И тут вот страшное случилось. Я сама тоже видела. Вышли мы на улицу. И вот здесь, около моей школы (через дорогу от школы, где я училась), в воду попала женщина. Ее вытащили и поставили на приступочку перед дверью школы. Но ее ведь только поставили. Вот так прислонили к стенке. Но так как мороз был сильнейший, то, видимо, ничего не могли с ней сделать. Вот так и оставили. Я ее видела сама, вот такую замерзшую.

— Стояла замерзшая?

— Ну да, потому что двигаться она не могла. Дойти до дому она не могла, и дотащить ее тоже никто не мог.

«Характерная фраза одной старухи: «Попадись он мне, сукин сын (речь идет о Гитлере), я бы ему дала баню!» А сама старуха еле говорит от слабости и старости. Все деревянные дома, ларьки и стадион Ленина — все снесено на топливо... 15 апреля. Из трампарка вышел первый маршрут пассажирских трамваев — 3, 7, 9, 10 и 12. Пошли уличные часы на Большом проспекте... Осенние плакаты «Все на фронт!» сменились плакатами «Все на огороды!»... Объявления о продаже гробов сменились объявлениями о продаже мебели, домашней утвари, носильных вещей... Карточки отовариваются целиком, но продукты отнюдь не дешевле (рыночные, разумеется), достать их почти невозможно, еще более невозможно, чем зимой... Разрушенные дома маскируются декоративными стенами. Очень долго разрушенный дом на углу Невского проспекта и улицы Герцена (где было здание института) был замаскирован всякими фанерками плакатиками и т. д. Места, где разрушены здания, разработаны под гряды...» Ну, дальше целые страницы всякой лирики...»

Теперь из дневника *Елены Николаевны Аверьяновой-Федоровой*.

«— Как вы начинали этот дневник, почему?

— А я не начинала... Я даже не знаю, что меня толкнуло... Я провожала человека, он пошел добровольцем на фронт. Думаю: надо записать, как там будет что... Ну, не знаю...

— Прочитайте, пожалуйста, что вам самой кажется интересным.

— А мне сейчас это кажется уже не очень интересным... Значит, сначала идет про этого Федю. Потом: «Хлеба стали давать уже 600 граммов». Уже начинается сбавление. Дальше: «14 августа 1941 года. К нам пришли жить бабушка, тетя Таня, кока (моя крестная) и сестра. У них ничего, кроме своих карточек, нет. У Тани немного крупы, килограмма два, картошки килограмм и сахару немного, у бабушки ничего. Но зато у нас с мамой крупы (пшена) 4 килограмма, чечевицы 3 килограмма, риса 4, манной 2,5, овсянки килограмм и что-то еще, сахару 6 килограммов (нет, песку 5 килограммов), чай, кофе, соль, горчица... Все продукты пустили в общее пользование: варили все на всех, ни с чем не считались. Купили капусты на 150 рублей, посолили и все время варили щи, а потом кашу и каждый день ели досыта. Все было хорошо, да еще получали продукты по карточкам. В сентябре мы еще жили прилично, так что хватало на пять человек. Только вот каждый день вечером в 7 часов начиналась бомбежка. Но мы в убежище не ходили».

Чувствуете: «все время варили щи», «каждый день ели досыта» — какая досада и горечь сопровождают эту опрометчивость! Спустя два-три месяца эта нерасчетливость будет мучить голодными видениями. Кто мог знать, как оно все обернется. У опытных старых питерцев, видевших голод двадцатых годов, и у тех не было ни предчувствия, ни предусмотрительности.

А Елена Николаевна продолжала листать дневник:

«— Дальше идет опять про Федю... Ага, вот: «Плиту топим через день. Готовим все на плите. Керосина не дают, приходится жечь дрова. У нас их пока много. Думаю, на зиму хватит. Больше пока никто не дает, хотя в коммуне пять человек. Ну а все-таки держится наше хозяйство, пока все есть. О дальнейшем не беспокоимся. Ну ладно, надеюсь, что хватит на всех, а там видно будет, что дальше. Мы еще живы. Ведь это очень много. Бомбят, и страшно. Разрушено много домов, ну, конечно, не без жертв».

А с Федей... Хочешь не хочешь — ни обойти, ни миновать, она входит, врывается в блокадное существование, история той первой любви. В Ленинграде, как нигде, фронт и город сплелись, соединились родственно на все девятьсот дней. На фронт уходили пешком, с фронта тоже. Город был виден из окопов, видно было, как он горел, выгорал. Каждую ночь светились вдали багровые оскалы пожарищ. А днем силуэт города, знакомый, родной, изученный до малейшего изгиба, курился и тлел копотным дымом. Город поедали обстрелы, бомбежки, пожары. А трубы не дымили. Ни заводские, ни бесчисленные печные над снежными волнами крыш. И воздух был прозрачен, оптически чист, так что видно было далеко. Никогда еще город не проступал с такой четкостью на бледном северном небе. Город был виден с переднего края из-под Пушкина, и с Пулковских высот, и с Красного Бора.

«9 октября. Сегодня ездила к Феде на ст. Шушары. Опишу все по порядку. Еще с вечера собрала все, что отвезти; взяла ему носки теплые, шлем его, просил привезти трубку, табак и вместо хлеба купила пряников, 600 граммов конфет «Крыжовник», сахару, вина даже маленькую бутылочку, папирос, конверты, бумагу — все. Утром собралась, вышла в 6 часов. Зашла за Наташей». Была у меня такая знакомая, которая ходила вместе со мной... «Очень много часовых пришлось пройти — либо уговаривать, либо обманывать, либо дать папирос за то, чтобы пропустили. Одних обошли минным полем, а не по шоссе, и долго шли полем, а потом уже около Шушар вышли на настоящую дорогу. Но здесь опять патрули не пропускают, говорят: «Куда вы идете, там фронт». И верно, стреляют очень здорово. Но я решила не отступать, все равно идти. Наташа говорит: «Ну, ладно, пойдем домой». Я говорю: «Нет, теперь уже почти пришли, осталось немного, и обратно я не пойду. Можешь возвращаться, я пойду одна».

Пошли вдвоем. Встретили военного. Он помог уговорить часовых, и нас пропустили. По дороге мы встретили женщину — военного врача, и как раз того полка, где наши ребята. И того и другого она знает. И вот благодаря ей мы скоро нашли землянки, где они находятся. Но их недавно разъединили, и Кузю перевели дальше, а Федя остался здесь. Наташа пошла дальше, я стала ждать Федю, так как его на месте не было: он был связным. За ним командир послал бойца, а меня пригласил в землянку погреться, так как на улице было холодно, а я была в осеннем пальто, замерзла. И вот я зашла в землянку. Вскоре пришел Федя. Сперва мы даже не знали, что сказать, ничего не нашлось. Командир его отпустил. Сказал: «Пойдите погуляйте. Когда проводишь, то придешь и скажешь».

Вот мы с ним пошли в один дом. Там была хозяйка. Усадила, угостила нас. Поговорили. Потом опять начался обстрел. Перешли в землянку, там было неуютно. Потом я пошла домой. Все, что привезла, ему отдала. Конечно, он был рад и мне и подарку. Так он проводил меня до первого поста. Дальше ему идти было нельзя. Я пошла домой опять пешком по шоссе. Вышла из Шушар в 2 часа, а в 6 часов вечера мне нужно было на работу. А идти далеко, да и устала и тяжело. Но ничего, зато Федю видела! Только стала подходить к мясокомбинату, опять начался обстрел, и так близко снаряды рвались — прямо жутко! Остановиться нельзя — время не ждет, боюсь опоздать на работу. Бежала, согнувшись, до самого трамвая. Устала как собака! Приехала домой уже в шестом часу и только успела поесть, переодеться — надо уже на работу. Пришла на работу усталая, спать охота. В 8 часов тревога. Пошли в бомбоубежище, так я там уснула. Немножко отдохнула. Но я не смогла даже работать — так я устала.

10 октября. Сегодня от вчерашней прогулки все тело болит, как будто на мне возили тяжести, до чего все болит! Но зато Федю видела! Не знаю, доволен ли он или нет, что я к нему, несмотря ни на какие трудности и обстрелы, все-таки приехала, но я довольна, что его видела. Он выглядит хорошо, рассказал мне, как были в боях, как по пять дней ничего не ели, как их часть разбили, как они хотели бежать в Ленинград, но по дороге встретили своих и остались в Шушарах.

Да, в 18 лет так много испытал — не хорошего, не легкого, а тяжелого. Он рано понял, что жизнь тяжелая, и теперь ему еще и войну и бои пришлось пройти. Молодой, а пережить пришлось много. Вот за это он мне еще больше дорог, что ничего хорошего не видел и опять пришлось нести тяжелые испытания. Война! «Вот, — он говорит, — у меня нет ни отца, ни матери, а ведь у других есть, и ни к кому никто не пришел, а вот ко мне ты пришла». Я ему говорю, что постараюсь тебе заменить отца и мать, друга и сестру, всех, и все, что зависит от меня, я всегда для тебя сделаю. И я свое обещание выполняю...» Я еще думала тогда, что встретимся, долго была надежда. Погиб он...

«11 октября. Федя просил меня достать перчатки и рукавички. И вот я решила достать через фабрику. Мне помогли в фабкоме, выдали не только рукавички кожаные, стрелковые, хорошие, но и теплое белье, и я поеду к нему в воскресенье еще раз, свезу. Спасибо, они позаботились, помогли мне все достать для Феди.

Сегодня собирали деньги для подарков бойцам. Все давали по пять — десять рублей, а я уже не считала, дала тридцать. Ведь это же наши бойцы, они нас защищают.

14 октября. Сегодня сбавили норму хлебу до 500 граммов.

15-е. Опять сбавили норму до 400 граммов.

16-е. Сегодня опять ездила к Феде в Шушары. На этот раз пришлось потруднее. Ездила одна — Наташа больше не захотела. Я решила добраться, как бы трудно ни пришлось».

И добралась. Сколько написано книг, сколько примеров подвига женской любви, и все равно вновь поражаешься, слушая это скупое, неумелое описание походов из города на фронт, в окопы. Пока голод не навалился. Потом уже сил не было.

«— Из тех ребят, что ушли у нас добровольцами, почти никто не вернулся. Девочки некоторые вернулись. Их как-то отправили сразу дальше за Ленинград. Они вернулись, несколько человек, двое или трое. И я до сих пор еще подруг встречаю.

— А Федя, он с вашего завода?

— С нашей фабрики, где мы тогда работали... «17 января 1942 года. Тяжелое время! Уже семь месяцев как продолжается война с Германией. Все, что мы пережили за это время, очень трудно описать. Но эти трудности еще не кончились, а только сейчас самый тяжелый период этого времени. Опишу некоторые факты. 15 января. В этот день мы хоронили свою бабушку, и то, что я увидела в этот день... Я никогда не могла подумать, что может такое случиться. Хоронить пришлось без гроба, потому что гробов нигде не купишь, а сами сделать не в силах, а кого-либо просить это сделать можно только за хлеб. Но где же его взять, когда мы сами получаем 350 граммов в день и, кроме хлеба, больше...» (Плачет.) Что это такое!.. Даже не думала, что буду плакать... Ну, ничего... «Ну где же его взять, когда мы сами получаем 350 граммов в день и, кроме хлеба, больше ничего. Уже 18 дней как живем на одном хлебе. Голод продолжается уже четвертый месяц. Мы съели все, что у нас было, общей коммуной, и все было хорошо. А теперь, когда у нас уже ничего не осталось...»

— Вы продолжали жить вместе?

— Да. А вот сейчас будет распад. Когда у нас ничего не стало, начнется распад, все будут уже уходить. Мы с мамой останемся вдвоем. Правда, она потом на оборонные работы уйдет, а я на казарменное перейду. Но самое-то трудное время я работала на фабрике и жили мы все-таки дома.

— Вам тогда было двадцать, а маме?

— А маме было пятьдесят. Она тысяча восемьсот девяностого года... «Не давали ничего продуктов. Еще в том месяце кое-какие продукты давали, но зато хлеба давали только 250 граммов...» Это еще, значит, в декабре было двести пятьдесят граммов. Это в блокаду была самая маленькая норма рабочим, а потом — триста пятьдесят. Но у нас были рабочие карточки, мы работали... «А продукты такие, что в тот голод, в восемнадцатом году, даже, наверно, совсем...» Не разбираю, что написано... «Хлеб очень плохой, с примесями разными... Но сейчас даже и этого не дают... Везли мы бабушку на кладбище на санях по очереди: я, мама, Таня, Шура. Сами едва ноги волочили. От такого питания не знаю, как мы все еще живем... А друг за другом — беспрерывная цепь с покойниками, большинство без гробов. Но этого мало. Хорошо, если везут свои родственники, а то того хуже — привезут целый грузовик нагруженный, раздетые, разутые, кто как и кто в чем...» Собирали людей на улице. Идет человек, падает, умирает — и его в машину. И вот там, на кладбище, такие большущие братские могилы были... «Шесть грузовиков и три повозки на лошадях — это при нас привезли, — полные покойников. Смотреть жутко! А сколько уже перевозили и не успели зарыть! Рабочие, которые присланы сюда с фабрик и заводов (потому что заводы не все работают), не успевают вырывать ямы, хоронить. Хоронят теперь всех в общую могилу, без гробов, друг на друга... Вот еще месяц назад, т. е. 19 декабря, когда мы хоронили Коленьку...» Сестренки Шуры маленький сынишка, мой племянничек... «...то могилы были уже за пределами кладбища, на новых участках. А теперь еще дальше общие могилы».

— Это какое кладбище?

— Охтенское, Большая Охта. Оно и до сих пор существует. Там большие братские могилы. Вот туда мы везли бабушку. А Коленьку мы хоронили еще на нашем месте, где у нас папа похоронен, на Георгиевском кладбище — так оно называлось... «22 января 1942 года. Свету нет, воды нет, движения нет. Трамваи не ходят. Автомашины проходят очень редко. Зато очень много пешеходов с санями, гробами, с мертвецами. Это единственное движение по городу. Магазины все закрыты, только булочные да некоторые продуктовые магазины, и те пустые и темные. Люди все опухшие, страшные, черные, грязные, тощие. Прошло семь месяцев. Кажется, что прошло семь лет. Все постарели. Молодые стали такие страшные, старые, что просто жутко смотреть. Очень много домов разрушено. Кто вернется сюда, то навряд ли узнает город сразу. Но все это не так страшно, как голод. Мы меньше всего ожидали, и это получилось... Только бы все это пережить! Тогда уже будем ценить каждый кусочек хлеба — не так, как раньше, даже не хотели смотреть на него... А теперь вся жизнь зависит от этого хлеба и воды. Вот как сегодня: воды нигде не было, вот и хлеб не выпекали. Разбило водонапорную башню, и не было воды на хлебозаводе, была задержка, и в очереди пришлось стоять за ним по 4 часа на таком морозе!..

15 февраля 1942 года. Самое большое несчастье — у мамы украли хлебные карточки. Ведь это же смерть. До 1-го еще далеко. Без хлеба

жить невозможно. Что делать? Когда я пришла с работы и мне мама об этом сказала, я прямо не знала, что делать. Сгоряча я ее поругала, потом разревелась. Но ведь этим не поможешь. Пошли на рынок. Купили 500 граммов, заплатили 150 рублей. Спасибо, что продали. Но ведь каждый день невозможно покупать на рынке, никаких же денег не хватит. Хорошо, если будут давать кое-какие продукты, а если нет, то очень тяжело пережить это время. Я приложу все силы, потрачу все деньги свои и Федины, но только бы выжить. А живы будем, все потом наживем. Только бы пережить! Очень тяжело, но что же делать? На маму сердиться не могу. Наверно, судьба наша такая».

В комнате за столом, кроме нас троих, — светящаяся тихой старостью щупленькая мама Елены Николаевны. Запомнилась: как дерево, что по-осеннему светит кроной, сияет. Молча, внимательно слушает, как ребенок страшную сказку, у которой, уже знает, конец все-таки благополучный..

У каждого был свой спаситель

Мы записали множество рассказов, из которых видно, как люди выжили, хотя по всем объективным данным должны были умереть. Одна из женщин, *Александра Михайловна Арсеньева,* это чудо сформулировала так: «У каждого был свой спаситель». И действительно так. Не в том только смысле, что многие выжили лишь потому, что в самый трудный момент кто-то кого-то поднял на улице, вернул утерянную карточку, поделился последним. Была и более сложная зависимость.

Люди остались в живых потому, что их держало на ногах чувство любви, долга, преданности — ребенку, дорогому человеку, родному городу...

Как говорит *Ершова Зоя Александровна* (ул. Мартыновская, д. 19):

«— Спасла нас всех (ну, всех ли, я не знаю) надежда, любовь. Ну я любила мужа, муж любил семью, дочку. Он близко служил, воевал. И вот когда мы садимся что-нибудь есть, карточка его около нас стоит, и мы ждем, что должен вернуться. И вот только ради любви, ради надежды этой мы все могли выжить. Очень было тяжело. Вот сейчас не представляю себе — ну как мы выжили».

Спасались, спасая. И если даже умерли, то на своем последнем пути кого-то подняли. А выжили — так потому, что кому-то нужны были больше даже, нежели самому себе. Вот и А. М. Арсеньева помнит, что нынешней своей жизнью она обязана людям, которые спасали ее. И не раз.

«Кто меня спас? Вот недавно я нашла своего, можно сказать, спасителя. Она меня устроила в комсомольский полк. Нашла я ее совершенно случайно: она приехала на встречу школьных друзей из Алтайского края.

А первый мой спаситель? Я даже не помню его фамилии, но знаю (мы работали с ним вместе), что он был шофер. Кого он возил, уже теперь не помню, знаю, что его звали Саша. Очень симпатичный парень был. И вот как-то он приехал к одной женщине и решил забрать своего племянника. Привез он ей спирту немножечко, чуть-чуть гречневой крупы и, конечно, чурки — отапливаться. Вот они сидят за столом, какой-то сыр, как мыло, едят. А я лежу. Саша смотрит: «Кто это у тебя?» — «Да вот женщину нашли без сознания. Была бомбежка. Не знаю, кто она такая». А я-то его узнала, я так слабо-слабо говорю: «Саша!» Он так посмотрел, подошел ко мне и говорит: «Александра Михайловна! Это вы?» Я говорю: «Я, Саша».

И вот он пошел на работу (а я там была списана как пропавшая без вести), пошел, сказал, где я. Ко мне пришли, потом уже на́ саночках доставили домой; больничный дали. А я уже умирала! Ну, девочки у нас были хорошие. Они с меня снимали платье (у меня платье с Невского, 12[1], — золотистое, шелковое). Вот это платье выстирают (я лежу голая) — наденут, выстирают — наденут. Каждый, кто приходил, все почему-то платье стирали. Я лежала в чистом, у меня не было вшей. На работе я осталась главным бухгалтером. Ну какой я главный бухгалтер, если я думала только о хлебе? И дочку я взяла с собой на работу...»

Сколько их, подобных случаев! Каждый отдельно может показаться нечаянным, но, когда слышишь о них подряд, начинаешь понимать, что за этим стоит.

«Идем мы с Ларисой (дочь моей подруги Лены) через Баварский мост, что у «Красной Баварии», подходит моряк и говорит: «На, девочка, держи от дяди Вани!» — и дал килограммовую банку американской тушенки. Мы бегом домой, и все четверо ели не разогревая», — вспоминает *Вера Ивановна Павлова* (Тосно, ул. Боярова, д. 52).

Такие случаи запоминаются во всех подробностях. На всю жизнь врезалось: и Баварский мост, и облик этого безвестного моряка, и как они ели эту тушенку, которая, может, спасла их, и Ларису и Колю, взрослых ныне людей, у которых уже свои дети. И когда В. И. Павлова навещает свою подругу Лену, которая уже нянчит детей Ларисы, они вспоминают того моряка на Баварском мосту, и он уже существует и для внуков, которые его никогда не видели.

«В конце ноября мы потеряли хлебные карточки, — пишет нам *Зинаида Владимировна Островская*, — запасов у нас никаких не было, потеря эта для нас могла оказаться роковой. В соседней квартире жила семья Иваненко. Кроме четверых взрослых там еще застряла семья невестки из Луги с тремя детьми. Младшая дочь хозяйки, Ирина, была замужем за капитан-лейтенантом, который погиб в первые дни войны...»

---

[1] Известное в Ленинграде ателье.

И вот выстраивается цепочка спасающих и спасенных: моряки, сами жившие на полуголодном пайке, время от времени приносят семье погибшего товарища какие-то продукты («тогда ведь все исчислялось на граммы»), и что-то перепадает, в критический для них момент, и соседям... («Валентина Ильинична Иваненко... принесла нам стакан риса. Сейчас невозможно представить, что это тогда значило. А ведь у нее самой было 8 голодных ртов. Мне это вовек не забыть. Из их семьи остались в живых только Ирина и невестка с детьми, эвакуировавшаяся в феврале».)

Незнакомый, безвестный, безымянный солдат спас Марию Ершову. Он пришел к ней на прием в поликлинику, стал жаловаться на расстройство желудка. Она спросила, что он ел. Он сказал — конину.

«Я всегда очень застенчивая была, а тут впервые попросила, не сможет ли он достать мне конины. Он говорит: «Доктор, что вы? Неужели вы будете есть конину?» Спросил адрес и принес мне большой кусок конины. Ну, я взяла, потом поделилась с соседками».

Она рассказала это с удивлением. Столько лет прошло — и до сих пор удивительно и, может, стало еще удивительнее. Потом задумалась и вспомнила, что ведь был еще человек, который ее спас без всяких даров, делясь совсем другим.

«Я уже получала рабочую карточку. И все равно я продала все, что могла, на рынке. Зарплата у меня была приличная по тому времени, я все-таки врач. И я ведь все только для себя. Детей-то увезли. И все равно я умирала. Меня тогда спасла соседка. Ее сейчас уже нет в живых. Но я встречаюсь с ее дочерью Аллой. Один раз я просто не пошла на работу — не могла. Наконец моя соседка обнаружила, что я дома лежу, встать не могу. Есть нечего. Совершенно не отапливаюсь. Она забрала меня к себе. Мы жили в одной квартире. Полина немножко крепче была. Ломала, таскала какие-то дровишки, топила. Ее дочери было лет шесть, наверное. Полина согреет нас, чай нагреет.

Я заболела в этот период воспалением легких. Так она пойдет на базар, поменяет там черный хлеб на кусочек чего-нибудь сладкого. Однажды дочь оставила ей вот такой кусочек хлеба — не съела сама. Мамочку она любила. И вот моя соседка Полина Георгиевна этот кусочек долго не ела, хранила. Потом все-таки съела».

Никто не мог оставить на память даже кусочек того ленинградского хлеба. Каким бы дорогим, святым он ни был. Все же мы допытываемся:

— Почему соседка взяла вас к себе? Что ее заставило?

Ершова думает. Сперва она отвечает:

— Мы в одной квартире жили. — Потом говорит: — Мы дружили. — Потом она находит какую-то во всем этом более важную, насущную мысль: — Мы до сих пор дружим. Сейчас мои внучки дружат с ее внуками, ездят к ним в гости, они сюда приезжают.

Мысль ее как бы восходит к достойности этой дружбы, к знатности ее происхождения. Блокадные испытания как бы украсили «генеалогические древа» обеих семей; порядочность, благородство во время блокады стали семейной гордостью. Так, по крайней мере, наблюдалось во многих семьях потомственных ленинградцев.

В трудовых коллективах, устойчивых, коренных, таких, допустим, как Кировский завод, Публичная библиотека, Металлический завод, милиция — там тоже репутация блокадных лет является как бы гарантией порядочности.

Историк *Татьяна Николаевна Токарева* помнит, знает счастливые моменты своего блокадного жития-бытия, и связаны они все с тем же — с человеческой взаимовыручкой, добротой и добром, сделанными тебе, сделанными тобой...

— А у нас печурки не было. Была квартира, но не было печурки, а была большая печка, в которой мы жгли классические энциклопедии и так далее. Они не хотели гореть, но в общем ничего, жгли. И вот мы идем с хлебом. Короче говоря, мы с мамой его получили, и навстречу идет печник и несет печку. Мы его спросили — что да как. Он говорит: «Эту я уже продал, хотите, пойдем ко мне». И мы пошли. Это было на Белевском поле. Пришли, приходим в его квартиру. У него восемь человек детей.

Причем у него еще там племянница и половина детей уже лежащих, собственно говоря, с голодухи, не встающих и очень слабых. Сам он еще ходит, жена — тоже. Да, вот он дает нам эту печурку. А у нас положение такое, когда нам идти домой, собственно говоря, незачем, там отец лежит, он лежит мертвый, и мы не сумели его похоронить, ничего не смогли сделать... А печник говорит: «А знаете что? А у нас тепло, оставайтесь у нас. Есть и у вас нечего и у нас нечего, но у нас зато тепло».

И мы остаемся. Мы с матерью остаемся. Он нам стелет на полу, тут же и его дети, восемь человек. Хозяйка приносит откуда-то из разваленного рядом дома дрова, и вот печурка все время горит. Все лежат почти вповалку. Что можно было обсуждать, как не вкусные рецепты? И разговор идет очень долго — всю ночь. И мы остаемся у него три дня...

И вот мы остаемся. И тогда решаем пойти посмотреть почту, пойти домой...

— ...А от кого вы ждали почту?

— А у меня муж был на фронте... посмотреть газеты и так далее. Мы приходим — газет нет. Причем тут выясняется, соседи напротив говорят: «Да вот приходил какой-то военный, забрал газеты. Но мы ему сказали, что вы умерли, потому что вас три дня не было (а это уж обычно было: если три дня не было человека, значит, уж он погиб). Но все-таки он сказал, что он еще зайдет». Короче говоря, это, оказывается, был мой муж. Он снова пришел. Приехал с фронта и без всяких, конечно, извещений, с мешком за спиной, со сгущенным молоком, пшеном и так далее. Первое, что мы решаем, — это пойти к этому печнику. И тут, естественно, все очень экспромтно. Значит, мы забираем туда еду...

И там у него остаемся до вечера. Ну... такая немножко сентиментальная история. Печник очень доволен. Он умный был, интересный дядька. Я бы сказала, категория людей, которые недавно из деревни вышли, они откуда-то из деревни приехали. Это такие большие семьи... Вот у него восемь человек. Ну, и проходит много времени. А мама моя преподавала в школе. После блокады мы возвращаемся в Ленинград, — это, наверно, сорок шестой год, — и мама, естественно, поступает обратно в свою школу (в Володарском районе). Вдруг какой-то парень подходит и говорит, что вот... в общем, начинает говорить, что «я очень рад вас увидеть», что «папа много говорил о вас». Ну, в общем, выясняется история семьи печника: отец умер и умерло четверо детей его. Осталось четверо мальчиков, часть их осталась.

Это было очень трогательно, что в их семье память о нас и вообще обо всей этой истории, — что мы пришли, мы остались, мы с ними разговаривали, они приняли как бы нас в свою семью, а мы были такие несчастные, в общем, ужасные, конечно, — и как-то все это было очень трогательно. Мне не хочется это детализировать...»

Открывали других, открывали и себя — с лучшей стороны. Блокадная жизнь, конечно, обнажила и самые затаенные, скрытые пороки человеческие, которые в обычной мирной жизни часто маскировались красивыми речами, заверениями, умением понравиться, быть душою общества и тому подобными способностями. Но происходило и обратное. За молчаливостью, угрюмостью, резкостью, неучтивостью вдруг открывалась такая готовность помочь, такая сила нежности, любви, сочувствия!..

Сотрудница Эрмитажа *Ольга Эрнестовна Михайлова* говорит:

«— Блокада нас настолько крепко связала, что разъять эту связь мы не можем до сих пор. Блокада раскрывала людей до конца, люди становились как бы голенькими. Ты сразу видел все положительное и отрицательное в человеке. Доброе начало, хорошие стороны расцветали таким пышным цветом! Могу рассказать вам об Анне Павловне Султан-Шах, которая работает в отделе Востока. Она и сейчас еще работает. Она пятьдесят с лишним лет работает в Эрмитаже. Это человек, который сделал для Эрмитажа колоссально много. И вот она в блокаду взяла на себя заботу о пожилом поколении Эрмитажа.

— А ей сколько было лет?

— Она была средних лет. (Сейчас ей восемьдесят с чем-то.) Вот как она за ними ходила, как старалась их сохранить (ну, это громко звучит, но все-таки можно так сказать): дать горячий чай, навестить лишний раз, если не пришел на работу, — сходить выкупить хлеб, помочь там что-то сделать. А ведь сама была не в лучшем положении, чем все. Она не на каких-то особых была хлебах, она тоже работала, как и все. Удивительно, что и сейчас она осталась такой же, хотя внешне это человек даже немножко суровый, не сразу скажешь, что она такая добрая. А если человек имел какие-то плохие задатки, он и оставался плохим, может быть, даже становился хуже. Жадный безусловно мог стараться выжить за счет другого. А тот, кто не был эгоистом, тот все-таки так не делал, он последним делился».

Уже знакомая вам Таисия Васильевна Мещанкина горячо убеждала нас (сама она убеждена в этом), что голубые глазки у девочки, которая со двора всегда так бросается ей навстречу (соседки дочка), — оттуда, из блокадного времени. Не такие, а эти глазки были у девочки, которую она подобрала на снегу...

«— ...Идет женщина, шагов тридцать впереди, а сзади ее идет девочка. Эта девочка уже падает и отстает. А девочка лет пяти. Я иду этой стороной, где завод «Прогресс». Дочка у меня в детском саду. А эта девочка поскользнется, потом встает и опять карабкается по этой каменной стенке. А эта бабушка (бабушка, может быть, такая же, как я) оглянется на нее и опять идет. Почему она ребенка не берет? Я не могла стерпеть. Я перешла дорогу (дом 13 напротив детского сада) и беру эту девочку. А она вот так смотрит на меня. У нее были какие-то особые красивые глаза. Эта девочка в серой шубке, в серой шапке меховой. Это в самый сильный мороз. Не знаю, откуда у меня взялись силы? Я этого ребенка беру на руки и несу в этот детский сад, где была моя девочка.

Нина Николаевна мне говорит:

«Куда вы несете?»

«Нина Николаевна! Я не могла пройти так мимо».

Только я ее внесла, как она говорит:

«Я кушать хочу!»

А там пахнет супом, хлебом. Я говорю:

«Нина Николаевна! Я иначе не могла, простите! Отнимите от моего ребенка паек, возьмите эту девочку.

Я не знаю, почему я не могла, я больше ничего не сделала, только вот это».

Однако вернемся от знакомого к тому, другому, незнакомому человеку, к встречному.

Кто он был, этот человек, который помог работнице *Лидии Георгиевне Охапкиной* тащить санки с вещами, а главное — с посылкой, где были продукты, присланные мужем с фронта?

История Лидии Георгиевны Охапкиной — это особый рассказ, жаль нарушать его цельность, но очень уж подходящий пример.

Наступал вечер. Целый день она ходила, таща за собою эти санки, оформляла предстоящий отъезд, спасительную эвакуацию, и вот теперь надо было возвращаться домой, с улицы Чайковского на Васильевский остров.

«Чемодан и посылку мне было везти очень тяжело, и я выбивалась из сил. На улицах Ленинграда, как только стемнеет, совершенно народу не было. Улицы были пустынные, тихие, была пурга, из-за нее идти еще труднее. На дорогах и панелях лежал снег. Его в ту зиму никто не убирал. Ноги мои тонули в снегу, и я их еле передвигала. Часто останавливалась, тяжело дышала. Вся взмокла, чувствовала, что по лицу и спине бежит пот. Стала считать шаги. Раз, два, три, так до десяти, потом останавливаюсь, передохну. Опять раз, два, три, снова останавливаюсь. Я себя сравнивала с усталой лошадью, которую бьют кнутом, а она не может сдвинуться с места. Один раз я остановилась, чтобы передохнуть, а двинуться потом совсем не могла. Навалилась на свою поклажу и с ужасом думала, что же мне делать. Времени час ночи. На дороге ни души. Я шла по набережной Невы, подальше от домов: боялась, что кто-нибудь от домов, из-под ворот может меня убить и отнять посылку. А бедные мои дети долго будут плакать и, не дождавшись меня, умрут. От этих мыслей у меня разрывалось сердце. Они уже с восьми утра не кормлены, находятся сейчас в холодной, нетопленой комнате, в темноте. А я здесь, на улице, и никак не могу до них доехать. Что делать? Что? Постучаться к кому-нибудь, попросить помощи? Оглянулась кругом — темно. Да кто ночью пойдет? Скорей прихлопнут меня и все заберут. Нет, надо как-то двигаться самой. Чуть тронула санки. Опять считаю: раз, два... Вдруг откуда-то взялась женщина, подошла ко мне и говорит: «Давайте помогу». Я обрадовалась. Она взялась за веревку и повезла, а мне велела толкать сзади. Я за ней не успевала. Она повезла одна. Я забеспокоилась, что она увезет. Стала ей кричать: «Остановитесь, подождите!» — но она продолжала везти не оглядываясь. Я хотела за ней бежать, но сразу же упала. Лежу и думаю: ну вот, теперь она увезет, а я здесь замерзну. Смотрю — ее уже нет. Я встала, потихоньку пошла, гляжу — мои санки стоят и на них все лежит как лежало. Я обрадовалась, думаю — спасибо ей, спасибо! Взялась и повезла опять сама. Доехала до Литейного моста, хотела через него проехать. Задыхаюсь, дышу тяжело, вся взмокла, с бьющимся сердцем. Но мосты охранялись. Стояли двое военных с винтовками и меня не пропустили. Как я их просила, как умоляла, плакала! Они одно твердили: «Нельзя!» Они советовали куда-то в обход. Но я уже не могла, у меня совершенно не было сил. Вот здесь, у санок, я замерзну. Значит, второй раз у меня срывается отъезд. Тогда потерялся сынишка, а сейчас я не могу. Обессиленная и одинокая, на всей улице ни души, я полулежала на санках по эту сторону Невы, а дети по другую. Живы ли они? Может быть, уже умерли, кричавши меня, голодные, в холодной темной комнате? От этой мысли я как ужаленная вскочила. Надо с санками проехать по тропинке по Неве, но ее замело, и я не могу найти ее точно. Оставила санки на набережной, спустилась, попробовала немного пройти, но сразу почти до коленей утонула в снегу. Поднялась наверх. Вдруг вижу — едет грузовая машина. Я стала кричать: «Помогите! Помогите!» Машина остановилась. Спросили меня, в чем дело. Я объяснила. Машина была военная. Один солдат перебросил мои санки, помог мне забраться, и мы поехали. Ехали недолго. Главное — перевезли меня по другому мосту. Им надо было в другую сторону. Они торопились по делам. По их озабоченным лицам я поняла, что им не до меня. Но все же я им очень благодарна. Потом уже еле-еле я взобралась сама, доехала наконец до дома. Время было уже три часа ночи».

В сущности, через всю историю Лидии Георгиевны Охапкиной проходит цепь подобных вызволений, выручек, цепь, которая вытягивала ее, возвращала к жизни.

У каждого был свой спаситель. Они появлялись из тьмы промерзших улиц, они входили в квартиры, они вытаскивали из-под обломков. Они не могли накормить, они сами голодали, но они говорили какие-то слова, они поднимали, подставляли плечо, протягивали руку. Они появлялись в ту самую последнюю, крайнюю минуту, когда человек, прислонясь к стене, сползал вниз, когда, присев на ступеньку подъезда, он уже не находил сил подняться. Это была особая, пограничная минута между жизнью и смертью, последнего одинокого дыхания в груди, как писал Твардовский, это было

> то неисходное томленье,
> что звало принять покой.

И тут могло помочь лишь что-то со стороны, только извне еще можно было вернуть человека, удержать. Нужен был кто-то, кто бы капельку помог, поскольку «все, что мог, ты лично одолел; да вышел весь». И кто-то подходил, отдавая свои силы, и силы эти часто помогали отползти от той тьмы кромешной.

«— Я вот что вспоминаю, — сказал *Нил Николаевич Беляев*. — Я был на бюллетене некоторое время — январь и февраль сорок второго года. Сходил днем в поликлинику. Получил «добро» на то, что можно идти на работу. Ну, лечить меня, конечно, ничем не лечили, а просто немножко за эти дни пришел в себя. Дело в том, что у меня было не только простудное заболевание. Меня тогда почечные дела очень мучили. Я получил на оборонных работах, на окопах, сначала воспаление почек, а потом привязалась почечно-каменная болезнь, и меня стали преследовать почечные колики. А эта вещь — если вы не знали, так лучше вам и не знать. Это страшное дело. Вот в январе меня впервые посетило это явление, и я был на бюллетене. После того как я немножечко оправился, я решил сразу же после поликлиники, в этот же день, пойти на работу, проверить, как и что, потому что я знал, что на работе в это время почти ни-

215

кого не было. Мы работали в это время с моим товарищем — хороший такой товарищ, пожилой уже человек, Дмитрий Иванович Воробьев. И мне хотелось навестить его, узнать, как идут дела, потому что одному человеку там трудно было.

— А где вы работали?

— В Радиокомитете. Это здесь, на теперешней Малой Садовой. Тогда называлась улица Пролеткульта. Было это в часа четыре или три пополудни. Это февраль, двадцать восьмого февраля сорок второго года... Не доходя до Московского вокзала, я почувствовал, что не дойду. Под вечер такой мороз закрутил, что я думаю: свалюсь, замерзну. Я решил вернуться. Повернул назад, миновал Суворовский проспект и был уже недалеко до дома — я жил на Невском, в доме сто пять. А это случилось около дома сто один. Я привалился к стене передохнуть. Привалился я с таким расчетом, чтобы не упасть. Там стояли такие откосы, наполненные песком и землей, защищающие прежние витрины магазинов. Я думал: тут я постою, немножечко приду в себя, направо или налево я не упаду, потому что меня задержат эти стенки. Но потом чувствую — напрасно я остановился. Лучше бы мне было собрать силы и как-нибудь доползти. Потому что стоило только остановиться и дать ногам покой, как хвать! — они дальше-то и не идут! Я тут, значит, стою в горестном раздумье. Как быть? И самым обидным мне казалось, что через один дом — мой! Я у сто первого; значит, сто третий — и я буду у сто пятого. Но, к сожалению, Невский безлюден, едва-едва ползают дистрофические люди. Но, на мое счастье, подошла какая-то женщина. Довольно молодая еще, очевидно, в лучшей силе, нежели я. Спросила: «Вы что, гражданин?» Я говорю: «Что? Стою и двигаться дальше не могу. *А дом рядом*».

И вот это обстоятельство, что я сказал *«дом рядом»*, повлияло положительным образом.

Если бы я где-то далеко жил, она, конечно, со мной не стала бы связываться. А так как это было через дом, она сказала: «Ну, я сейчас попытаюсь вас довести. У вас там есть кто-нибудь?» Я говорю: «Дома мать должна быть». (Мать еще была жива в это время.) И она взяла меня под руку. Я обхватил ее за плечо. Постепенно-постепенно, значит, добрели до дома. Подняла она меня, так сказать, по лестнице до третьей площадки. Позвонила. За дергалку, конечно, не в электрический. Электричества в это время не было. Сдала прямо из рук в руки матери. Мать сначала перепугалась: что же это такое? Думала, что я совсем плох. Но, уж когда зашел в квартиру, она видит, что я в таком состоянии, в каком был все эти месяцы. (Она была в несколько лучшем состоянии, чем я в то время.) И обрадовалась. Поблагодарила эту женщину. Двери закрылись. Когда мы немножко одумались, у нас возникла мысль: как же так, я не спросил, кто эта женщина, откуда? Здешняя ли она? Приезжая ли откуда-нибудь или постоянная ленинградка? Потому что мне хотелось потом ее повидать и как-то отблагодарить буквально за спасение жизни. Но тогда, откровенно говоря, не очень большая надежда была на это. Поэтому я перестал об этом тужить. Думаю, наверняка мне не выжить, а может быть, и она в таком же положении, как я, все равно ее не увидишь».

Что может быть проще, естественней, чем помочь подняться человеку, довести его до дома? Если это не делают сегодня, то только в случае какого-то позорного равнодушия, черствости, подлого эгоизма. Никто ныне не может вообразить, что человек пройдет мимо просто от бессилия, что у кого-то не найдется сил протянуть руку, нагнуться. И в голову не придет вообразить, что человек хочет помочь — и не в состоянии. Представить, как это было трудно, можно лучше всего из рассказов не тех, кто помог, а кто не смог помочь. Именно они открыли нам всю непосильность этого, казалось бы, такого простейшего порыва.

Бывшая трамвайщица *Варвара Васильевна Семенова:*

«— Как-то я шла с Петроградской стороны. И упал дядька. Знаете, такой, видно, был солидный, высокий мужчина. И лежит. Он кричать не может, только вот так руками показывает. Подошла. Ну а что? Я одна ничего не могу сделать. Пешеходы проходят, проходят. Все такие, знаете, страшные, что самих тоже кто бы поддержал. Потом как-то иду, а впереди женщина. И упала она. Худенькая такая! Эту я подняла кое-как. Она сама немного помогла, и я подняла ее. Она просит: «Доведи меня до той вот парадной». Я говорю: «Нет, милочка! Скажи спасибо, что я тебя подняла. Я сама, говорю, завалюсь, и меня никто не поднимет. Я подняла, давай-ка иди!» А скользко! Не то что не посыпали, но и лед-то не скалывали. Вот так.

— А куда вы шли-то?

— Я на Крестовской ходила. Ведь тогда все пешком. А я ходила почему? Потому что дров-то не было. А у меня брат был портной, и у него стол был длинный такой, как бы верстак. Доски толстые такие. Я доски помаленечку оттуда таскала. И внук пойдет и откуда-то палочки притащит. И вот «буржуйку» топили и на ней сушили сухарики. Каждый свое место занимал. Уйдет один, второй садится. Обязательно сушили сухари.

— Зачем сушили?

— Сушили потому, что думали, что так-то спорее. Кладем сухари и наливаем кипятку горячего, соль, немножко перцу и пьем эту воду. Потом еще одну плошку воды выпьешь и уже потом берешь сухари размокшие как на второе. И это настолько въелось, что и после блокады так ели — сначала жидкое из тарелки, а потом густое».

Было и бесчувствие, была черствость, воровали карточки, вырывали кусок хлеба, обирали умирающих («Умирать-то умирай, только карточки отдай!»), всякое было, но удивительно не это, удивительно, как много было спасений, подобных беляевскому! Таких рассказов мы услышали множество. Сколько их было — безвестных прохожих! Они исчезали, вернув человеку жизнь; оттащив от смертельного края, исчезали бесследно, даже облик их не успевал отпечататься в мерклом сознании.

Казалось, что им, безвестным прохожим, — у них не было никаких обязательств, ни родственных чувств, они не ждали ни славы, ни оплаты. Сострадание? Но кругом была смерть, и мимо трупов шли равнодушно, удивляясь своей очерствелости. Большинство говорит про себя: смерть самых близких, дорогих людей не доходила до сердца, срабатывала какая-то защитная система в организме, ничто не воспринималось, не было сил отозваться на горе. И все же отзывались. Обострилось другое чувство — гражданское, а кроме того, город-фронт рождал солдатское чувство взаимовыручки. Каждый в какой-то степени чувствовал себя фронтовиком, и помогал он не просто упавшему прохожему, а своему однополчанину. Армия сражалась рядом, где-то у трамвайного кольца, и законы воинской чести становились общими законами города.

«...в каждой квартире покойники лежали. И мы ничего не боялись. Раньше разве вы пойдете? Ведь неприятно, когда покойники... Вот у нас семья вымерла, так они и лежали. И когда уж убрали в сарай!» (*М. Я. Бабич*)

«У дистрофиков нет страха. У Академии художеств на спуске к Неве сбрасывали трупы. Я спокойно перелезала через эту гору трупов... Казалось бы, чем слабее человек, тем ему страшнее, ан нет, страх исчез. Что было бы со мною, если бы это в мирное время, — умерла бы от ужаса. И сейчас ведь: нет света на лестнице — боюсь. Как только люди поели — страх появился» (*Нина Ильинична Лакша*).

Весь сохранившийся запас душевного участия отдавали живым. Какое-то особое властное чувство заставляло людей подавать руку тем, кто сползал в небытие. Довести до дому — по тем временам это был подвиг. Зачастую это было единственное, что мог сделать человек человеку. На это самопожертвование часто уходили последние силы. Такая простая вещь, самая вроде элементарная, была, может, одним из высоких проявлений человечности. Для чего это делалось? Для себя, для своей души, для того, чтобы чувствовать себя человеком. Для того, чтобы выстоять, не поддаться врагу.

Безвестный Прохожий — пример массового альтруизма блокады. Он обнажался в крайние дни, в крайних обстоятельствах, но тем доподлинней его природа.

Большинство спасителей осталось безвестными. Но некоторые обнаруживались. Черты их проступали слабо и случайно в рассказах, которые, в сущности, лишь называли, только обозначали судьбу, заслуживающую исследования, подробной истории.

Николай Иванович его сперва назвали. Кажется, Лебедев. Наверное, Лебедев. Детская память ненадежная. Ирине Киреевой (ныне работнику Эрмитажа) было тогда четырнадцать лет. Она не представляет, сколько было там детей, в стационаре, который организовал Лебедев. Он ходил и собирал по Дзержинскому району истощенных ребятишек, бесконечно хлопотал, добывая для них какие-то маленькие дополнительные пайки.

«— Мы спаслись, потому что с двоюродной сестрой оказались в больнице у Николая Ивановича. Он заполнил абсолютно все теплые помещения, которые можно было отапливать. Помню, когда привозили детей, они часто уже есть не могли, так были истощены. Меня поразило и то, что в три с половиной года дети стали совершенно взрослыми... Это было страшно. Это декабрь, тут уж был голод. В сентябре — октябре нас зажигалками забрасывали. Тогда мы, ребята, еще дежурили на крышах. К этому относились легко. Как-то все было любопытно... Теперь уже наступило другое. Помню, привезли ребят-близнецов... Вот родители прислали им маленькую передачу: три печеньица и три конфетки. Сонечка и Сереженька — так звали этих ребятишек. Мальчик себе и ей дал по печенью, потом печенье поделили пополам. Остаются крошки, он отдает крошки сестричке. А сестричка бросает ему такую фразу: «Сереженька, мужчинам тяжело переносить войну, эти крошки съешь ты». Им было по три года.

— Три года?!

— Они едва говорили, да, три года, такие крошки! Причем девочку потом забрали, а мальчик остался. Не знаю, выжили они или нет...»

О нем бы разузнать подробнее — кто он был, Николай Иванович Лебедев?[1] Как он все это делал? Собрать то, что еще не кануло в Лету: ведь это человек, который спас сотни детей.

Их встречалось немало в разных рассказах — работников роно, врачей, учителей, бойцов комсомольских отрядов, бытовых отрядов, тех подвижников, спасителей, кому обязаны жизнью ленинградцы. Многие из этих людей заслужили специального повествования, надо было разыскать материалы о них, но мы успевали лишь подхватить мелькавшие имена, оттащить хоть так от потока забвения...

Спасали людей по-разному.

Помогало порой самое что ни на есть скромное посильное участие.

Мария Ананьевна Щелыванова перед войной усыновила мальчишку Валерия, о котором, впрочем, будет еще отдельный рассказ. Сама она работала в домоуправлении, никаких добавочных возможностей, как говорится, у нее не

---

[1] После публикации в журнале «Новый мир» мы получили письмо от Д. Г. Басаневской, где она пишет: «Я очень хорошо знала Николая Васильевича Лебедева (а не Ивановича, как написано)... это был замечательный человек и врач...»

было. А имелась еще лишь обязанность донора, которую она возложила на себя, чтобы чем-то еще помогать фронту.

«— В общем, вот так. Я когда вернулась, Валерий, конечно, сразу ко мне пришел: «Тетя Муся! Я уж к вам». — «Ну, говорю, давай, ладно». Больше того. У моего мужа была племянница. Она была студенткой Технологического института. Она уже была на третьем курсе и вышла замуж. Муж был инженер, его послали в Барнаул, они прожили всего три месяца. И вот эта Нина была послана на окопы. У меня Валерик в комнате (а комната двенадцать метров, меньше этой), и вот теперь Нина. Она вообще-то жила в общежитии, где Лесное, но она туда даже не пошла, а пришла ко мне. Она из Новороссийска. У нее такое широкое лицо было, нерусское немножко, и толстые-претолстые черные косы. И вот эта Нина приходит — прямо дистрофик, ни щек, ничего нет, так она изменилась на этих окопах. Даже говорить не могла. Я говорю: «Нина, а карточки у тебя есть?» Она говорит: «Есть карточки». — «А хлеб ты выкупила?» — «Я, тетя Муся, за три дня вперед все съела». За три дня! А у меня только ежедневное, я не давала себе брать вперед. Я говорю: «Ну хорошо, Нина, раздевайся, будешь у меня жить».

Вот, значит, Валерий, а теперь Нина. А у меня какие запасы продуктов были? Сейчас я вам расскажу. Я запасов, как другие люди, не делала. У меня даже хранить их негде было. У меня и шкаф был такой комбинированный. Все время я легкомысленно жила — не было никогда никаких запасов. Но вот однажды, еще в первые дни, я иду, и лоточница продает рис в пакетах по полкило. Никого не было. Я подхожу, говорю: «Можно полкило?» Она говорит: можно. Я беру полкило. Потом я приостановилась и думаю: может быть, она мне дала бы еще? Нет, думаю, я возьму лишнее, а другому не достанется. В общем, я решительно отправилась домой и забросила этот рис как НЗ за печку, высоко, далеко, чтобы не достать. Ну вот, эта Нина прямо, знаете, как ненормальная от голода, прямо не знаю что. Я говорю: «Нина, я тебя три дня буду кормить своим хлебом (я получала как донор карточку рабочую, но я еще делилась с Валерием), я выровняю твою карточку, и ты будешь как все».

— А донорам давали что-нибудь еще, кроме хлеба?

— Вы знаете, в это время ничего не давали. Нина пришла ко мне в октябре. Тогда — весь сорок первый год — ничего больше не давали, только карточку хлебную рабочую... Вот я ее так выровняла. Она все время такая странная ходила и говорила, чтобы собаку купить. Я говорю: «Чего это ты, Нина, собаку хочешь купить?!» — «А я хочу ее съесть». Вот она по рынкам и ходила.

Ну, соседки у нас были пожилые, они много курили и ее научили курить. Вот про этих соседок я тоже расскажу. Они были старые девы. Они хлеб меняли на курево. Они видели, что я и Валерию делю хлеб, и Нине. Вот они думали, что Мария Ананьевна как-то особенно умеет все это делать. Анастасия Алексеевна даже сказала: «Какая Мария Ананьевна предусмотрительная! Если бы мы знали, что донорам будут давать карточку рабочую, мы бы тоже пошли в доноры». И вот однажды они меня прямо обескуражили: у них было такое блюдо большое специально для хлеба; они положили вот такусенький кусочек хлеба свой и несут вдвоем это блюдо с вот таким ножом и говорят: «Мария Ананьевна, вы так хорошо умеете хлеб делить. Мы все с Леной говорим, как вы умеете хлеб делить. Вот разделите нам этот хлеб». Я, конечно, не подаю виду, что никак особенно я не могу делить, говорю: «Давайте». Беру нож и режу: «Вот это вам на утро, это на обед, а это на вечер». — «Спасибо, Мария Ананьевна, большое спасибо!» И понесли это блюдо. Потом эти старушки перебрались к брату на Советскую и там умерли от голода. Это были наши соседки. Хорошие были у нас соседи. Мы дружно жили — пять комнат, двенадцать человек. Мы никогда друг другу даже резкого слова не сказали».

Опять: всего-то хлеб поделить, разрезать на три кусочка, по сути лишь знак, движение навстречу. И это поддерживало, выручало.

«— А ведь с Ниной, знаете, что случилось? Про рис я не рассказала? Она однажды у меня заболевает... Да, я не сказала, что у меня брат от голода умер, у жены. И я вот как его хоронила. Как это страшно! Может быть, вы мне потом позволите рассказать?

— Да, конечно. Сначала о Нине.

— Сначала про Нину? Хорошо. Нина ходила по рынкам, хотела что-то купить там, но я об этом не знала. Однажды она отравилась и стала умирать: волосы поднялись, потом ногти посинели. Она умирает! А я только похоронила брата. Отвезли его на это кладбище страшное, на Смоленское, где я видела столько покойников! Меня такой ужас обуял, что я ее тоже должна буду хоронить! У нее желудок расстроился, рвота поднялась. Я говорю: «Нина, что ты съела? Расскажи, в чем дело?» И вот она мне говорит: «Извините меня, тетя Муся, я пошла на рынок и купила там кусочек — вот такой — масла и там же его и проглотила, это масло». Оказалось, что это было мыло, только сверху помазано маслом. И она его проглотила. И вот она умирает! Тогда, конечно, «скорой помощи» не было. И тут я вспомнила про этот рис, пол-кило-то. Какие тут лекарства? Человек умирает, уже руки синие. Я беру этот рис, отвариваю его. Дала ей отвар горячий, и она его выпила, а потом и весь рис съела. И вот до сих пор... Сейчас покажу ее карточку!»

Те, кто спасал, те, кто за кого-то беспокоился, кому-то помогал, вызволял и кого-то тащил, те, на ком лежала ответственность, кто из последних сил выполнял свой долг — работал, ухаживал за больными, за родными, — те, как ни странно, выживали чаще. Разумеется, правила

ДЕТИ РИСУЮТ

Рисунок блокадника

Мария Ивановна Дмитриева, 1942

Хороший папочка! пишу я вам это письмо во время моей болезни когда думали, что я умру и пишу не из-за того что я жду смерть, а потому что она приходит сама неожиданно и тихо. В моей смерти прошу никого винить. Сознаться по совести виновата я сама, так-как не всегда слушалась маму. Дорогой папочка я знаю, что вам тяжело будет слышать о моей смерти да и мне-то помирать больно нехотелось но никого не виновать раз судьба такая Я знаю, что трудно вам будет понять мою болезнь так я в ней пишу вам книге. Сильно старалась поддержать меня мамочка и поддерживала всем тем чем знала и что было. Она даже для меня отрывала и от себя и это все покупаю но так-как было очень трудно

Письмо Тани Богдановой к отцу

тут нет. Умирали и они. И выживали всякие жулики. Кировский райком партии выдвинул в начале 1942 года Анну Александровну Кондратьеву заведовать райздравом. Секретарь райкома В. С. Ефремов просил прежде всего обратить внимание на детские ясли, на детей. Анна Александровна — потомственная путиловка. Все ее родные были связаны с Кировским заводом. В общей сложности, как она подсчитала, они проработали там более трехсот лет.

Она начала с яслей Кировского завода. Выяснилось, что кто-то разрешил «на базе яслей питаться ряду сотрудников». Получалось так, что дети умирали, а родственники сотрудников «питались». И в туберкулезном диспансере тоже открылись хищения...

Среди людей происходила как бы поляризация. Либо поступать по чести, по совести, несмотря ни на что, либо выжить во что бы то ни стало, любыми способами, за счет ближнего, родного, кого угодно. Подвергались тяжелейшему испытанию все человеческие чувства и качества — любовь, супружество, родственные связи, отцовство и материнство.

Особую историю рассказала нам *Мария Васильевна Машкова*. Ей было поручено в 1941 году эвакуировать детей сотрудников Публичной библиотеки, однако дорогу перерезали, и вскоре ей пришлось вернуться с детьми в Ленинград.

«...В числе детей, с которыми я уезжала, был мальчик нашей сотрудницы — Игорь, очаровательный мальчик, красавец. Мать его очень нежно, со страшной любовью опекала. Еще в первой эвакуации говорила: «Мария Васильевна, вы тоже давайте своим деткам козье молоко. Я Игорю беру козье молоко». А мои дети помещались даже в другом бараке, и я им старалась ничего не уделять, ни грамма сверх положенного. А потом этот Игорь потерял карточки. И вот уже в апреле месяце я иду как-то мимо Елисеевского магазина (тут уже стали на солнышко выползать дистрофики) и вижу — сидит мальчик, страшный, отечный скелетик. «Игорь? Что с тобой?» — говорю. «Мария Васильевна, мама меня выгнала. Мама мне сказала, что она мне больше ни куска хлеба не даст». — «Как же так? Не может этого быть!» Он был в тяжелом состоянии. Мы еле взобрались с ним на мой пятый этаж, я его еле втащила. Мои дети к этому времени уже ходили в детский сад и еще держались. Он был так страшен, так жалок! И все время говорил: «Я маму не осуждаю. Она поступает правильно. Это я виноват, это я потерял свою карточку». — «Я тебя, говорю, устрою в школу» (которая должна была открыться). А мой сын шепчет: «Мама, дай ему то, что я принес из детского сада». Я накормила его и пошла с ним на улицу Чехова. Входим. В комнате страшная грязь. Лежит эта дистрофировавшаяся, всклокоченная женщина. Увидев сына, она сразу закричала: «Игорь, я тебе не дам ни куска хлеба. Уходи вон!» В комнате смрад, грязь, темнота. Я говорю: «Что вы делаете?! Ведь осталось всего каких-нибудь три-четыре дня, — он пойдет в школу, поправится». — «Ничего! Вот вы стоите на ногах, а я не стою. Ничего ему не дам! Я лежу, я голодная...» Вот такое превращение из нежной матери в такого зверя! Но Игорь не ушел. Он остался у нее, а потом я узнала, что он умер.

Через несколько лет я встретила ее. Она была цветущей, уже здоровой. Она увидела меня, бросилась ко мне, закричала: «Что я наделала!» Я ей сказала: «Ну что же теперь говорить об этом!» — «Нет, я больше не могу! Все мысли о нем». Через некоторое время она покончила с собой».

Распад человеческой личности кончался трагически.

Амплитуда страстей человеческих в блокаду возросла чрезвычайно — от падений самых тягостных до наивысших проявлений сознания, любви, преданности.

Сплошь и рядом, когда мы допытывались, как выжили, каким образом, каким способом, что помогало, то оказывалось — семья сплотилась, помогала друг другу, сумели создать в учреждении, на предприятии коллектив, кто-то требовал, заставлял подчиняться дисциплине, не позволял опускаться. Мать Марины Ткачевой заставляла детей всю блокаду чистить зубы. Не было зубного порошка — чистите древесным углем. Много значило для этой семьи то, что не был съеден кот. Спасли кота. Страшный он стал, весь обгорелый оттого, что терся боками о раскаленную «буржуйку». Но не съели. И это — по чисто детской, сохранившейся от тех лет гордости — первое, что сообщила в своем рассказе *Марина Александровна Ткачева*. И такое тоже поддерживало, поднимало самоуважение людей. Из самых разных историй и случаев убеждаешься, что для большинства ленинградцев существовали не *способы выжить*, а скорее *способы жить*.

Братья меньшие

Мы убедились, что блокадная память способна удержать многое. И на многие годы. Нужны лишь готовность спросить у нее правду, выслушать правду. Всю правду. Хотя бы через тридцать пять, через сорок лет.

Но если память сохраняет выборочно, что-то ретуширует, от чего-то отказывается забыванием, то дневники безразличны ко времени. Годы ничего не могут поделать с ними. В дневниках важна личность автора, то, насколько он был бесстрашен.

В дневник учительницы *Ползиковой-Рубец К. В.* вписаны странички из дневника школьницы. Те, которые девочка по имени Валя ей показала: имелось в виду, что Валя прочтет их на школьном утреннике 30 апреля 1942 года. В дневнике Вали записаны события, совсем еще близкие по времени и всем, кто должен был ее слушать, знакомые по собственным переживаниям.

Но смотрите, сколько волнений в связи с этой идеей: прочесть, послушать то, что все они, и чтец и слушатели, знают, помнят и без дневника.

«Волнуюсь неимоверно, — записывает Ксения Владимировна. — Как пойдет это все дело? Дети страшно заинтересованы, но что скажет гороно? Мы любим все приукрашивать. Особенно волнует дневник Вали. Она пришла ко мне с ним и сказала: «Я прочту только то, что могу. Все я не могу прочесть». Я, конечно, не настаивала».

«Валя дает дневник непосредственно Лебедеву (работник Института истории партии — *А. А., Д. Г.*). Мне она говорит: «Там очень, очень тяжелые вещи». Глаза полны слез, и они медленно стекают».

«*3.V.1942.* Даю урок в VIII классе, — продолжает учительница Ксения Владимировна Ползикова-Рубец. — Начинается обстрел, и ученики заметно нервничают. Это результат 1-го мая[1]. До этого ими все спокойно переносилось. И я ловлю себя на мысли, что возможность смерти стала реальнее.

Валя сует мне тетрадь. «Прочтите и решите, давать ли мне это?»

Тоненькая грязноватая тетрадь. На обложке полуистертый эпиграф. Его разобрать не могу.

Привожу те выписки, которые она мне помогла прочитать.

«*9.X.41 г.* Итак, начинаю описание протекающей жизни и событий. Возможно, завтра начнутся занятия в школе. Я с нетерпением жду этого желанного дня, когда приступим к занятиям.

Скучно!

Одно развлечение — ирландский сеттер Сильва. Собираюсь в клуб Связи смотреть кино, но... напрасно, идти не могу, много там «народа» не желательного мне пошиба.

15.X. За протекшее время я многое пережила.

---

[1] 1 Мая немцы особенно яростно обстреливали город.

Сильву решили убить — и как!

Александр Петрович решил покончить с ней так: сперва оглушить молотком, а потом зарезать, но получилось не то, что предполагали, а именно: Сильва сильно завизжала и во избежание сильного шума А. П. бить ее не стал.

Убить мы ее хотели, с одной стороны, ради мяса, а с другой — что кормить ее нечем. Когда ее убивали, я вся переволновалась. Сердце так сильно билось, будто желало выпрыгнуть из груди.

Потом мы уже придумали способ: решили убивать кошек и кормить ее их мясом.

А. П. одну убил, я содрала шкурку, выпотрошила ее и разрезала на куски. А другие кошки с таким удовольствием разрывали мясо своего сородича, что было удивительно смотреть.

Я тоже решила попробовать вкус кошачьего мяса, поджарила с перцем и чесноком, а потом стала жевать... и что же, мясо оказалось довольно вкусным, что, пожалуй, не уступит и мясу говяжьему, а вкус — будто ешь курицу.

20.X. Я теперь отлично понимаю, что такое голод. Раньше я себе точно не представляла этого ощущения. Правда, меня немного тошнит, когда я ем мясо кошки, но т. к. я хочу есть, то и противное кажется вкусным. Да я ли одна так голодна? Кто же в этом виноват? Я никогда не была злой. Я всем старалась сделать что-нибудь хорошее. А теперь я ненавижу этих сволочей немцев за то, что они исковеркали нашу жизнь, изуродовали город. Город пустеет.

3 ноября 41 г. Сегодня мы пошли учиться. Как я рада! Обещали кормить обедом и давать 50 гр. хлеба в день без карточек. Учителя все новые ...

Бедную мою Сильву хотят усыпить. Жалко.

8.XI.41 г. Вчера был праздник. 24-я годовщина Октября.

Немцы не бомбили, против ожидания.

Пока учусь. По геометрии получила хорошо. Учительница по русскому все время нас ободряет. Она говорит, что к Новому году война кончится. А правда ли? Сейчас очень тяжело.

А. П. очень злится, что нечего есть А при чем тут я и мама. Где же мы возьмем? Одна надежда, придется засолить Сильву. Ее надолго хватит. А мне ее жалко.

Что делать?

12.XI. Обед в школе давать прекратили. Все по карточкам. Положение тяжелое. Хлеба, наверное, завтра убавят, получим по 150 гр. У мамы тоже почти ничего не достанешь. Учителя советуют подтянуть кушаки. Город в окружении. Засолили кошку. Сильва еще живет. Вероятно, скоро и ее засолим. От Алика совсем нет писем. Сейчас иду обедать к маме. Покормит или нет? Не знаю.

15.XI. Пока с учебой все благополучно. Имею две четверки и одну пятерку, а троек нет. С едой очень плохо. Сегодня не было во рту ни крошки до 3-х часов. А потом съела одну тарелку жидких кислых щей без хлеба и выпила две чашки чая с 1 конфеткой за 4 руб. 20 коп. килограмм. Голова кружится от недоедания. А что будет дальше?

Надо все-таки учиться как можно лучше, все это ведь зачтется на дороге предстоящей жизни! Надо мужаться! Быть выносливой и пока терпеть. Другого выхода нет.

13.XII.41 г. Наконец-то я выбрала свободное время, чтобы изложить свои мысли и желания.

Сколько перемен произошло за этот период времени! Сколько бед стряслось! Сколько перенесено тяжких минут!

Мою бедную Сильву украли и съели. О кошках сейчас говорят как о лакомстве (но, увы, их нет). Александр Петрович оказался очень гадким человеком: несознательным, вымогающим из всех все, заботящимся только лишь о себе, лодырем, лицемером, подлипалой и сплетником, (в общем, со всеми отрицательными качествами). Я его поняла, поняла его и мама. Но как от него избавиться? Он очень зол и может убить ни за что ни про что (как говорят).

Мы собираемся бежать из города (не из боязни бомбежек немцев и голода, а от него чтобы избавиться). Мама болеет, стала как тень. Она все старается для нас с отчимом, сама не съедает, иногда потихоньку плачет. Я знаю, что она беспокоится об Алике, от него нет ни одного письма. Я стараюсь ее поддерживать. Неужели она не выживет? Я боюсь об этом думать. Наша милая и дорогая соседка Пелагея Лукинична уехала. Я рада за нее и желаю ей от души счастья за ее доброту. Ведь это исключительный человек! Она обещала похлопотать и о нашем отъезде. Хочу бросить все! Уехать на юг и там зажить тихой и мирной жизнью, как отшельник!

18.XII. Недавно мне хотелось уехать из города. Уехать и жить, как «отшельник». Ну не глупо ли это? А как же учеба? Ведь полгода проучилась! Права ли я, ненавидя отчима? Не могу отдать себе отчета. Почему я забочусь о всех, а он только о себе? Это мне противно. А может быть, голод его сделал таким. Ведь до войны он был другим. Он хотел заменить мне отца! О! Если бы я могла, то придумала Гитлеру жуткую смерть. Он вина всему. Он виновник войны, а война калечит людей.

25.XII.41 г. Сегодня исключительный день! Прибавили хлеба на 75 гр. Мне полагается теперь 200 гр. и также маме 200 гр. Какое счастье. Все так рады, что от счастья чуть не плачут! Отчим сегодня нестерпим. Мне стыдно ему грубить, но я не могу больше. Он съел весь хлеб свой, а потом мамин и мой. Сегодняшняя прибавка для нас не существует.

Ненавижу его! И не понимаю, как можно так подло делать.

29.XII.41 г. Говорят, что счастье не всегда сопутствует человеку. Да, отчасти это верно, но сегодня для меня день счастья! А почему? Рада смерти моего отчима Куклина. Я так ждала этой минуты! Я его страшно ненавидела. Голод раскрыл его грязную душу, и я его узнала. О, это жуткий подлец, каких мало. И вот сегодня он умер. Умер он вечером. Я была в другой комнате. Бабушка пришла и сказала: «Он умер!» А я сперва не поверила, потом мое лицо исказилось в ужасной улыбке. О! Если бы кто видел выражение моего лица в эту минуту, то сказал бы, что я умею жестоко ненавидеть. Он умер, а я смеялась. Я готова была прыгать от счастья, но силы у меня были слабы. Голод сделал свое дело. Я не могла даже хорошо двигаться».

Несчастная девочка как бы сама увидела свою ужасную улыбку... Да, поведение отчима, растерявшего слишком многое под гнетом голода, было прямой причиной ее ненависти. Но улыбка, ужаснувшая самое девочку, также и от потерь, незаметно понесенных и самой Валей. И кошки, которых она потрошила, и покушение семьи на жизнь любимицы Сильвы — все имело значение. Дело не в том, съедобны ли, «вкусны» ли «меньшие братья» наши. А в том, что они — тоже наше «предполье». Без них, без *человеческого* к ним отношения мы не вполне люди...

Судьба животных блокадного Ленинграда — это тоже часть трагедии города. *Человеческая* трагедия. А иначе не объяснишь, почему не один и не два, а едва ли не каждый десятый блокадник помнит, рассказывает о гибели от бомбы слона в зоопарке. Многие, очень многие помнят блокадный Ленинград через вот это состояние: *особенно не уютно, жутко человеку и он ближе к гибели, исчезновению от того, что исчезли коты, собаки, даже птицы!..*

Ф. А. Прусова вписала в свой дневник услышанное по радио из стихотворения Веры Инбер — то, что она сама видит, переживает: «Ни лая, ни мяуканья, ни писка пичужки».

А вот у Г. А. Князева:

«Я все записываю, что попадает в мой кругозор. Но вот давно уже в мой кругозор не попадает ни одной собаки, ни одной кошки, ни одного голубя... Даже воробьев не вижу, хотя для них пища на улицах имеется. Первых съели. Воробьи, должно быть, померзли от сильных морозов. Правда, одну живую собаку я знаю, это у

Лосевой. Она держит ее в комнате, никуда не выводит. Потерявши мужа, она привязалась к своему псу, как к другу. Сейчас она взяла девочку, дочку погибающей О. А. Девочкой она не совсем довольна. Вера у нее временно, но и то делает ей честь, что она взяла ее к себе в такое трудное время».

Нам передали рукопись Ирины Корженевской, и, хотя автор рукописи — вполне сложившийся писатель и то, что мы процитируем, уже вполне литература (а в нашей книге это скорее недостаток, чем достоинство), мы в виде исключения приведем несколько отрывков:

«...Хлебный магазин, где я получала паек, находился на углу напротив. Там, как и везде, окна заложены мешками, и продажа идет при свете коптилки. Недавно я заметила, что у входа в магазин сидит овчарка. Шкура и скелет. Она сидит и смотрит на входящих и выходящих, и глаза у нее горят и просят. Но кто может с ней поделиться? Все проходят, не глядя, а она все сидит и сидит. Смотрит на каждого, и на меня в том числе. Однажды я видела, как она шла к своему посту. Она шла на трех лапах. Передняя левая болит. Может быть, вывихнута? Где же ее хозяева? Умерли или выпустили ее, чтобы сама кормилась?

Собачка деликатна. Просит без унижения. Взгляд ее говорит: «Я умираю от голода. Может быть, вы дадите хоть крошку?»

Я приласкала эту собаку и приподняла губу, чтобы взглянуть на зубы. Совсем молодая овчарка. И я поднялась к себе на четвертый этаж. Отпираю дверь, и — глядь — овчарка пришла за мной. Как раз я накануне нашла зеленый хлеб. Придется с ней поделиться. Я дала ей окаменелый кусок, и собака жадно его грызла. Потом я обмыла бутылку и напоила ее теплой водой. Собака ничего не просила, была благодарна, свернулась калачиком и уснула. А ведь не может быть, чтобы она не понимала, что людям сейчас очень трудно...

Сколько времени жила у меня эта собака, я не могу вспомнить. Помню только, что я уходила, а она оставалась. Она не виляла, когда я возвращалась. Может быть, ей было трудно вилять, а может быть, овчарки вообще не виляют. Я была рада, что у меня дома есть кто-то живой и он ждет меня. Иногда я разговаривала с ней, но большей частью мы молча смотрели друг на друга. Я назвала эту собаку Проспером. Проспер значит «Благополучный». Глядя на лихорадочно горящие глаза Проспера, я думала, что может прийти момент, когда кто-то из нас обезумеет от голода и бросится на своего случайного друга, чтобы съесть его. Но, пока я в здравом уме, я не могу убить существо, попросившее у меня приюта. Собака же настолько слаба, что, пожалуй, не в состоянии броситься на меня. Кроме того, овчарки благодарны и помнят и обиду, и ласку.

Я начала ощущать, как я слабею. Я плохо спала, видела съестное во сне. Поминутно просыпалась и слушала, как тикает в репродукторе. Выключить радио было нельзя — оно предупреждало о налетах. Но ночные налеты случались редко, а днем и вечером немец бомбил всегда в одно и то же время.

Зеленый хлеб кончился, и я возобновила разведку в квартире. Нужно было найти и топливо. Табуретки были уже сожжены, сожжен и мой кухонный столик. Теперь я обратила взоры на большущий кухонный стол ветеринара. Его хватит надолго, но разрубить мне таки будет трудновато, а прежде всего нужно освободить его.

Я выдвинула верхний ящик. Там лежали кухонные ножи, деревянные ложки, каталка для теста... Засунув руку подальше, я нащупала что-то необычное... Это оказался чистый белый узелок, величиной с кулак... В нем было что-то сыпучее... Может быть, горох? Я развязала узелок и увидела кукурузные зерна. Вот сюрприз! Но откуда в Ленинграде кукуруза? До войны как-то продавали кукурузную крупу, похожую на манную. Из нее можно было варить «мамалыгу»... Но цельных зерен кукурузы в Ленинграде, пожалуй, не сыщешь... И зачем они здесь, где не должно быть съестного, да еще засунуты в самый дальний угол и завязаны наподобие синьки?.. А ведь если их сварить, они разбухнут вдвое, и я смогу протянуть еще два-три дня.

...Я съела всего несколько зерен и дала горсточку Просперу, а утром я разделила кукурузу на две части. Одну отдала Просперу, а другую положила в кулек и после лекций отнесла тете Оле.

...Проспер не выдержал. Зеленый хлеб кончился, кукурузу он съел... И вот дня через два после этого, когда я уходила в институт, он встал и вышел вместе со мной.

— Я не стану тебя удерживать, — сказала я ему. — Но право же, у меня тебе все-таки лучше... Я наверняка не убью тебя, и в моей комнате немного теплей, чем на улице... Мне будет без тебя грустно...

Все-таки он ушел. Я видела, как, пошатываясь, он поплелся к помойке. Наивный пес!»

«Внизу, под нами, в квартире покойного президента, упорно борются за жизнь четыре женщины — три его дочери и внучка, — фиксирует Г. А. Князев. — До сих пор жив и их кот, которого они вытаскивали спасать в каждую тревогу.

На днях к ним зашел знакомый, студент. Увидел кота и умолял отдать его ему. Пристал прямо: «Отдайте, отдайте». Еле-еле от него отвязались. И глаза у него загорелись. Бедные женщины даже испугались. Теперь обеспокоены тем, что он проберется к ним и украдет их кота.

О любящее женское сердце! Лишила судьба естественного материнства студентку Нехорошеву, и она носится, как с ребенком, с котом, Лосева носится со своей собакой. Вот два экземпляра этих пород на моем радиусе. Все остальные давно съедены!»

Вот так же «носилась» с живым существом и еще одна женщина, Маргарита Федоровна Неверова, а потом произошла трагедия. Да, трагедия, если и спустя три с лишним десятилетия воспоминание об этом мучит человека, саднит душу.

«...Я вышла из дома. Пошли мы с моей собачоночкой, вот такой маленькой, за хлебом. Вышли. Лежал старичок. Вот у него уже так молитвенно три пальца сложены, и он так, замерзший, лежал в валенках.

Когда мы пришли в булочную, хлеба не было, моя собачоночка вдруг меня носом тык-тык-тык в валенок. Я наклонилась.

— Ты что?

Оказывается, она нашла кусочек хлеба. Мне отдает его. Причем я, знаете, как ворон, вскочила, хлеб зажала. А она на меня смотрит: «Дашь ты мне или не дашь?» Я говорю:

— Дам, миленький, дам!

А я из этого хлеба такую похлебку наварила, что вы даже не представляете, как мы с ней угощались!

А обратно мы шли — этот старичок уже лежал без валенок. Ну, оно конечно, ему на том свете валенки ни к чему, — я понимаю... Да, вот уже крест сложил и не донес, бедняжечка.

Перед войной было очень много птиц в комнате там всяких...

— Канареек?

— Нет, канареек не было, только лесные были. В общем, у нас было 18 аквариумов шестиведерных с рыбами разными экзотическими (это было хобби мужа), а я двадцать четыре птицы завела, сто восемьдесят горшков с цветами у нас было...

— А сколько у вас комнат было?

— У мужа — три, а у нас — одна была. У нас было шесть собак. Потом, правда, пять раздали, потому что такие собаки были породистые. Оставили вот только нашего маленького фокстерьерчика Зорю. Потом ее наш сосед сожрал.

— Украл, да?

— Нет, хуже, чем украл, за горло меня схватил и... Вот когда дом начали ломать, надо было вещи мне куда-то переносить, а я — сами понимаете — не могу. Вот только единственно на детских саночках возила книги сюда. Так вот за то, что он помог мне перевезти крупные вещи, он взял буфет, оттоманку, шкафы... Я уже сейчас даже не помню что... и на закуску — собаку, чтобы я ему скормила. А собака-то была маленькая, там и есть-то нечего было. Она была настолько голодная, что у нее вообще ничего не было. Ну вот, вы понимаете, это собака, которая с колен у меня не уходила, а особенно в блокаду; все-таки какое-то тепло от меня исходило...

— И все-таки отдали вы собачку?

— Вот я долго сопротивлялась, потом говорю ей: «Зорик, ну все равно, ну пойдем». И так загадала... (А он уже и оттоманочку перевез к себе, все перевез...) Я ему говорю: «Сеня, ну возьми еще что-нибудь... икону, возьми икону. Только не бери собаку. Пусть она умрет смертью. Все равно уж она... Есть ведь ей нечего».

И вот характерный случай. Пришли... Я загадала... Если она встанет и пойдет, — я ее заберу. Черт с ним, пусть у него вещи останутся, пусть все там валится... (И я бы не держалась за вещи, если бы я знала, что муж не вернется. Господи, сколько мне надо!.. Я к вещам до сих пор равнодушна.)

А вот, представьте себе, она пришла, села. Я встала, пошла к дверям, — она даже не повернула головы. Я дошла до порога... Она отвернулась от меня (вот так) и не шевельнулась! Я вышла за двери — ну вот на один марш я спустилась — и сразу вернулась. Говорю: «Сеня, отдай собаку! Бери что хочешь, или... не надо... пусть, не помогай мне ничего...»

— «А я, — говорит, — ее уже убил...»

Вот вы знаете, вот это первый раз за войну я ревела. Я не плакала... Я мужа провожала, а не плакала. Я как-то окаменела... А тут я...»

А что, если потому отвернулась собачка, что поняла — предала ее хозяйка? А может, просто жертвовала собой — ради хозяйки, раз ей это нужно?..

Сколько лет прошло, а мучит это Маргариту Федоровну — по натуре женщину жизнелюбивую и ко многому относящуюся иронично.

У нас записан рассказ работника Эрмитажа Ольги Эрнестовны Михайловой — о том, как девушка отравилась, увидев, как ее мать потрошила домашнего любимца — кота. Вот что для человека оставалось мерой нравственного и безнравственного в условиях, когда, казалось, мера эта могла резко снизиться. И снижалась — для других людей. Романтик и в то же время трезвый историк — Г. А. Князев записывает:

«...Даже в лоне семьи некоторые не доверяют друг другу и держат, например, хлеб при себе в запертом портфеле. Подглядывают друг за другом. Грызутся, как голодные собаки, из-за куска. Как скоро может скатиться человек с вершин культуры до своего первобытного звериного состояния!»

Если это правда, то и другое тоже правда: в тех же условиях другие люди сумели сохранить себя, не допустить себя до «звериного состояния». По-разному превозмогали условия, самих себя. Некоторые потом все-таки не выдерживали. Но и не выдерживали тоже по-разному...

«...Поэтому я глубоко убеждена, — говорит Михайлова О. Э., — что, кто был приличный, кто был порядочный, тот и остался порядочным. Кто был непорядочный, в том, безусловно, все черты человеческие, отрицательные, они, наверно, развивались. Это точно.

Тут очень много, что можно сказать, и разные чувства обуревают тебя, когда ты вспоминаешь. Обуревают и чувства тяжелые, и чувства радостные, потому что в это тяжелое время все-таки встречались с такими удивительными людьми. Как я сказала, в то время люди были как бы голенькими, их сразу можно было почувствовать, увидеть. Все раскрывалось. И вот это было счастье общаться с прекрасными людьми.

И вот еще такой случай с моей подругой детства, которая жила в нашем доме. Она покончила жизнь самоубийством.

— Не выдержала?

— Она сама пошла в Публичную библиотеку, прочла там какие-то книжки, составила яд. Не буду называть ее фамилию. Она дочь когда-то известного ученого (он умер до войны). Почему она это сделала? Потому что осталась с матерью. А у них был кот большой. И мать съела кота собственного, которого они обожали, любили его, до войны все было для него. Вы знаете, как иногда животные становятся такими маленькими божками в семье!

Когда она увидела, что ее мать съела кота, она подумала, что уже все кончено, в жизни все кончено, что принципы, которые раньше были, какие-то нормы у них в семье, они рухнули, и даже сама любимая мать это сделала, самый близкий ей человек. Вот такие вещи были. Она тоже была доведена до дистрофии, но вот силы, моральные устои у нее все же оказались сильнее, чем у матери. Очевидно, она понимала, что это уже деградация внутренняя идет, идет все дальше, дальше и дальше. В общем, для нее была трагедия увидеть мать в этом свете.

— А мать знала, почему она покончила с собой?

— Я не знаю, но думаю, что мать, несмотря на то что она оплакивала свою дочку и теде, до конца этого не понимала. У некоторых людей совершался маразм на почве дистрофии, если у них были какие-то предпосылки, как я говорю, в худшую сторону от природы. Вот тут эта дистрофия и на почве дистрофии другое, будем его условно называть — маразмом. Я думаю, что мать не понимала. Ее вот дочь точно понимала.

Я с ней виделась уже после того, как мать съела кота. Она мне это рассказывала с ужасом:

«Ты понимаешь! Мать съела кота, Максима съела! Содрала кожу и съела, и все собственными руками. И предлагала мне!!!»

И по тому, как она мне это рассказала, для меня было ясно, что это тупик был».

По-разному люди видели, ощущали надвигающийся тупик. И по-разному вели себя: не в силах были удержаться и приближались к нему или же спасались от него — тоже по-разному.

Да, та девушка не выдержала. *Но по-человечески не выдержала*, а не по-животному.

Князев ее, пожалуй, понял бы. Хотя у него запас прочности больший. Больше аргументов в пользу борьбы до последней возможности, больше веры в себя, в человека.

Не только спасали животных, но и спасались сами через животных, детям детство их возвращали. Ведь Ленинград-то был после сорок второго года лишен какой-либо живности. Ни кошек не было, ни собак, ни птиц — ничего. Сохранился только один уголок в городе, не чудом сохранился, а любовью нескольких человек. Об этом удивительные вещи рассказала нам *Мария Мечиславовна Брудинская*.

«— Мне надо было прежде всего подготовить животных, животные не подготовлены совершенно. Надо было как бы дрессировать, чтобы они производили какое-то впечатление. Прежде всего нужно было текст какой-то выработать, чтобы рассказывать ребятам. Клетки сама я делала для животных, чтобы можно было ехать.

Была у нас маленькая полупони, такая лошадка маленькая — Мальчик. И Тимоша — не сторож, а конюх, но хороший по душе человек, который соглашался с нами ездить. Ведь все надо было грузить. И вот мы стали возить этих животных. (То, что вы видели на рисунках, на фотографиях, — это роскошь, это уже в самом конце, когда у нас была машина.)

Вот мы устанавливали эти клетки, привязывали их. И там мы втроем — Тимоша, я и вот Тамара Семеновна — ехали в те точки (как я называла), куда я получила договора. Вот приезжали. Нас встречали очень хорошо. Но не думайте, что мы ждали какой-то поблажки в смысле еды. Нет, там все было учтено, так что ничего не обламывалось, грубо говоря, нам.

— Это сорок третий год?

— Да, в сорок третьем году. Выбирали большую комнату, расставляли этих животных. Дети шумели, потому что для них это было...

— Они не видели ни собак, ни кошек?

— Да, да, да. Глаза огромные. Они сидели, смотрели. Ну, я маленькую такую вступительную лекцию читала им, а потом, значит, показывали: собачки танцуют, лисичку можно потрогать (она не кусалась). Чем ее кормить — они не знали, суют ей конфетку-крошечку, которую им дали.

Ну, вот у нас эта обезьянка Инка, — она была довольна свирепа, так что к ней вообще трудно было подступиться.

Ну, вот потом, когда все это представление кончалось, мы опять все укладывали. И вот один раз мы ехали по Невскому и в страшный обстрел попали. И вы знаете? Не о себе тут думаешь, а как спасти животных. Мы проскочили во двор (по-моему, здания Публичной библиотеки), у них большой двор. Мы встали под арку. Я как раз наклонилась к этой клетке, где сидела обезьяна Инка, а она, злодейка, вместо благодарности, почувствовав, что что-то темно, что-то необычно (они ведь очень реагируют на все это), и она начала меня щипать и драть халат, который на мне был. Ну, уж тут приходится терпеть!

Все-таки выбрались и уехали. Это кончилось благополучно. А раз мы вдвоем ехали к Рукавишниковой (так ее фамилия). И только мы поднялись, вот памятник Суворову, а это, значит, Троицкий мост, и о чем-то разговаривали, и вдруг какой-то шум — мчалась пожарная машина и не заметила эту несчастную тележку, а там у нас утки были, там у нас были курицы, цыплята какие-то, — трах! И мы оказались все на земле. Она сломала у нас оглоблю.

— А вы на пони ехали?

— Да. Ехали одни. Я левой рукой всегда правлю. Мальчик испугался, потянул меня вперед дальше. Я только ушиблась, но не растерялась, взяла его, он дрожал. Настолько был сильный удар, что у него слетела даже подкова с задней ноги. Привязали его к первой попавшейся скобе и начали собирать. И можете себе представить: вот эта самая тележка, и эти кудахчут, шум. Народа мало очень, бежит кто-то, но он же не может нам помочь. А ведь это же как собственность, это как ценность, за нее ты отвечаешь.

Вот я собрала все в кучу (Рукавишникова мне кое-как помогала). Надо было оттащить от дороги куда-то в сторону. Я оттуда, с Троицкого этого моста, тащилась с этим Мальчиком в зоосад, чтобы дать знать, что мы вот хоть и потрепались, но целы. И оттуда уже за нами приехала телега большая, которая подвозила корм для животных. И все это хозяйство забрали.

— Скажите, а дети младшего возраста животных не знали?

— Не знали. Откуда они могли знать? Там же малыши. И школьники почти не знали, уже забыли. Собак ведь не было совсем — их съели, — ни голубей, ни собак, ничего живого.

— Скажите, а вот как зоопарк уцелел, выжил в сорок первом, сорок втором году?

— Запасы были. Ведь у нас же там Удельнинский парк. Косили сено. Слон в сорок первом погиб. Бомбежка была, и его ранило. Очень потом жалели и ругали (это уже когда я поступила туда), ругали, что не сохранили мяса — могли его засолить или еще как, а его закопали, и так колоссальное количество мяса пропало. А вообще, несмотря на голод, несмотря на обстрелы, в зоологическом саду животные не погибли. Нет, нет. Вот заболел и умер своей смертью тигренок. Большинство животных отсюда было вывезено, не помню точно, кажется, в Саратов. А часть осталась. Не могли вывезти слона и не могли вывезти огромную бегемотиху Красавицу.

— Она выжила?

— Выжила. Она умерла собственной смертью уже мафусаиловых лет.

— Не покушались потом на ее мясо?

— Нет. Бывало, по-моему, не на мясо, а на корм для нее покушались.

— Но она же травоядная?

— Но тогда и трава шла. Вы знаете, что я вам хочу сказать: она больше всех нам доставляла мучений. Она ведь не может жить без воды — у нее трещины на коже делаются. Там, сзади зоопарка, есть такой канал, и нам приходилось просто на саночках возить воду без конца. Это был тяжелый для нас наряд, прямо, знаете, по очереди нас заставляли это делать. И вот, несколько раз в день, ее обливали, смазывали (если не съедали) всякими животными жирами.

А так, понимаете, этот зоопарк был на балансе на продовольственном в городском Совете, так что обезьянам выделяли витамины (как там доставали — я просто не знаю).

Отопление тоже было для нас очень трудным. Я жила на Васильевском острове. Так всегда я шла из зоосада (ну, конечно, с противогазом, само собой) с вязаночкой каких-нибудь дров, щепок — все маленькие кусочки, но чтобы прийти домой и подтопить буржуйку.

Ну что еще я вам скажу? Потом мы организовали катание детей на пони. Там оставались два пони. Сбруи не было — кое-какая, рваная. И я сама шорником была: шила седельники всевозможные, хомут обтягивала, все это делала. Тележка наряжена была. И вот Тимоша, наш знаменитый Тимоша — мы его все страшно любили... Тимоша — это старичок, который нам помогал. И вот он возил этих ребятишек, и, конечно, это страшная радость.

Тяжелое впечатление, конечно, производили эти самые посещения раненых в лазаретах. Это ужасно прямо было. Ведь они, понимаете, прикованы иногда к кровати, с ужасными ранениями, и все-таки улыбались. А эта улыбка так дорога была! Не нужно было ничего, лишь бы только он улыбнулся.

— На вашу обезьянку?

— Конечно, уже старались, выворачивались, чтобы как-нибудь идти к ним на встречу.

Много детей стекалось к нам. Знаете, что принимали мы только тех, которые хорошо учились, чем-либо отличались, помогали старшим или что-нибудь еще. И они охотно шли, очень охотно. А работа тоже была такая, что они должны были убирать зоосад, помогать в кормежке, а главным образом наблюдать данное животное, записывать. Мы выезжали с ними в Удельнинский парк, наблюдали перелет птиц или животных мелких этих.

Вы знаете, холодища эта, щели, промерзший потолок, иней. И ребята — юннаты — и мы все-таки что-то такое делаем. Не думаем о каком-то хлебе, а о хлебе *духовном*, тут у нас и Брем «Жизнь животных»...»

Чем люди живы?

Голод терзал, насмерть убивал детей на глазах у ленинградских матерей. И дети видели муки своих матерей, но поняли их по-настоящему, может быть, лишь спустя много лет, когда сами стали матерями, отцами.

> Магдалина билась и рыдала,
> Ученик любимый каменел,
> А туда, где молча мать стояла,
> Так никто взглянуть и не посмел.
>
> *Анна Ахматова*

У нас имеется несколько записей, где одновременно и об одном вспоминает мать и ее ребенок, теперь уже взрослый человек. Вот один из таких современных рассказов *Ольги Ивановны Московцевой* и *Валентины Александровны Гавриловой* (дочь будем называть Валя, хотя она уже давно взрослая).

«Ольга Ивановна:

— Я в охране была, и нам разрешили дрова брать. Попрошу одну соседку, вторую, наберем дров — они тащат, я тоже дотащу до дому и скорей на дежурство. Потом эти дрова расколем и — на рынок, там рядом рынок был, Клинский. Мне-то самой нельзя стоять продавать. Я Валю поставлю. Я привожу её на тележке еле живую, чтобы она только стояла около этих дров, чтобы чувствовалось, что есть человек. А я наблюдаю стою. И вот, знаете, один раз такой посчастливился нам день: подошла ко мне женщина и сказала: «Я, говорит, вам дам килограмм крупы».

Валя:

— Пшена, килограмм пшена!

Ольга Ивановна:

— «Пшена кило. Никому не говорите. Я вам свою квартиру не покажу. А только вы мне к дому подвезете и свалите эти дрова». А мне нужно и дрова везти и Валю тащить на санках.

— Вы дрова везли, а ее посадили наверх?

Ольга Ивановна:

— Да, она не ходила. Ну, довезли. Дали нам эту крупу. Куда ее девать? Валя кричит: «У нас отберут, у нас отберут эту крупу!» Я говорю: «Ладно, давай запрячем тебе за пальто».

Валя:

— Тогда отбирали.

Ольга Ивановна:

— Да, бывало. Ну, я ей крупу сюда запрятала и говорю: «Садись в санки, а лучше ложись. Я тебя повезу домой». И вот мы привезли крупу домой. Уж Валя эту крупу берегла, ведь она за хозяйку у меня была. Я приду с работы, она нальет мне супу и считает, сколько крупин. До того досчитается, что суп холодный. Я заплачу, мне тепленького хочется с улицы, а она все считает: «Доктор мне сказал, чтобы ты не откусила лишний раз от меня, ни я, чтобы было поровну. Тогда будем живы». Знаете, с головой у нее что-то было — она была как ненормальная.

245

Валя:

— Да, я была ненормальная.

Ольга Ивановна:

— Как ненормальная: у нее ни памяти не было, ничего.

— А это какой год был? До Ладоги?

Ольга Ивановна:

— Да, да, да. До Ладоги, я еще не работала на Ладоге. На Обводном был оборонный завод, там муж работал. Меня и взяли туда в охрану — я уже больная была, у меня была третья группа инвалидности. Вот отсюда дрова и брали. Это до Ладоги было.

Валя:

— Тогда давали шроты, дуранду...

Ольга Ивановна:

— У меня шерсть была, я вязала чулки, повару отдавала. Что было, я все ей давала, а она мне луковичку даст, шелуху отдаст. Из шелухи я делала котлеты картофельные, из дрожжей суп дрожжевой делала. Потом клею мне дали. Из клея сделала студень (клей вот этот, которым клеют). Я не могла есть, а Валя ела. Она ела с удовольствием этот клей как студень.

— А насчет крупы это ей врач внушил в больнице?

Ольга Ивановна:

— Да, да. У нее с легкими было неблагополучно, все время с легкими было неблагополучно. И вот, значит, врач ей давал соевое молоко. Придет она и делает вроде кофе. Я хочу, чтобы она съела, а она — чтобы я. Вот сидим спорим. Она мне: «Я не буду есть, умру — тогда и ты умрешь. А если я буду есть, а ты нет — ты умрешь тогда, но и я без тебя». Мне приходилось уступать ей и все делить поровну. И потом: продукты получала она. Вот вижу — половиночка конфетки осталась. Я говорю: «Валя, почему ты это не съела?» (Я все хочу, чтобы она побольше меня ела.) Она мне: «Нет, нет, что ты! Я только половину конфеточки. Доктор сказал, чтобы мы все поровну ели, все поровну. Тогда мы будем с тобой жить».

Валя:

— Относительно того, как спастись в таких условиях, по радио ленинградскому, например, говорили: «Не ешьте сразу свои сто двадцать пять граммов, делите пополам». У меня хватало сил делить пополам. Я за окно почему-то прятала, за раму, потому что крысы были, мыши. Это поначалу. А потом уже ни мышей, ни кошек, ни собак — ничего в Ленинграде не было. И вот я делила так: кусочек съедала утром, кусочек вечером. Я прислушивалась к тому, что говорили по радио.

Ольга Ивановна:

— У нас был котенок. Я говорила — унесите его куда-нибудь. А крестный пришел и говорит: отдайте его мне, я его съем. А Валя как заплачет: «Что ты говоришь! Кошечку хочешь съесть!» Потом я уговорила соседку, она кондуктором работала. Я говорю: «Слушай, Катя, скажи Вале, что снесешь кошечку в столовую, она там будет жить, ее кормить будут, а потом ей вернут. Но только туда нельзя ходить, нельзя смотреть. Кончится война, и тебе тогда вернут». Уговорили.

Валя:

— И еще запомнилось: мне очень хотелось жить. Я так хотела жить, так велика была сила эта, что я была готова подчиняться всему, что говорили, всем советам, только бы выжить! Просто удивительно как-то! Еще мне запомнилась продавщица, которая выдавала нам паек. Были случаи, когда не выдавали пайка: не было муки или хлебозавод не выпустил хлеба по каким-то причинам. Даже такие случаи были! А вот когда все было благополучно и хлеб привозили, это были очень большие буханки. На меня производило впечатление, что они очень большие были. Но они были мерзлые. И продавщица не могла буханку хлеба разрезать ножом, она ее рубила топором. Это я очень хорошо помню. Булочная находилась в нашем доме, в доме семьдесят шесть. Тут мы и блокаду пережили. И вот она топором рубила эти буханки, чтобы отрубить маленький кусок — сто двадцать пять граммов. Вперед не отоваривали, потому что мало было в Ленинграде таких возможностей, чтобы вперед отоваривать. И у меня тогда была мечта: «Мама! Неужели мы доживем до того времени, когда в булочной будут полные полки хлеба?!» Мне не верилось, что такое будет время. Я не мечтала о каких-то булочках, хотя бы только хлеба были полные полки. И я говорила: «Какие же мы будем счастливые, когда мы доживем до этого!» Я дожила до этого времени, увидела полные полки хлеба... Но до сих пор мы сушим сухарики, не выбрасываем хлеб.

Ольга Ивановна:

— Она говорила, что мы будем очень богато жить, когда у нас будет вдоволь хлеба и соли (ведь и соли тогда не было), будем с тобой пить кипяток с солью и хлебом!

Валя:

— И еще такой момент я запомнила. Мы жили рядом с Варшавским вокзалом: Московская застава, много заводов, рядом Бадаевские склады. Поэтому и бомбили очень сильно этот район. Пулковские высоты недалеко, и Московский район принимал все эти снаряды. Как только начинали бомбить, я себя считала счастливой, что живу в первом этаже, потому что сверху все бежали к нам прятаться. Обычно первый этаж считался плохим: темновато там, сыровато, а во время войны это было большое счастье. Это, может быть, нас спасло, потому что в наш дом много снарядов попадало в четвертый этаж, в третий, и тогда все бежали к нам спасаться. Мама меня в этот момент так наряжала: она снимала с меня мое детское пальто и надевала свое, потому что оно было из бостона, с меховым воротником и было все-таки подороже, чем мое детское. Она вешала мне мешочек на шею и туда клала карточки и свои и мои и говорила: мало ли что может случиться, на первое время, на первый месяц у тебя будут карточки, ты мои вещи продашь, мое пальто и как-то просуществуешь, а может быть, блокаду прорвут, и ты сумеешь эвакуироваться...»

Ленинградская женщина... Она жила чуть дольше, чем могла жить, если даже потом смерть, иссушив, сваливала. Ее «задерживала» — на день, на два, на месяц — мысль, страх, забота о ребенке, о муже...

«И вот, знаете, другой раз я чувствую, что слабею, слабею. Совсем руки, ноги холодные. Батюшки! Я же умру! А Вова? И, знаете, я вставала и что-то делала. Этого я просто сейчас объяснить не могу» (*Александра Борисовна Ден*).

Многие из них только благодаря этому и сами выжили — вопреки научным подсчетам, что, мол, лежащий неподвижно теряет меньше калорий, чем тот, кто ползет на заледеневшую Неву за водой, через силу тащит на саночках дрова, сутками стоит в очередях за хлебом для ребенка... Тут и наука должна была что-то пересматривать или вспоминать забытое. «Мне надо было принести продукты на себя и еще на пять человек, которые сидят и ждут меня, нужно было принести ребенку соевое молоко, мне нужно было пойти получить карточки на жителей дома; вообще мне все время приходилось ходить, и, вероятно, поэтому я выжила. Я почти не отекала. По-моему, я в блокаду лежала один день» (*Ольга Иосифовна Рыбакова*, инженер, работала управхозом; ул. Кутузова, 12).

Е. С. Ляпин, доктор физико-математических наук, профессор математики, сам все это и наблюдавший и переживавший, высказался так:

«Но один момент я все-таки отмечу, ибо он для нас сыграл свою роль, да и для многих людей тоже. Я говорил с врачами в этот период, и потом они это подтвердили. Ведь нормально люди себе представляли, что человек — это вроде печки: пока дрова подкладывают — печь горит, если нет дров, их не подкладывают, дрова сгорели — и печка потухла! Ну а человеку подкладывают там всякие калории, на этих калориях он живет, действует. А когда их нет, то расходуется то, что накоплено в организме: жировые отложения, мускулы. Он все это съедает. Когда у него все «сгорело» (всякий физик знает энергосистему), нечем двигаться — он умирает. Но часто человек умирал тогда, когда в его организме какой-то еще небольшой запас калорий — в физическом, примитивном смысле — оставался: печка работать еще могла, а он умирал. Человек-то все-таки не печка. Человек очень сложное устройство, необычно сложное. В этом отношении важную роль играло то, как человек себя вел, насколько он мог бороться. Я помню людей в начале голода, которые перестали мыться, перестали бриться. Если получали по карточкам, то тут же, в магазине, все съедали сразу. Если давали на три дня, они съедали все в один день, а потом у них ничего не было. И это не ужасные, безвольные люди, нет, нормальные, хорошие люди. Они исходили из принципа той же самой печки: на движение человека тратятся калории, калорий не хватает, надо лежать, лежать столько, сколько можно. Не надо шевелить пальцами, надо лежать. И это было ошибкой, потому что человек не печка. Правда, идешь по комнате, тем более умываешься, тем более холодной водой, тратишь на все это какие-то калории. А на самом деле так ты продолжаешь оставаться человеческим существом, которое в какой-то степени функционирует.

Надо сказать, что многие люди в этом отношении стали на позицию соблюдения жесткого режима, конечно, режима, соответствующего тем условиям, которые были, но это было твердо на каждый день. Для тяжелого периода блокады обед состоял из кипятка, в котором размачивали пятьдесят граммов несъедобного хлеба. Ели из тарелки ложкой. Можно подумать, что я о пустяках говорю: не все ли равно, когда съесть свои сто двадцать пять граммов, размачивать хлеб или нет, есть ложками или так. Нет, и это было важно. Надо было создать какой-то ритм, похожий на жизнь нормального человека. Это я знаю по себе, знаю по своим близким, знаю и слышал от врачей, которые могли наблюдать все это в массовом порядке. Конечно, это не гарантия; естественно, что в конце концов никакой режим не действует, если человек не получает пищи, рано или поздно смерть его захватит.

Повторяю, это не гарантия, но это отодвигало насколько можно гибель. Надо сказать, что я свои мысли, свои чувства старался держать в норме, опускаться так, как опускались некоторые люди, — это было неправильно и ошибочно».

...У нас имеются два дневника — матери и сына Прусовых. Дневник матери, Фаины Александровны, особенно интересен: медицинская сестра, писавшая его, не только яркая личность с трагической материнской судьбой, но и человек с литературным даром. Она и сыну подсказала записывать. Когда студента-медика мобилизовали в армию, она взяла толстую тетрадку, сказала: «Записывай туда самые интересные вещи, потому что есть такая фраза: «И плохие записки современников ценны для потомков». Есть в записках ее сына врача Бориса Прусова странички, затрагивающие ту же проблему калорий — пищевых и, так сказать, «духовных калорий».

«Моя мама Прусова Фаина Александровна была медицинской сестрой с довольно большим стажем. Работала когда-то операционной сестрой у профессора Грекова в Обуховской больнице. И потом работала в хирургии в больнице Софьи Перовской. Благодаря нашей маме мы и выжили, потому что как-то она поднимала дух всех нас. Мы не опускались: мы мылись элементарно, делали себе какую-то ванну. Причем очень интересно, что у нее была своя теория, которая, кстати, подтвердилась жизнью: не залеживайтесь, не залеживайтесь! Когда я как медицинский работник пытался ей возражать: «Мама! Когда ты лежишь, то ведь энергии тратится меньше, питания ведь надо меньше», — она говорила: «Это парадоксально, но факт: кто ходит — будет жить и работать. Ходите!» Когда я совсем выбился из сил (это в сорок втором году) и уже не хотел ходить в институт, то сестра и мать сказали: «Ты должен кончить медицинский институт. Ходи! Если ты не будешь ходить, ты умрешь!» И я ходил. Я ходил от Марсова поля до площади Льва Толстого ежедневно туда и обратно и еще делал квартирные вызовы и принимал больных в больнице Софьи Перовской.

Вот такая была мама. Кто бы к нам ни пришел, у нас всегда было чисто. Стол всегда был накрыт скатертью. Как-то всегда было весело. Все убрано, аккуратно, чисто. И вот эта самая чистота, вот эта самая дисциплинированность матери — она передавалась нам. И это, по-моему, помогло нам выжить. Мать никогда не давала нам падать духом... Паек делился, каждому давалась порция, причем, как они уже потом признались, мама с сестрой в самое трудное время больше давали мне, не знаю почему. Но вот что самое интересное: мама считала, что у нее в комнате чисто, всегда вымыт пол, все блестит, но когда уже сняли блокаду и она сняла затемнение (шторы), дали электричество, она посмотрела на обои и сказала: «Господи, господи! До чего же я себя обманывала! Все-таки в какой грязи я жила...»

Из дневника *Ольги Ефимовны Эпштейн*: «*5 мая.* Я после бюллетеня вышла на работу. Завод выпускает новый военный заказ. Народу мало. Из старых рабочих почти никого нет. Вымерли, а часть уехала... Я осваиваю новые детали. Все хожу еще в зимнем пальто. Настоящий заказ гораздо интереснее прошлого. Во-первых, разнообразие деталей и гораздо точнее, притом из цветного металла. Сегодня привезли в столовую икру из дуранды, мне дали один килограмм. Раньше я бы в рот не взяла, а теперь мне это кажется очень вкусным.

13 мая. Пошла Эдика навестить... Вечером слушаю сообщение Информбюро, затем иду в булочную, выкупаю 250 граммов хлеба и, если есть, масло. Помажу на хлеб и наслаждаюсь. Затем ухожу на работу. Придя с работы, разогрею чай, напьюсь и ложусь спать. Я работаю самостоятельно, заменяю и мастера и контролера, подсобницу, нарядчицу и др.

Сегодня мы проводили заводское собрание. Подвели итоги мая месяца. Задание мы выполнили.

Сегодня была врачебная комиссия. У меня признали дистрофию первой стадии. Стали отбирать самых больных дистрофиков на усиленное питание. Я не мечтаю попасть. Десны у меня уже выровнялись. Я даже удивилась, что я так легко отделалась и зубы на месте остались. Сегодня нам дали по одному литру соевого молока.

10 июня. Ко мне подходит парторг и говорит: «Вот тебе справка, и пойдем скорее к врачу». — «А зачем?» — «На усиленное питание»...»

Ленинградская женщина отчаянно и бесстрашно сражалась против голода. Это был ее фронт. Те, кто выжил в Ленинграде, обязаны не только войскам, не только «Дороге жизни», но и женской стойкости, женскому терпению, выносливости, женской силе и, наконец, ее любви.

А ведь как ей хотелось и тогда быть не самой сильной и выносливой, а «всего только» женщиной, которую кто-то бы и пожалел. Иногда так невмоготу ей было изображать и самую сытую и самую здоровую в семье.

«Вот я вспоминаю такой случай. Давали одно время вместо сахара так называемые соевые батончики. Ну, там было не столько сои, сколько... я не знаю, что там было. И я делила между нами тремя. И я помню случай или два, когда я им свою порцию отдавала и выходила в коридор. И один раз я вышла в коридор и заплакала. Зна-

253

ете, вообще-то я и до сих пор довольно равнодушна к еде: есть так есть, нет так нет. А вот тогда... До сих пор помню, как я вышла в коридор
и заплакала» (*Александра Борисовна Ден*).

Ей, женщине, матери, жене, приходилось
быть сильнее, выносливее, мужественнее самой
себя.

Ленинградские дети

«— Я выхожу со двора своего, рядом с Ге-
неральным штабом, и вижу — около калитки,
совсем прижавшись, сидит мальчик. Мне показалось, что ему лет шесть. Я спрашиваю:
«Что ты здесь делаешь?» Он говорит: «А я
пришел сюда умирать». — «Умирать? Ты смотри, какой ты, — раз ты смог сюда прийти, ты
не умираешь! И где ты живешь?» — «Я живу
на Мойке. У нас очень темный двор и квартира очень темная. А здесь вон как светло. (Это
на Дворцовой площади.) Я пришел сюда умирать». Ну, я со своими девочками взяла его к
себе в архив. Мы его напоили теплой водой,
какие-то корочки ему дали. И клею столярного, вот этого самого. И он нам сказал: «Если я
останусь жив, я всегда буду есть этот клей».

— А сколько же ему было лет?

— Мне казалось, что ему лет шесть. А ему
оказалось одиннадцать. Я его спросила: «Ну почему ты пришел сюда? У тебя никого не осталось?» Он сказал: «А разве ты не понимаешь?
Если бы у меня кто-нибудь остался, я не пришел
бы. Папа на фронте, мама умерла, лежит. Сестренка умерла». Ну, я отвела его в детскую комнату и сказала его адрес (он знал свой адрес),
они туда пошли. А больше я о нем ничего не
знаю». (Из рассказа Л. А. Мандрыкиной.)

«Ленинградские дети»... Когда звучали эти
слова — на Урале и за Уралом, в Ташкенте и в
Куйбышеве, в Алма-Ате и во Фрунзе, — у человека сжималось сердце. Всем, особенно детям,

принесла горе война. Но на этих обрушилось столько, что каждый с невольным чувством вины искал, чтобы хоть что-то снять с их детских плеч, души, переложить на себя. Это звучало как пароль — «ленинградские дети»! И навстречу бросался каждый в любом уголке нашей земли... До какого-то момента они были как все дети, оставались веселыми, изобретательными. Играли осколками снарядов, коллекционировали их (как до войны коллекционировали марки или бумажки от съеденных конфет). Убегали, прорывались на передовую, благо фронт рядом, рукой подать. Азартно закидывали песком в своем дворе немецкие зажигалки, словно это новогодние шутихи.

«Едем дальше, до Обводного канала, — вспоминает бывший водитель трамвая Анна Алексеевна Петрова, — здесь на мосту Ново-Каменном дети метлами сметают бомбы в Обводный канал, прямо в воду...» Калягин И. В.: «Ну, мальчишка решил, что, если побегу кругом, кричать, никто не услышит. Побегу кругом — дом загорится. Он решил прыгать с большого дома на нижележащий дом.

— Сколько этажей?

— С четвертого на двухэтажный. Два этажа. Что думать? Он прыгнул и зажигалку выкинул. И тоже фамилия затерялась».

А потом они становились самыми тихими на земле детьми.

«Сидим мы, и вокруг нас, вокруг школы, разорвалось шестнадцать снарядов! Стекла все выбиты. Мальчишки все за меня вот так пальчиком держались. Вы понимаете почему? Очевидно, я... Я чувствую, что я дрожу. Я напрягла все силы, чтобы, понимаете ли, вот эту дрожь убрать. И вы знаете, мне это удалось! Вы знаете, вот я напрягла все силы! И потом я себе внушила, что я сейчас не в Ленинграде, что я сейчас в Молодине у мамы, что все совсем хорошо» (*Рогова Нина Васильевна*).

«Впереди меня стоял мальчик, лет девяти, может быть. Он был затянут каким-то платком, потом одеялом ватным был затянут, мальчик стоял промерзший. Холодно. Часть народа ушла, часть сменили другие, а мальчик не уходил. Я спрашиваю этого мальчишку: «А ты чего же не пойдешь погреться?» А он: «Все равно дома холодно». Я говорю: «Что же ты, один живешь?» — «Да нет, с мамкой». — «Так что же, мамка не может пойти?» — «Да нет, не может. Она мертвая». Я говорю: «Как мертвая?!» — «Мамка умерла, жалко ведь ее. Теперь-то я догадался. Я ее теперь только на день кладу в постель, а ночью ставлю к печке. Она все равно мертвая. А то холодно от нее» (*Игнатович З. А.*).

Ленинградские дети разучились в ту зиму шалить. И даже смеяться, улыбаться разучились, так же как их мамы и бабушки и так же как их первыми умиравшие отцы, дедушки...

«Люди, даже дети, не плакали и не улыбались», — об этом многие вспоминают. Как говорила Ольга Берггольц «своим» ленинградцам: «...горе больше наших слез». А для улыбки, оказывается, тоже необходимы силы. А сил столько не было, не хватало на работу, на жизнь!.. Когда минула страшная зима смерти, голода, женщина однажды — что-то сказали, сделали при ней — почувствовала: «...с лицом моим происходит нечто, какое-то непривычное положение мышц...» А это человек снова заулыбался...» (Из рассказа *Лидии Сергеевны Усовой*.)

«— Помню, как стояла за хлебом, — говорит нам, но грустно смотрит куда-то глубоко в себя, на ту блокадную тринадцатилетнюю Галю, певица Ленинградской академической капеллы Галина Александровна Марченко. — У нас был такой большой двор, и нужно было стороной как-то обойти домика полтора, и там была булочная. Я помню, мы стояли в очереди с вечера, стояли сутками, напяливали на себя абсолютно все. А мама не могла, в общем-то, двигаться, она скорей как-то ослабла. Она все время грела мне кирпичи, у нас на «буржуечке» всегда лежали кирпичики, два или три. Я устраивала себе на грудь теплый кирпич, чтобы согреваться. Помню — замерзну, приползу домой, мне дадут другой кирпич, и я опять, у меня сил было больше, уползаю вместе с кирпичом. Помню, что мама меня просто обогревала этими кирпичами. Ну, в конце концов я получала своим по сто двадцать пять граммов хлеба и возвращалась домой.

— Бывало, чтобы вы смеялись?

— Мы не смеялись, в общем, я не помню такого случая. Мы вообще не разговаривали, потому что просто сил не было. Нет, не могу вспомнить, чтобы я смеялась. Я все время ходила с карточками, потому что мама боялась потерять их: ведь это же смерть.

— А вы плакали?

— Нет, и плакать не плакали, просто уже было какое-то безразличие. Мы уже не спускались в бомбоубежище, а просто закрывались у себя дома и никуда не ходили.

— Вот нам рассказывала одна женщина, как она впервые после всего пережитого улыбнулась и как сама удивилась этому забытому мышечному движению. Вы не помните свою первую улыбку?

— Про улыбку я не помню. По-моему, я улыбнулась уже тогда, когда мы уехали в эвакуацию. Может быть, раньше. Нет, когда мы были уже в Жихареве».

Александра Александровна Агронская, заведующая нотной библиотекой Ленинградской академической капеллы, милая, с улыбчивыми ямочками женщина, сразу посерьезнела, погрустнела, как только заговорила об улыбках, которых так мало было, которые так редко светились на детских лицах. Жила она в детском доме, блокадном детском доме (мать — «по мобилизации», отец — на фронте).

«— Ну а вот дети как себя вели? Кто-то ел сразу, кто-то прятал, да?

— Вы знаете, я могу только сказать, что мы очень мелкими частичками ели. Мы никогда не кусали хлеб, а отщипывали, отщипывали кусочки хлеба и брали в рот. И в столовой (у нас была большая комната, где мы, все дети, ели), в столовой мы по очереди имели возможность облизывать кастрюли после второго, ну, после каши...

— А очередность кто устанавливал?

— Воспитательница. Нас там много детей было.

— По очереди или в порядке поощрения?

— Нет, это по очереди. Вы знаете, я думаю, что мы не очень озорничали. Нас, по-моему, не за что было наказывать, только расшевелить можно было. Во всяком случае, когда я в школу пошла... Вот запомнила имя своей учительницы в первом классе — Елена Игнатьевна. Это была двести вторая школа, на Желябова... Она, когда мы впервые чему-то засмеялись в классе, — это уже было, наверно, в сорок четвертом году, в конце, класс почему-то захохотал, — она после этого пошла по домам, обошла родителей и всем говорила: «Сегодня ваши дети смеялись!» Это было самым важным сообщением.

— А детский дом где был расположен?

— Детский дом был на Некрасова. Там церковь какая-то снаружи, а во дворе у нас был детский дом. Во время одной из прогулок этот детский дом был разбит снарядом. Дети не пострадали, нас перевели в другое наше помещение.

— А в самом детском доме не удавалось вас рассмешить?

— Я думаю, нет, хотя мы и танцевали. Вот Лисичкой я была... Еще помню — у нас постановка была, «Снегурочка», и я там Снегурочкой была, пела, но, наверно, это было не очень весело, я так думаю.

— А дети все вашего возраста или были и постарше?

— Были и старше дети, были и помоложе.

— А потом из детского дома вернулись домой?

— Да, из детского дома я вернулась домой вместе с сестрой.

— А отец?

— А отец у меня недавно умер. Он всю войну прошел. Он был в Германии. А потом работал — хочу похвастать! — в экспедициях. На «Оби» и «Лене» ходил в Антарктиду. И сейчас его именем названа банка в Антарктиде.

— Агронский?

— Нет, Пожарский.

— А почему у вас другая фамилия?

— А вы знаете, я замуж вышла. — Смеется. — Вообще, конечно, воспоминаний много, в основном не очень веселых. Мне страшным показался тогда даже день снятия блокады. Мы с сестренкой и мамой были дома. Мы жили в самом центре города — на Софьи Перовской. Здесь, вы знаете, канал Грибоедова, все рядом, самый центр города. И ничего по радио я не слышала, никаких объявлений, ни сестра, ни я.

— Мы с мамой вышли на улицу, и навстречу попалась мамина приятельница. Она что-то ужасно громко кричала, подхватила маму, и они побежали, а мы с сестренкой остались. И в этот момент такой грохот был! Вы знаете, во время войны такого грохота я не помню и такого страшного ощущения, что что-то рушится... Весь город осветился. А оказывается, это был салют! Мы с сестренкой упали в сугроб. Нас какие-то мужчины военные вытащили оттуда, из этого сугроба. Мы страшно плакали. Нас еле-еле успокоили.

— Вы еще не знали, что произошло?

— Да, мы не поняли, в чем дело. Мы вообще не представляли себе, что такое победа. Для детей победа в то время еще была очень отвлеченным, по-моему, понятием. Но к тому времени, ко дню снятия блокады, мы, понимаете, уже что-то ели, нам что-то давали, не только хряпу, ну я вот из школы приносила в кружке кашу, и ее можно было поесть. Нам уже казалось, что это лучше. И конечно, снятие блокады — день этот был очень знаменательным, хоть мы с сестрой очень испугались».

Все же мы попросили вернуться к той учительнице, о которой Александра Александровна рассказала вначале. Упоминание о ней не давало покоя. В первом смехе детей она увидела событие. Она оценила это событие как великое, может быть решающее. Настолько, что обошла всех родителей. Она разносила эту весть как самый дорогой подарок — они смеялись! Они снова смеются!

«— Как вы узнали, что она ходила?

— Нам родители сказали. Я не знаю довоенной судьбы этой учительницы, я не знаю ее домашней жизни во время войны. У меня сложилось такое впечатление, что она жила только школой и только нами. Мы приходили в школу голодные, холодные. Она нас раздевала, смотрела, что у нас внизу надето. Заворачивала (у кого ничего нет) в газету, сверху надевала платье, чтобы дети не мерзли. Если кто-то начинал плакать на уроке, у нее всегда какие-то корочки находились в кармане. Кофта у нее была большая, карманы где-то внизу (может быть, такое впечатление тогда было). Вот она нам давала эти корочки пососать, лишь бы мы не плакали. Во время обстрелов она нас собирала в коридоре и буквально укрывала собой. Очень часто навещала нас дома. Если кто-то из детей хотя бы раз не придет в школу, она в этот же день шла домой. Как она себя чувствовала, я этого ничего, конечно, не знаю, не знаю, была ли у нее семья или она была одна, потому что я у нее проучилась только первый, второй и начало третьего класса.

— И дальнейшую ее судьбу вы не знаете?

— Я ее больше не видела. Я перешла в другую школу. Потом, когда я вернулась в свою школу, ее там уже не было.

— А как ее имя и отчество?

— Елена Игнатьевна.

— А фамилии не помните?

— Нет»[1].

...Воспоминания детей, то есть тех, кто были в блокаду детьми, не похожи на воспоминания взрослых, хотя сейчас рассказывают их нам люди взрослые, сами уже отцы, матери, даже бабушки.

Память детская сохранила чрезвычайно много, донесла точно, ярко. Какие-то картины нынешним сознанием даже не расшифровать. И какие-то страхи тоже малопонятны нам.

Шестилетнему тогда мальчику Вите (*Виктору Васильевичу Корбунову*) из всех бомбежек врезалось: огромный шкаф заплясал на ножках! И то, что в их детском саду после бомбежек осколки стекла были в кроватках.

Володю (*Владимира Рудольфовича Дена*), которому тогда было лет двенадцать, мать выпустила на улицу гулять. Был февраль 1942 года. После невылазного сидения дома от воздуха его слегка шатало. Но больше всего его потряс высокий снег, выше головы — снежные траншеи, сугробы, заваленные снегом первые этажи, снежные горы. И снег не городской, а чистый, сверкающий, слепящий. И вот спустя тридцать пять лет, тоже в феврале, он поехал в Кировск кататься на лыжах.

«Вот там я иду по улицам и — что такое? Какие-то странные ассоциации. Вот этот снег!

Тротуары, конечно, занесены не так, как здесь было. Ну, скажем, если газоны, то они выше головы засыпаны снегом — это всю зиму чистят и отбрасывают».

Через этот чистый снег, через полярную снежность вдруг ожило детское, блокадное. Оно возвращается, оно вдруг обнаруживается в характере, привычках, сновидениях. У каждого по-своему, да и так, что человек порой и не знает, откуда у него это.

---

[1] После публикации в «Новом мире» нам стали звонить ее ученики: «Это же Николаева, Елена Игнатьевна Николаева».

У шестилетнего Коли (*Николая Викторовича Хлудова*) снег связан с голодом: «Когда выпал снег, мне стало постоянно хотеться есть». Так это и соединилось для него.

Картинки, вырезанные детской памятью, обычно сверкают всеми красками.

«У Финляндского вокзала внимание мое приковывали троллейбусы, зимующие на площади. Рядом стоял сгоревший дом. Его тушили, и струи воды, упав на крыши троллейбусов, застыли огромными ледяными столбами. В лучах весеннего солнца столбы искрились и просвечивали, и все кругом мне казалось похожим на ледяное царство» (*Лидия Ивановна Мельникова*).

А восьмилетней Жанне (*Жанне Эмильевне Уманской*) блокада вспоминается как страшный холод. Все время холод, под одеялом, в шубе — и все равно холод. Еще огромная корзина, обшитая кусками ватного одеяла, в которой мать носила обед. Хлеб, кусочками в двести граммов, прятали в чемодан, а чемодан клали в диван, чтобы не съедать этот хлеб сразу.

«Как-то не существовало ни утра, ни вечера. Ничего. Казалось, что темень сплошная все время. Я научилась различать циферблат часов. И до сих пор, к стыду своему, вспоминаю, что помню только час, когда мама должна была покормить меня. Иногда я знала, что утро, иногда не знала, потому что практически мы не спали, в какой-то дреме ночью были. Говорят — хлеб спит в человеке. А поскольку хлеба не было, нам не спалось».

Внутри блокадной муки, среди всех бед, лишений, ужасов, смертей главной трагедией были дети. О них заботились прежде всего и городские учреждения и само население, их страдание, их положение для всех было наимучительной болью. И даже в помутненном голодом сознании взрослых дети, детское сохранялось, как правило, святым.

«Продукты с базы возила на санках одна взрослая женщина-экспедитор. Она всегда брала с собою двух мальчиков лет по четырнадцать. Вот наступила моя очередь. База находилась за Нарвскими воротами. Туда и обратно мы шли пешком. Туда налегке, обратно схватившись за веревку санок. Один из нас всегда шел сзади наблюдающим. На одном из ухабов сани накренились, и соевые конфеты рассыпались из коробки на снег. Вокруг нас моментально образовалось тесное кольцо из проходивших мимо пешеходов. Экспедитор замахала руками, заохала, из ее крика поняли, что конфеты везут в детский дом, да и мы, два заморыша, были хорошей иллюстрацией. Народ толпился вокруг нас, растопырив в стороны руки, глаза горели, но никто не наклонился. Мы собрали все конфеты в коробку, подобрали кульки, поправили сани и двинулись дальше. Люди еще долго провожали нас глазами» (*Александр Иванович Любимов*).

Дети-старички, безулыбчивые, молчаливые, вялые, все понимающие и ничего не понимающие. Немцы, война, фашисты где-то там, за городом, да и сама блокада оставалась для шести-восьми- десятилетних детей понятием отвлеченным. Конкретными были темнота, голод, сирены, взрывы, — непонятно, почему все это обрушилось на людей? Куда исчезла еда, куда исчезли близкие? Война не воплощалась в людях, во врагах, в полицаях, в чужой речи, как это было, допустим, на оккупированных землях. Мы говорим о малышах, те, кто постарше, быстро взрослели. У малышей же детство прекращалось. Непросто было этим маленьким старичкам потом возвращаться в жизнь, в детство, к самим себе.

Нина Васильевна Ковалева, женщина очень импульсивная, живая, вдумчивая, рассудительная, рассказывает о себе девочке так, что невольно хочется ту девочку от нее же защитить, от ее беспощадной памяти.

«— Сколько вам лет было тогда?

— Шесть. Мама закутала меня во все, что было. Я помню — на мне какие-то тряпки, платки. Пальто несколько штук даже было надето.

— Наверное, холодно было и для того, чтобы вещички с собой взять?

— Не знаю, для чего это было сделано. Помню, я какая-то неповоротливая была. По-моему, лишь одна десятая доля этих тряпок была я сама. Запомнила, что ехали на подводе, потом куда-то заехали. Какой-то мужчина в тулупе движение остановил. Говорит: «Куда? Немцы!» И мы повернули. Мама, по-моему рядом была. Она спрашивала: «Нина! Есть хочешь?» Я ужасно хотела есть, а сказать не могла. Кричу где-то внутри: «Мама, хочу есть!» А сказать не могу. И так страшно было оттого, что язык не поворачивался.

— А почему не могли сказать?

— Впечатление, что язык совсем размяк, вата какая-то. Не могу ни шевельнуться, ничего. Просто трупом была. А внутренний голос кричал: хочу есть!.. Помню дальше еще эпизод, когда нас уже привезли на Урал. Куда сначала, даже не помню. Помню, я сидела где-то в углу. И нам делили пряники. Пряники делили не поперек, а вдоль, чтобы видимость целого пряника была, а не половины... Эти пряники давали и все спрашивали: «Вкусно?» А я даже не понимала. Помню, сидела и рассуждала: что такое вкусно, невкусно? Что такое хочется есть или не хочется есть? Клянусь, сижу в углу, и вот эта мысль у меня: что такое значит «не хочу есть»?.. Потом помню на Урале такой эпизод. Когда дети все спали, я побежала в поле. Все говорили: хлеб растет. Я понимала это в буквальном смысле. Думаю, надо раскопать ямку — и там буханка свежего хлеба. Я ее возьму и сыта буду. Сижу копаю, копаю. Ямку глубокую выкопала, а хлеба-то и нет! Сижу реву. И вот, помню, какой-то очень высокий дядька идет: «Что ты здесь делаешь?» Говорю — хлеб копаю. И вот знаете, или люди добрые были, или мне так казалось,

264

взял меня пожилой человек, посадил на плечи, куда-то принес. Помню — в темную комнату. Картошки он мне дал и долго рассказывал, что хлеб надо сначала посеять, потом вырастить, убрать, муку смолоть, потом испечь. Тогда это хлеб будет... И помню, няня у нас была толстая. Бывало, она прислонит меня к своему животу и вот гладит, гладит. А до меня не доходило, настолько отупела вообще. Даже когда в школу пошла, плохо соображала. Долго такая была.

— А мама где была?

— Я даже не знаю. Когда нас переправили через Ладогу, сажали в машину (или на подводу, не помню), кажется, мамы уже со мной не было. Сестра моя болела. Помню, она лежала в больнице, в палате. По-моему, туберкулез у нее был. Ей давали ложку сахарного песку и кусочек масла. Она есть не могла. А я пряталась под кроватью, и она меня кормила. Долю, которая ей полагалась, она мне давала, а я слизывала с этой ложки.

— Она ложку под кровать совала?

— Да. Я говорила: «Валя, когда еще тебе будут давать?»

— Вы долго лежали? Близко ваша палата была?

— Нет, я не лежала. Я не знаю, что было. Помню, что она лежала в кровати, ей давали сахар и масло. Она есть не могла, а я была под кроватью и все слизывала. А потом — настолько я отупела! Я помню, когда мы уже возвращались, мы ехали с Валей в поезде. Я так боялась поезда! Меня волоком волокли в вагон! Боялась ужасно паровоза, пара, дыма. Валя говорит: «Вот смотри, мама сейчас тебя будет встречать». Она была старше. Если мне было шесть, ей — девять. Она уже в разумном возрасте. А я... я слово «мама» уже забыла. Вот я помню, мама уже на перроне, Валя говорит: «Вот мама идет». А я маму отталкиваю и говорю: «Где же моя мама?» Валя говорит: «Да вот она! Здесь!» А я очень долго ее не принимала. Я до такой степени ее не принимала, настолько была злой, что вот мы уже в школу пошли, мне выдавали дневники или тетрадки, так я двойки ставила сама себе и подкладывала маме и из-за угла подглядывала. Что это такое было? Чувства такого, что у меня есть мама, что я ее нашла, этого у меня не было.

— А она хорошо обращалась с вами?

— Конечно, хорошо. Ведь она столько пережила, видела своих детей в ужасном положении, думала, что потеряла их. Как она могла плохо относиться? Она очень страдала, но мне ее страдания вроде даже доставляли удовольствие. Я не знаю, что это такое? Сейчас я даже понять не могу той злости. И жалею об этом. Ведь я совсем другая стала. А в то время была какая-то ужасная, и до меня долго ничего не доходило. Я вот помню, учительница математики задачку на простейшие числа вдалбливала. Долбит, долбит — не понимаю! Даже до двадцати не научилась считать. Не знаю, что это такое! Ужасная была.

— А где ваша мама сейчас?

— Мама на пенсии. Папа тоже на пенсии. Больные люди. Мама особенно больна. Отец поздоровее ее, мужчина.

— А мама часто вспоминает Ленинград, блокаду?

— Знаете, не вспоминает. Мы не спрашиваем, а она не говорит. Как-то я попыталась: «Может быть, расскажешь что-нибудь?» А она вроде, знаете, закричала на меня: «Нет, не хочу!» Кино о войне она вообще не смотрит, старается не ходить на эти фильмы. Слово «война» она не переносит сейчас и не хочет ничего слушать.

— Расскажите про День Победы, пожалуйста.

— Вот такой случай был. В конце войны нам давали творожки, соевые. Помню День Победы у Пяти углов. Музыка всякая гремела граммофоны из окон орали. Весна уже была. Полно народу. Я запомнила, что два солдата несли большой крендель, громадный белый крендель. По-моему, это был настоящий крендель. Все им что-то бросали. С балкона цветы летели и какие-то бумажки. А у меня ничего не было в руках, только один этот сырок. Я подошла и отдала солдату, который нес крендель, свой сырок.

— Он взял его?

— Не помню, взял или не взял, в общем, отдала вместо цветов подарок».

В детском стационаре Ирине Киреевой запомнилась девочка. Ее привезли уже умирающую. Девочка была старше Ирины.

«Она мне говорит: съешь, пожалуйста, мой хлеб (ну сколько там? Норма — 125 граммов хлеба), я не доживу до завтра. Лежит она рядом со мной. Койки стояли очень близко друг к другу, чтобы побольше можно было впихнуть.

Помню, как я всю ночь не могла спать, потому что думала: взять хлеб или не взять? Все знают, что она не может уже есть. Но если возьму этот хлеб, то подумают, что я его украла у нее. А страшно хотелось есть. Страшная борьба с собой: чужое же! Так я хлеба не взяла. Вот сейчас, когда говорят: голодный может все сделать, и украсть и прочее, прочее, — я вспоминаю чувства свои, ребенка, когда чужое, хотя мне и отдавали его, я взять все-таки не могла. А девочка действительно умерла, и этот кусок хлеба остался у нее под подушкой».

Скрытая полемика нет-нет, а вспыхивает в самых разных рассказах. Сводится она, грубо говоря, к двум суждениям: одни, как Ирина Киреева, считают, что человек не имеет права терять своего достоинства, нарушать законы человечности, честности, чести. Они не прощают, не оправдывают случаев, когда люди воровали хлеб, отнимали его у ближних, пускались на мошенничества, хитрости. Они сами прошли через испытания, не оступясь и не поступясь ничем, и как бы заработали право на такую требовательность. Другие тоже испытали пытки голодом и видели, как голодному человеку трудно отвечать за свои поступки.

Полемика эта — один из тех споров, которые не решаются с помощью математической логики. Они длятся, тянутся годами, поколениями, отражая разное устройство человеческой души, разнообразие ее воли, стойкости, ее воспитания, а может, и еще каких-то не известных нам свойств.

...Позже нам встретился еще один случай, подобный тому, когда дети впервые засмеялись в классе. Почти такая же история, но все же другая. Мы приведем и вторую. Выбирать между ними трудно.

Это было глубокой осенью 1942 года. Некоторые школы начали работать. В школе, где училась Ирина Киреева, собрали всего один класс, человек семнадцать детей.

«Мы удрали с урока. Вдруг нам захотелось совершить такую проказу. А двери закрывали, чтобы мы не выходили на улицу. Мы сломали дверь на черный ход и убежали с урока. И натолкнулись на нашего заведующего роно. Он сказал: немедленно идите в школу! Потому что были обстрелы и нам не разрешали ходить по улице. В общем-то, нам нечего было делать и на улице. Мы вернулись в школу, пришли к завучу, а она вдруг заплакала.

...Теперь я понимаю, что учителя радовались, потому что это был первый детский проступок и, в общем, дети возвращались к жизни, это было ясно и им чрезвычайно приятно».

Эпизоды эти и похожие и непохожие. В первом смех, во втором озорство: разные реакции учителей, но одинаковое понимание *события*. Каждый случай по-своему примечателен. Другие оттенки, другие чувства и обстоятельства. Можно ли было нам отобрать из них одно и при этом не обеднить всю картину? Всякий раз, ограничивая себя, мы видим не выигрыш, а потери, потери...

Когда рассказ за рассказом слушаешь день за днем, является мучительная потребность еще и еще раз убедиться, что улыбка возможна, что детство возможно, что все это есть, есть, бывает, возможно!

«— Мы сидели, и они говорили только о еде: «Мама приносила яблоки», «Мама варила манную кашу»... Одним словом, они сидели как старички и говорили только о еде. И вдруг от этих ребят выбегает девочка в беленьком платьице и на скакалочке запрыгала. Все ребята так недоуменно на нее посмотрели. Я даже не поинтересовалась, чья это девочка, но было очень приятно, она, как бабочка, вспорхнула, она даже, знаете, в меня вселила бодрость, легкость какую-то» (*Рогова Нина Васильевна*).

Вплоть до декабря 1941 года по Ладоге пробивались к Ленинграду буксиры с баржами. К этому времени Военный совет фронта уже сделал все для подготовки будущей «Дороги жизни». 21 ноября 1941 года пошел, потянулся по первому льду конный обоз, вскоре пошли и автомашины, 60 автомашин двинулись к восточному берегу озера за мукой. Ленинград стал получать хлеб. Но потребовались недели и месяцы, пока на карточки стали выдавать уже не 125 граммов, а 200, потом 300 граммов. Хлеб подвозили, пробиваясь через вьюги, минуя ледяные полыньи, трещины, машины из Кобоны. «Дорога жизни» не сразу могла восполнить тающие запасы продовольствия в городе. Страна слала Ленинграду все, что могла. Эшелоны с подарками, партизанские обозы.

А назад, из Ленинграда, машины увозили матерей с детьми. Самых бедственных. Двадцать тысяч солдат, офицеров, вольнонаемных обслуживали «Дорогу жизни». Они делали, что могли, да еще и то, что невозможно в обыденной жизни. Героизм этих людей составляет одну из самых прекрасных страниц истории Великой Отечественной войны. Они были герои — каждый опять-таки по-своему, своим отдельным, неповторимым поведением.

«Все мы очень боялись умереть на льду. Почему? Потому что мы боялись, что нас рыбы съедят. Мы говорили, что лучше пускай нас убьет на земле, на мелкие куски разорвет, но только не на льду. Особенно я. Я была трусиха. Я этого не скрываю. Трусиха. Боялась, что меня рыба съест! И вот с тех пор я стала бояться воды. А когда девчонкой была, я хорошо вообще плавала. Я спортсменкой была когда-то... А потом, после ледовой дороги, стала бояться воды. Даже не могу в ванной сидя мыться. Я обязательно должна просто под душем стоять. Боюсь воды».

Так говорит о себе кавалер ордена боевого Красного Знамени, получившая его в числе первых на Ленинградском фронте, боец, о котором в свое время писали в очерках и Фадеев и Симонов, Ольга Николаевна Мельникова-Писаренко. Слушаешь эту маленькую-маленькую (хочется именно дважды повторить) женщину и веришь, что ей было страшно, так же как веришь в ее орден (третий по счету, полученный ленинградками), в ее подвиг на «Дороге жизни»[1].

«— Эвакуация началась во второй половине января. Сперва эвакуировали тяжелораненых. Очень страшной эта эвакуация была. Эвакуировали детей, больных женщин... Это назывался ценно-драгоценный груз, потому что это живые люди были, истощенные, голодные! Эти люди были настолько страшные, настолько исхудалые, что они были закутаны и одеялами и платками — чем придется, только бы проехать эту ледовую дорогу. А перед рассветом, когда машины проезжали через Ладожское озеро, шоферы очень мчались, для того чтобы быстрее проехать эти тридцать — тридцать два километра, — перед рассветом мы находили по пять, по шесть трупиков. Это были маленькие измож-

---

[1] Мы встретились с Ольгой Николаевной Мельниковой-Писаренко, когда она работала в музее «Дорога жизни».

денные дети. Они уже были мертвыми, потому что представьте: ребенок на полном ходу вылетал из рук матери, он при вылете скользил, ударялся об этот лед... Мы старались узнать — чей это ребенок? Разворачивали, но там ни записки, ничего не было. Это были дети от восьми месяцев до годика, мальчики и девочки.

— Мать не могла удержать?

— Вы поймите, мать держит ребенка на руках. Допустим, машину тряхнет на ледяном бугре, и у матери от слабости ребенок вылетает из рук. Она же была так слаба: у нее дистрофия чуть ли не третьей степени, может быть, даже третьей. Ее ведь на руках сажали на эти машины, чтобы переправить на Большую землю. А иногда ехали целые колонны с детьми в закрытых машинах, в автобусах. Это уже были дети детсадовского возраста, школьного возраста. И хотя те машины были закрытые, но отопления не было. Они очень холодные были. Не то что у нас в данный момент — отапливаются и автобусы и троллейбусы. И нередко во время пурги, метели у машины перехватывало радиатор, так как вода замерзала мигом. Для того чтобы разогреть этот радиатор в открытом ледовом поле, шоферу приходилось затратить полтора часа, а может быть, даже и все два. И хорошо, если он близко остановится от палатки, тогда детей мы забирали в палатку, оказывали им медицинскую помощь, кормили. То есть чем мы кормили? Давали по кусочку — граммов пятьдесят — сухариков. Чай сладкий давали. И если видели, что ребенок плохо себя чувствует, мы делали все, чтобы он доехал до Большой земли. Приходилось порой делать уколы — камфару вводить, чтобы сердечко работало.

У меня в палатке в феврале стояли сибиряки-уральцы: здоровые такие мужчины были эти бойцы — мои санитары. И вот они говорили: «Ольга Николаевна, ведь эти дети мертвые!» Говоришь: «Нет, они живые, у них еще бьется сердечко, они живые». А то, что у них были такие безжизненные глаза, это лишь оттого, что они очень были истощены. Часто у них, у этих детей, на личике даже росли волосики.

— Как у старичков?

— Да. Мы их и называли маленькими глубокими старичками. Когда эти дети попадали в палатку, у них отсутствовали и сила, и воля, и движения не было (не то что у наших сейчас детей). Бывало, возьмешь их ручонку — тонкой-тонкой кожицей обтянута. И все косточки буквально через эту кожицу можно было пересчитать. И вот когда шофер приходил и сообщал, что машина готова, что можно их снова погрузить в автобус, дети, знаете ли, такое сопротивление оказывали! Они не хотели уходить из тепла. Они чувствовали, что им здесь уделили внимание, что им дали кусочек сухарика, сладкого чаю. Они сопротивлялись. Ну, мы уговаривали, что еще в лучшее место попадете, вам там дадут супу, дадут мягкую булочку, там вас будут лечить и там будет еще теплее. Хорошо вам будет. Я говорю: «Мы будем вас сопровождать до самой Кобоны». И приходилось порой сопровождать машины до самой Кобоны, для того чтобы успокоить малышей. Видя, что мы с ними едем, они успокаивались. А глазки их были настолько мертвые, знаете, даже никакого блеска не было, мертвые глаза, как стеклянные, если можно так выразиться. Когда вот этот сухарик давали, у них на миг появлялся блеск, а потом как-то моментально этот блеск тушился».

Это о детях самых маленьких, еще ничего не сознававших, не понимавших, о тех, которые, выжив, сегодня сами ничего рассказать не могут. Они не помнят. Они были в возрасте, когда живут еще без памяти. Если ныне и появляются перед ними какие-то смутные картины раннего детства, то расшифровать их значение они не могут.

Из всего выслушанного, записанного несколько рассказов выделялись значительностью и памятью, правдой чувств, донесенных сквозь годы. И в первую очередь рассказ *Марии Ивановны Дмитриевой* (проспект Газа, 54). Правда, Марию Ивановну надо видеть рассказывающей или хотя бы голос ее слышать, чтобы прочувствовать ее блокадную повесть на всю глубину. Но раз уж не рассказ ее слушаете, а читаете запись, то хоть что-то надо сказать о ней самой.

Эта покрупневшая и конечно же постаревшая (в сравнении с военной фотографией) женщина — воплощение доброты. Деятельной доброты. И рассказ ее — тоже действие, требующее огромной душевной отдачи. Она так видит, так чувствует происходившее тридцать пять лет назад, что как бы снова участвует во всем, о чем рассказывает вам. И вы уже сами не рассказ слушаете, а словно спешите с нею, с ее бойцами самозащиты от барака к бараку, от пожара к пожару, от смерти к смерти...

Свои объекты начальник группы самозащиты ЖАКТа Кировского района Мария Ивановна Дмитриева и сегодня все помнит по номерам.

«— Случилось это примерно в декабре. Или в январе? Было это зимой. Был большой мороз. Начался обстрел. Обстрел был очень сильный. Мы долго пробирались туда. Это улица Швецова, там дом был обстрелян, дом сорок семь, напротив и сюда еще ближе — дом тридцать шесть. Вот мы бежим. Дом тридцать шесть. Тут даже незаметно. Снаряд ушел как-то в окно. И, оказывается, через окно — вот стекла пробитые! — прошел и в квартире разорвался. И убило девушку. Мы уже на обратном пути только увидели. Но она уже все равно мертвая была. Стоит на коленях среди комнаты в одной нижней сорочке. Видимо, она вскочила, хотела бежать куда-то, но не успела. И у нее голову снесло. Только одни волосы лежат. А девушка лет восемнадцати. Мы пробрались в дом сорок семь. Примерно около часу ночи было времени, может быть, и второй уже. Я пришла туда, кричу — нигде никого не слышно. Окна осве-

273

щены. Лестницы темные. Ну, у меня фонарик был, на пуговице висел, чего-то и он плохо горел. Пошла наверх, во второй этаж. Кричу — нигде никто не отзывается. И вот первую дверь, на которую я напала на втором этаже, открыла. Я не помню — фонариком сначала я освещала или там горел какой-то свет? Не могу уточнить. И только открыла, а эта Демина Катя, молодая женщина, сидит на диване около печки (печка там была такая круглая). У нее на одной руке ребенок маленький, месяца три, может быть и меньше, а на второй — так поперек ног — лежит еще ребенок, мальчик, года четыре. Я подошла, смотрю, начинаю спрашивать — свет-то плохой! Тут фонариком я своим осветила. А у нее, смотрю, половина головы оторвана осколком — вот так! Она мертвая. А этот ребенок, которому месяца два или три, не знаю, — живой! Представьте себе! Как он сохранился? А тот, что на коленях лежит, мальчик, лет трех-четырех (он большой, рослый такой), этот мертвый. У него ножки перебиты и поясница.

— Снаряд разорвался снаружи?

— Снаряд разорвался около дома, и осколки попали между перекрытием и косяком рамы. А она здесь сидела — и все! Потом слышу, кто-то еще пришел. Я открыла дверь, кричу: «Заходите сюда!» И не помню, какая-то женщина пришла ко мне. Говорит — в сороковой дом тоже снаряд попал (а сороковой напротив). Но там миновало. Там кого-то слегка ранило, но жертв не было. У этой Кати муж на фронте... Ну что же — до утра. А утром вызвала МПВО, из РОККа пришли. Унесли, увезли кого куда.

— А куда ребеночка отдали?

— Ребеночек у нас долго находился: вот здесь дежурный приемный пункт был, вроде яслей, на этой — как улица называется, забыла, — между Балтийской и Швецова. Мы много туда сдавали детей.

— Там их и держали?

— Да. Поживут там, и потом отправляли. Много ведь детей-то оставалось, очень много. То с бабушкой были оставши, то с какими-нибудь тетями. Много их было. Если все действительно рассказать — это какой-то кошмар. Какие-то люди находились. Не люди даже, а может быть, только в облике человека».

Конечно, сила воздействия той или иной истории зависит от таланта рассказчика. Но еще и от правды. «Если все действительно рассказать...» Дмитриева рассказывала все, что помнила.

«— Вот был один мальчик в тридцать шестом доме. Мать его геолог, осталась где-то там, где она работала. А он был с бабушкой. Такой красивый парень. До сих пор вспоминаю. Все мне хотелось взять его к себе. Не было сил, потому что я работала много. Я ведь не находилась дома, не ночевала.

— Простите, вы не замужем были?

— Замужем. Мой муж на фронте был.

— А детей у вас не было?

— Были, с моей мамой эвакуировались. Я здесь была одна. Но я люблю детей, поэтому мне так было жалко. Причем он такой толковый, красивый. Думала — вот это такого человека вырастить можно! Я не знала, что он до такой степени отощавши был. Бабушка у него умерла. Где мать была — неизвестно. Отца у него не было. И вот я дежурила, а он был у меня в конторе, ночевал здесь.

— Сколько лет ему?

— Ему лет восемь-девять было, но он уже в полном сознании был. Вот он мне ночью-то про себя и рассказал. В последнюю ночь. Утром я пришла, а он мертвый лежит. Вы можете себе представить! Я еще вечером принесла и отломила ему от своего пайка корку хлеба: у него и карточек не было. Я в тот вечер дежурила, и мы с ним разговаривали. Я еще подумала, что он утомился, спать хочет, потому что он не сидел, а лежал. А у него, видимо, сил не было. Но он не ныл, не жаловался ни на что. Я его еще спросила: «Алеша, как же так получилось?» Он говорит: «А вот как, Мария Ивановна. Я думал, что она хорошая, она ведь при бабушке к нам ходила, эта тетя. А вот бабушка умерла, она взяла меня к себе и карточки наши взяла». Я говорю: «Она и вещи ваши взяла?» — «Она все у нас взяла. А потом сказала, что она не может со мною заниматься». В общем, попросила его о выходе. Ну, я не думала, что люди так могут... Вот он пришел сюда, к дому. Что делать? Мы еще мало чего могли. Среди месяца карточки не дали бы. Это только к началу месяца можно было чем-то ему помочь... Да, вот был еще случай — мне подкинули ребенка.

— Прямо вам, к дому вашему?

— Да не к дому — к двери моей, к квартире! А было так. Мы ночью тоже ходили по заданию, вылавливали ракетчиков. У нас были созданы такие комиссии. В том числе и меня пригласили. И вот мы, значит, ходим ночь. А утром нам сказали: «Идите отдохните. А на работу можете до двенадцати не выходить». Ну, я пошла. Пришла в свое хозяйство, надо узнать — что там? У меня был организован кипятильник для беспомощных, для тех, которые идут и падают. Так вот приносили их и кипятком отпаивали. Может быть, это незначительная помощь, но хоть что-то было, хоть немножко. Ну вот, там были люди, специальные женщины».

Кипяток — это была великая помощь в тех условиях. «Воду вскипяти вкрутую — и вода уж как еда», — писал поэт Олег Шестинский.

«— Я шла домой по лестнице. Никого не было. Это днем. Захожу к себе. Плита была на кухне. Горсть каких-то сучков или дров, не знаю, чтобы чаю согреть. Вдруг слышу — плач где-то на лестнице. А у нас по лестнице ни одного ребенка не оставалось. Что такое? Ребенок? Прислушалась. Может быть, кошка? Нет, кошек всех давно поели. Выхожу. У моей двери сидит ребенок и в такое черное сукно, грубое, как шинели у железнодорожников, закутан. На голову тряпка какая-то навернута. И весь завязан, с глазами. И вот он плачет. Я подошла. Про все забыла. Взяла его на руки и понесла домой. У меня плита подтоплена, немножко теплая. Поставила стул у плиты, его развязала. Мальчик. Он не говорит почти. Плохо очень говорит. «Мальчик, где твоя мама?» — «Мама умея». Значит, умерла. «Неня, Неня убежал». Значит, братишка, наверно, его посадил, бросил его тут, посадил и убежал. Ну, может быть, кто-нибудь и подсказал.

— К вашей двери?

— Да, именно к моей двери... «Неня, Неня убежал». — «Где же твой Неня?» Ну, он не знает ничего, адреса не знает. Тоже хороший такой парень. Крупный такой, черноглазый. Что делать-то? Правда, я тут поставила ведро воды, помыла его. Грязный, запущенный такой — кошмар. Помыла. Вместе с собой покормила. Мне надо на работу. Взяла его с собой. Принесла туда. Позвонила Котельникову Ивану Васильевичу, начальнику уголовного розыска. Он всю свою жизнь проработал у нас в районе. А я тоже всю жизнь прожила в Кировском. Ну вот, я говорю: «Иван Васильевич, вот такое дело. Что мне делать с ним?» А он говорит: «Ну что же, сдавай сюда». Я говорю: «Сдавай! Так там не берут безо всего-то, просто так, надо направление какое-то. Какое направление я дам?» Он говорит: «Да, действительно, с некоторых пор там это требуют, а то, бывает, своих детей приводят. Подожди. Сейчас я пришлю солдата. Принесет направление». А у нас было несколько женщин, они детей у нас отводили в приемник. Мы их на другие дела не брали, а на это они еще были способны. И одна из этих старушек, Устя, уже не помню ейной фамилии (она потом быстро умерла), эта Устя пошла вместе с солдатом. Сдали этого парня. А вот еще случай, улица Швецова, пятьдесят шесть, по-моему, дом этот потом весь разбило. Тоже не выходят и не выходят из квартиры. А нижняя квартира. Людей-то ведь мало осталось в домах. Иду. Да не одна я, взяла двух человек с собой: ведь кто его знает, там почти никто не живет, дом-то разбитый весь. Вот закрытая комната. Уж мы бились-бились. Дворничиха принесла много ключей, и вот мы стали открывать. Открыли. И что увидели, какую картину? Открыли дверь — стоит кровать. Мать лежит мертвая. Молодая женщина, Белова ей фамилия. А муж на фронте. А ребенок — не знаю, ему года полтора — живой. И вот по ней лазает, причем тащит ейные груди в рот и сосет их. Кошмар какой-то! Ну, как вы думаете?! Вот такая картина перед глазами. Ну, что делать, взяли этого ребенка...»

Прервем пока рассказ Марии Ивановны...

Голод и дети, блокада и дети — самое большое преступление фашистов перед Ленинградом, ленинградцами. Мучая голодом, убивая детей, они жалостью к детям пытали ленинградцев, дожидаясь, чтобы или вымерли защитники Ленинграда, или сдали его — сдали весь северный фланг восточного фронта.

В рассказе *Ивана Васильевича Калягина* о действиях МПВО Кировского района, где он был командиром, есть небольшой эпизод, в котором собрались как бы вся сила и вся боль материнская...

«Я помню такой случай, когда доложили, что вот тут, на Тракторной улице, снаряд не разорвался в квартире. Ну, послал туда пиротехника. Пиротехник поехал туда. Приехал. Оттуда звонит, что не может снаряд отобрать. «Как не можешь снаряд отобрать?» — «Не могу. Приезжайте сами». Приехал сам. Зашел в комнату. Лежит женщина на полу, обняла снаряд, закутала в шаль (он теплый еще) и не отдает его. Не отдает снаряд! Стали выяснять, в чем дело. Оказывается, у нее грудной ребенок был. От страха, в панике родственница схватила ребенка и унесла. А мать осталась. Увидала этот снаряд и решила, что это ребенок. Ну, то есть человек был уже в ненормальном состоянии...»

Когда они попадали на Большую землю, их узнавали сразу: ленинградские дети!

И их не узнавали.

Узнавали по старческим личикам, походке, но прежде всего по глазам, видевшим *все!* Видевшим все то, что ленинградцы «скрыли от Большой земли...» (Ольга Берггольц).

Знакомые же или родные, если встречали своих, часто не могли их узнать. Как тот военный (об этом в записках вспоминает о себе Лидия Георгиевна Охапкина), что вскочил на прибывшую в Череповец машину, посмотрел на жену, детишек своих и хотел слезать: не узнал! А когда позвали: «Папка!» — он взглянул еще раз и... «зачем-то шапку снял».

Галина Александровна Марченко лишь после того, как выехала из блокадного Ленинграда, поняла, какая она «на нормальный взгляд»:

«— В Вологодской области мы попали в какую-то деревню. И рядом оказалась деревня, в которой у моей соседки родные жили. А девчушечка их приезжала когда-то в Ленинград, к нам заходила в гости. И вот когда мы приехали, она обратилась ко мне: «Бабушка, а где Галя?»

— Это о вас тринадцатилетней? Так были одеты?

— Так была одета, да и сама кожа до кости. «Кланя, говорю, Галя — это я». Она заревела и говорит: «Я тебя не узнала!»...»

Троицкая Ольга Гавриловна (Дегтярный пер., 39), воспитательница детского дома, припоминает о первых впечатлениях, реакции детей, когда они из блокадного, уже ставшего привычным, мира попадали в нормальный, обычный.

Первые впечатления ребят:

«— Ольга Гавриловна, посмотрите, трава растет!» (А мы ее тут же выстригали и ели.)

Или:

«Вы знаете, наш проводник картошку варит, а шелуху выбрасывает!» — с ужасом говорили они мне. И вот я рассказала проводнику об этом.

Она говорит: «Ну уж картошкой-то я вас угощу». И мы сидели и ждали, пока она нас угостит, но так и не дождались...

В группе у меня была девочка (фамилию ее забыла). Ее привезли с какого-то маленького полустанка. Там на ее глазах сожгли поселок, убили мать и остальных жителей, а она куда-то забилась и таким образом спаслась. Она сидела как мышка. Но все-таки — ребенок, хотелось ее как-то оживить, что-то ей расскажешь, но она никак ни на что не реагирует. Я обратилась ко всем своим родственникам — поискать у себя, чтобы дать ей какие-то игрушки. Наконец я собрала какие-то пестрые лоскутки и принесла ей, и вдруг она к ним потянулась! Или — один мальчонка. По Ладожскому озеру плыла баржа. Ее разбомбили, все утонули, а на мальчике была отцовская куртка (надувной жилет), и он в ней не утонул. И вот нам передали его в детский дом. Мальчишка ходил как волчонок, никого не подпускал к себе и не разрешал снять с себя эту куртку. Или — Люся Волкова. Ее забрали из какого-то дома. Она лежала в квартире с трупом матери. Маленькая девочка, лет восьми. И вот, когда мы переехали в Ярославскую область, она ночью как заплачет. Я говорю: «Люсенька, что с тобой?» — «У меня зубы болят». Ну, конечно, никакие зубы у нее не болели. И вот она обнимет меня, прижмется и успокоится».

«Я помню, что раздался какой-то странный звук во дворе. Я спросил маму, и она сказала, что ничего страшного, что это отдирают доски от забора. Оказывается, это зенитки готовили. Это было в самом начале войны. Вот первое детское впечатление в начале войны».

Это рассказывает Жанна Эмильевна Уманская, которая сейчас поет в Академической капелле.

«— На улицу я выходила очень редко, очень редко. Видела этот заснеженный город, страшный беспорядок на улицах, массу трупов. Мама как-то старалась отвлечь мое внимание. Видела я и последнюю агонию человека: человек карабкался, не мог встать, цеплялся за стенку. Ужасно было. Но в детское воображение это как-то не вселяло такой ужас и отчаяние, потому что это проще тогда казалось. Сейчас, уже умом, понимаешь, сколько жуткого пришлось пережить. Запомнила я блокадную елку новогоднюю. Возможно, это будет интересно. Я ребенком тогда была. Это был трагический день — одиннадцатое января, день, когда умер отец.

— Где он умер?

— Дома. Ему пришла повестка на фронт. Он был в запасе, старший комсостав, а до этого он был на окопах. Очевидно, там очень тяжело было с продуктами: он пришел весь опухший. И вот когда он пришел по этой повестке в военкомат, ему сказали, что на фронт ему уже нельзя идти, забраковали. И как-то быстро-быстро (я считаю) подкосило всех оставшихся мужчин в Ленинграде (это как раз первая зима, первые месяцы сорок второго уже года). Он мне отдавал потихоньку от матери все крохи жалкие, которые ему выпадали. Я этого не понимала, чтобы отказаться. В общем, он себя обкрадывал. Он уже лежал, не вставал и все пытался как-то меня поддержать, как-то мою жизнь сохранить. Теперь это все понимаешь!

— Не помните, о чем он говорил с вами?

— Этого не помню. Он мало говорил. «Береги мамочку», — он говорил. «Слушайся ее, не расстраивайся, если что-нибудь случится», — иногда говорил. Но я не понимала, что должно случиться. Вот одиннадцатого января дали билет на елку. Я уже не помню происхождение этого билета. По-видимому, я должна была учиться где-то в первом классе. Пошла я одна. Сказано нам было, что такой мешочек должны сшить. Эти мешочки надевали под шубенку, чтобы никто не видел, как понесу обратно подарок, потому что люди были всякие, и озверевшие от голода были. Не все могли держать себя в руках, не у всех оставалось чувство порядочности. Всякое случалось. И вот как сейчас помню, тощие мы все какие-то, маленькие, заморенные дети, и такой же фокусник-мужчина: пиджак на нем болтается, горло шарфом повязано. Он пытался показывать какие-то фокусы. И такие безразличные сидят ребятишки. Потом не выдержали, и один спросил: «А скоро нам обед будут давать?» Насколько мало детского оставалось у нас у всех. Ну, дали обед. Он показался роскошным по тем временам. И подарки дали. Не помню, что там было: яблоко, печенье, какая-то конфета. Я запихала этот подарок в мешочек — и под пальто. Но если кто-нибудь обратил бы внимание, то на моей физиономии ясно было написано, что я что-то страшно берегу, несу, руки сжаты около этого подарка, выражение испуганное.

Я благополучно принесла этот подарок домой. И когда мы с трудом согрели чай, буквально на свечке, мама говорит: «Иди разбуди папу, он что-то крепко спит. У нас будет праздник, пусть у нас это будет Новый год». (Нам нечем было встретить Новый год, когда он был.) Мне показалось, что отец как-то очень странно раскидался, раскрылся. Он всегда меня просил: «Жануля! Подоткни мне одеяло, тут дует, там дует». Я пришла, папа, пап, папа, пап! А он, в общем, никак! Я закричала, маму позвала. Мама говорит: «Успокойся, успокойся! Он спит». И увела меня. А он почему-то в другой комнате лежал, он еще раньше попросился, может быть, он чувствовал свой конец, и его перенесли туда. До меня это не доходило, я не понимала, я даже никогда не спрашивала, почему он в другой комнате лежал. И так решила, что женщины в одной комнате, а мужчины должны быть в другой. Короче говоря, наступила его кончина. Умер еще у нас сосед. Мы общими усилиями снесли их на кухню, завернули в одеяла. Месяц они лежали на кухне, потому что сил не было их унести. И меня до сих пор удивляет полное отсутствие страха перед мертвым телом. Никакого ужаса мы не испытывали. И, если только раздавался какой-то шорох в квартире, мы ползли на кухню посмотреть: не проснулись ли они? Потому что большинство ленинградцев были уверены, что многие заснули летаргическим сном, как бывает от голода. Не заснули ли они? А вдруг они проснулись? Вот никак не хотелось примириться со смертью. Но, по-видимому, чудес не бывает! Я ходила часто. Мама меня стала пускать, потому что я никак не реагировала на то, что отец мертвый, не понимала, что мертвый, и думала, что он заснул, думала, что он проснется.

— Знали о летаргии?

— Да, знала, что бывает летаргический сон. Это объяснила мне мама.

— Но сама она не верила?

— Нет. Она знала, что это конец».

А из ума не идет та новогодняя елка, заморенные дети и такой же заморенный фокусник-мужчина. Он показывает фокусы, сидят безразличные ребятишки. И все мечтают об обеде. И сам фокусник и его зрители. И невозможно было ничем развлечь, вернее, отвлечь от желания есть.

О новогодних елках 1942 года помнят многие школьники. Обычная для тех дней школьная елка была, например, *у Леонида Петровича Попова*. Ныне он инженер и, кстати говоря, много помогал нам в сборе материала.

«Сидели мы в классе. Окна были затемнены, в коридорах тоже. Нас развели по классам. Когда мы пришли, был концерт. Я его не помню. Помню, елка без огней стояла, сумеречный свет дня.

Недавно я с дочерью пошел в эту школу на елку. Встал у окна и стал вспоминать... Помню, как мы сидели, но какой там был концерт, совсем не помню — никакого внимания на него не обратили. Сидели мы в пальто, а потом пошли в столовую. Школа помещается на проспекте Металлистов, за «Гигантом». Приглашение нам разослали на 5 января.

До войны я кончил пять классов. Зиму сорок первого — сорок второго года совершенно не учился. Сидел у печурки в штабе объекта (мать была начальником объекта). Кто-то (кто — не знаю) отыскал меня и моего товарища Арвида Калнина. Мы пошли на елку вместе. Матери наши дома сидели, беспокоились. Мы ушли утром. Часа в три мы пообедали, нам дали обед. Была тревога, нас спустили вниз. Долго стояли на подвальных лестницах. Потом стало темнеть. Решили: видимо, дело идет к концу. Поднялись, хотя отбоя тревоги еще не было. Пошли в столовую. Учителя шли с лучинами, одна из них, Шарова, — она сейчас живет в Ярославской области — была нашей первой учительницей. Учителя ходили между столами и смотрели, все ли нам дали. Мы сидели смирненько, тихо. А елку-то мы видели еще до этого в актовом зале. Стояла большая елка, учителя ее сделали.

В столовой мы разделись. Раздали нам суп из хряпы, котлеточка маленькая, хряпа на гарнир, на третье был кисель из эссенции. Пообедали, быстренько все съели. Пошли по классам. Каждый класс пришел к себе. Там на ощупь стали раздавать — сосчитано каждому было — восемнадцать изюминок в шоколаде. Каждый проверил: восемнадцать изюминок! Спрятали — ни одной не съедим здесь, съедим дома. Это было уже в шесть часов вечера. Матери страшно беспокоились. У нас могли отобрать подарки, могли избить. Мы выходили из школы по два-три человека и, пробираясь почти на ощупь, пришли домой. Матери обрадовались тому, что мы пришли и еще подарки принесли».

Он не помнит, что за концерт был и что была за елка, а прежде всего помнит восемнадцать изюминок в шоколаде. Казалось бы, все ясно. Но вот на что невольно обращаешь внимание: все ребята отчетливо сознают, что не обратили внимания на фокусника, на концерт, на елку. Свое безразличие помнят, свою недетскость.

Задним как бы числом осознают и эту елку, устроенную с таким трудом, и этого фокусника, все не воспринятое ими, то, что для них как бы не было и тем не менее — было.

Мария Ананьевна Щелыванова живет сегодня одна-одинешенька и, может, поэтому так остро помнит, вспоминает своего «приемыша» Валерия. Еще до войны он ушел из пьяного дома родной матери, потом сбегал и от ласковой приемной матери Марии Ананьевны, а затем убежал — уже навсегда — на Ленинградский фронт.

Этот поразительный, даже когда смотрит с детской фотографии, мальчик, ленинградский Гаврош, в ее рассказах предстает таким живым, таким живучим! Никак не хочет он остаться, раствориться в успокоительном «никто... и ничто...». Он, именно он хочет жить в нашей с вами памяти, в наших сердцах. Жить! И сохраниться своенравием, независимостью короткой своей жизни ленинградского мальчишки!

«— У нас управхозом был не очень грамотный Конанович. В июле он меня позвал. Тогда карточную систему объявили. Я ему помогла в выдаче карточек. И когда пришла домой, еще во дворе вижу — Валерий. Он в окно смотрит и говорит: «Тетя Муся! Здравствуйте! Я пришел».

— Это ваш приемыш? Снова вернулся?

— Да, мы до войны его усыновили, и все было хорошо. Но перед самой войной он вдруг пропал. Мы так переживали с мужем. Война началась — объявился наш Валерий... У него мать алкоголичка. Они жили около Невского. Почему он воришкой стал? Там воришки были, и он, значит, подпал под их влияние, они его взяли потому, что у него быстрый взгляд. Я вам карточку покажу. Мальчишка был такой занятный, веселый. Про него в школе говорили: или это будет великий прохвост, или знаменитость какая-то. В общем, он меня так обрадовал: «Тетя Муся! Я пришел». Я говорю: «Ну ладно. А что я буду с тобой делать?» Он мне поставил такое условие: «Устраивайте, тетя Муся, пожалуйста, меня в ФЗУ здесь, около Андреевского собора. Только туда!» Из школы он был исключен за свои шалости — озорник был такой. Мы тогда наняли ему двух учительниц. Одна учительница была по всем предметам, старенькая, ей семьдесят с чем-то лет было. А другая — студентка. Она по арифметике с ним занималась. Он ходил к ним заниматься перед войной до тех пор, пока не сбежал. Эти учительницы были в восторге от него: такой способный, что прямо за четыре месяца прошел годовую программу! И вот он появляется и говорит: я пойду в ФЗУ. А ему всего двенадцать лет. Я пошла к Анашкину, директору ФЗУ. Он говорит: «Мы его не можем принять — ему лет мало и надо справку из школы». А в школе он не учился. Тогда я пошла к Марье Константиновне и говорю, что мне нужно Валерия устраивать в ФЗУ. Дайте справку, что он прошел там все. Она дала такую справку, заверила ее. И вот, вы знаете, я несколько раз ходила в это ФЗУ, и все мне отказывали. Я прямо плакала, говорю: «Он мне неродной. Муж у меня ушел добровольцем. Как же мы будем жить? Я очень прошу вас принять». И после многих хождений я как-то прихожу (Валерий меня уже встречает) и говорю: «Ну, скажи мне спасибо, Валерий, тебя приняли в ФЗУ». Он был экспансивный мальчишка, он выразил свое спасибо знаете как? Распластался и поцеловал мне ногу! Я и до сих пор не могу забыть, как он был рад.

Стали мы жить с Валерием. Ему шинель выдали чуть ли не до пят, он был маленького роста, ведь двенадцать лет, там мальчишки большие. Вот однажды мастер мне прислал записку: надо с вами поговорить. Ну, я пришла. Он говорит: «Ваш сын прямо золотые руки, просто удивляемся, как все у него получается. Но вы знаете (и выдвигает ящик стола — полный стол денег!), вот, говорит, отбираем у мальчишек деньги. И у вашего сына. Вы даете ему деньги!» —

«Какие у меня деньги? У меня денег нет». — «Вот забирайте, у него шестьдесят рублей взяли». Оказывается, матери, которые эвакуировали детей, часто забывали сумочки в магазине и даже карточки, а мальчишки из ФЗУ все подбирали. Один раз Валерик мне говорит: «Тетя Муся, у меня такой блат! Вы хотите иметь крупу, рыбу?» Я говорю: «Откуда у тебя может быть блат?» А он пожимает плечами и говорит: «А у меня есть блат, я могу все устроить!» Вот такой шпингалет мне такие вещи говорит: «Я могу все!» Я говорю: как же так? Сейчас все по карточкам. И отказалась от этого. Вот однажды он приходит и говорит (а вообще-то врать он умел, как Хлестаков, еще почище): «Тетя Муся! Представьте себе, я захожу в магазин молочный, а там работает тетя Нюша, подруга моей мамы. Она говорит мне: «Валерий, как ты попал в этот район?» — «А я живу тут с тетей Мусей». — «Как же ты живешь? Может быть, ты будешь ходить сюда ко мне за молоком? Ты бери бутылочку, и я тебе буду наливать молока...» Я, не подозревая ничего, даю ему полулитровую бутылочку. Он приносит это молоко и почти все сам же выпивает. И вот однажды — а он уже сделал себе такие погоны красные матерчатые (мальчишка-то маленький), подпоясался ремнем и шашку сделал себе из дерева, с мальчишками в войну играет, — и вот один раз я и говорю: «Валерий, иди домой, я тебе должна штанишки постирать. Ты переоденешься, а я выстираю». Когда я взяла эти штанишки, в кармане оказались карточки. По карточкам он получал молоко, вот и все! По детским карточкам! Я его позвала и говорю: «Валерий! Я у тебя нашла детские карточки. И ты мог получать детское молоко? Есть у тебя совесть или нет? Как ты меня обманул! Как мне с тобой жить после этого?!» Его это передернуло, он сказал: «Ну, тетя Муся, с вами каши не сваришь». Я говорю: «Чтобы этого больше не было никогда! Ты знаешь, что такое маленькие дети, что такое для них молоко, а карточки у тебя!» — «Я нашел их». — «Мало ли что нашел. Это же детские карточки».

Зима настала, у него был парень знакомый в нижнем этаже, так, лет шестнадцати. Я говорю: «Валерий, вот как было бы хорошо, если бы ты съездил с ним на правый берег Невы. Там картошка в поле еще есть, говорят, и капуста тоже. Взял бы капусты, и мы с тобой что-нибудь сделали». Он говорит: «Ну, что же, тетя Муся, пожалуйста, я могу поехать. Я договорюсь с Колей». И вот в воскресенье утром они отправляются туда. Я ему дала мешок. И вот, знаете, как я мучалась, потому что начались обстрелы. Думаю: что я сделала? Послала ребенка за капустой, а там обстрел. Ругаю себя. Места себе не нахожу. Уже пять часов, и шесть, и семь, а его нет. Ну, думаю, пропал Валерий из-за меня. И вдруг часов в девять он является. И такой, знаете, вот как дед-мороз — с мешком. И вот он так в три погибели согнулся, идет, как странник божий. Я говорю: «Валерий, ты жив!» Он говорит: «Да. Тяжело было. Переправлялись на катере, пять рублей (а я ему пять рублей дала с собой) не понадобились, тетя Мусь, возьмите». Я взяла эти пять рублей. Он привез мне пять кочанов капусты. Я эти кочаны потом посолила. Он мне, например, мог сказать, ложась спать: «Тетя Муся, сегодня у нас собирали на Красную Армию. Пришлось дать двадцать пять рублей». Я прямо с ужасом думаю: откуда у него двадцать пять рублей? Я же ему не даю. Значит — ворованные. Так и есть, значит, он остался воришкой. Я молчу. Мне просто неудобно говорить, что ты украл и дал Красной Армии.

Вот здесь на набережной (а мы жили у Большого проспекта) был когда-то такой ресторан «Золотой якорь», а теперь это была столовая этого ФЗУ. Вот однажды он мне говорит: «Тетя Муся, завтра детям будут давать шоколад по двадцать пять грамм — вот такой кусочек шоколада. Но вы знаете, я не люблю этот шоколад. Я могу отдать его вам. А вам дадут батончики соевые, а ведь батончики я страшно люблю. Давайте меняться?» Это он от души хотел сделать мне приятное. Но однажды он меня действительно потряс: вдруг он приходит (а он такой голодный был! Хотя им давали четыреста граммов хлеба, но он не мог наесться, он такой маленький был, голодный и еще перед войной он набегался — неизвестно где был), — вот пришел в комнату ко мне и говорит: «Сейчас кое-что я вам покажу». Лезет за пазуху, достает маленький сверточек в бумаге: «Тетя Муся, чем я вас буду угощать сейчас, вы не поверите! Нам на ужин дали по куску пирога — белого. И вот, тетя Муся, я принес вам. Я не притронулся к этому пирогу». Представляете, какое сердце было у этого мальчишки, у воришки-то?! Я говорю: «Давай пополам разделим». — «Нет, нет, тетя Муся, я только для вас принес». И он действительно от сердца это сделал! С этим пирогом он, голодный мальчишка, шел две остановки. Какой человек мог быть, если бы он не погиб! Этот случай просто меня потряс... Вдруг он пропадает, нет и нет его, не идет ночевать. Я пошла в ФЗУ, говорю: «Скажите, пожалуйста, где Валерик? Может быть, послали куда?» Мне говорят: «Знаете, ваш Валерий с мальчишками — те больше, по семнадцать-восемнадцать лет, — все они убежали на фронт». Так он сбежал, и больше я никогда не видела Валерика.

— Это начало сорок второго года?

— Да, это было зимой сорок второго года. Больше я его не видела. Наводила справки и после войны — ничего. Сбежал на фронт, пропал. Может быть, под обстрел попал, очень многие садились в поезда, поезда попадали под обстрел, бомбили, все горело. Так Валерий пропал. Я его не могу без слез вспоминать».

Во фронтовых записках артиллериста Сергея Герасимовича Миляева много страниц посвящено неотступным мыслям солдата о детях, которые там, в Ленинграде, — совсем близко и для фашистских снарядов близко!

Накануне 1942 года С. Г. Миляев записал:

«*31.12.41 — 1.1.42*. Начинаю записывать в новой книжечке в последний день 41 года — закончу в первый день 1942 года. Итак, подведем итоги: 1) 6 месяцев 10 дней войны, точнее — 190 дней. Я — 180 дней в армии, 40 дней на передовой. Артиллерист. Участвовал в «местной» операции стрелком взвода. Почти освоился со своей новой ролью командира артиллериста. 2) За 40 дней от семьи, от ребят ни одной весточки. (Втайне надеюсь, что живы, поэтому никаких выводов пока...) 3) На фронте положение улучшается для нас: наступление, начатое в декабре, продолжается, хотя и медленно. Москва в безопасности, Ростов тоже. Начата десантная операция в Крыму (заняты Керчь, Феодосия). Но Ленинград еще в кольце, а значит, еще очень тяжело моим героям, моим маленьким героям...»

«*21.1.42*. Большая радость: получил письмо от ребят наконец-то, датированное 4 января. Есть, таким образом, надежда, что они сейчас живы. Письмо сдержанное, но по существу отчаянное. Как это пишет 13-летняя девочка. Маленькие герои! О матери и от матери ни слова, должно быть, она больна или сердится, думает, что я могу помочь...

«Здравствуй, дорогой папа!

Твои письма мы получили все. Извини, что не ответили. В комнате холодно, руки мерзнут. Печку нам поставили, но топим, когда есть что варить. Дров нет. Много я все равно не напишу, а хочется рассказать обо всем. В школу я не хожу. Шурик очень похудел, плачет все время, Валичка тоже. Думаем, что скоро будет лучше. Хлеб выкупаем (1 кг) и сразу съедаем, потому что есть больше нечего. Редко что-нибудь варим. За водой ходим к остановке. Вода за ночь застывает. Я ничего не читаю, и не хочется. Пиши чаще. Когда мы получаем от тебя письма, нам как будто становится теплее. Папа, Василий (в квартире брат тети Нюши) 24.12 умер. И Бовин отец (помнишь, к Шурику мальчик ходил) то же умер. Писать больше не о чем. О плохом писать не хочется, а хорошего мало. Привет от Шурика, Инны и Велички. До свидания. Люда. 4.1.42. Пиши чаще».

«*23.1.42*. Жилин привез сразу два письма от ребят и Марии... Мария пишет: на лестнице умерли 18 человек. Жилин говорит, что хуже всех выглядит Шурик и Валя, остальные из моих, говорит, выдержат. Особенно понравилась Мария — энергией и стремлением удержаться. Мария так и пишет: «Цепляемся за жизнь». Да, голод оказался много страшнее бомб и снарядов. Сейчас, надо полагать, дело пойдет на поправку. Даже нам прибавили 100 гр. хлеба. По-моему, лучше бы прибавили ленинградцам, чем нам, армия еще может терпеть».

Чтобы почувствовать цену последних слов, надо прочесть запись, сделанную до того, как прибавили эти 100 граммов:

«*17.1.42 г.* Я пытаюсь ходить поменьше... два дня, как чувствуется общая слабость. Очень обидно, если сковырнусь не от пули, а от голода...»

Люди, которые изыскивали, изобретали пищу и витамины из бог знает каких заменителей; голодающие врачи, которые невольно на самих себе ставили «эксперименты» по основательно забытой дистрофии и лечили от нее ленинградцев; люди, добывающие топливо, тепло, сберегающие культурные, научные ценности, детские жизни и т. д. и т. п., — в героическом противостоянии Ленинграда это не было столь очевидно, как залпы Кронштадта. Но это было противостояние и не менее важное — для исхода борьбы на северном фланге бескрайнего фронта. Поэт Сергей Наровчатов, воевавший под Ленинградом, как-то заметил: солдаты могли удерживать Ленинградский фронт, голодая и замерзая, потому что знали: есть живые души в Ленинграде, мы не болото, мы Ленинград удерживали...

Усилия безвестной женщины-матери, спасающей в городе жизнь детей, продолжались и завершались в атаке танкистов или пехоты, в

артиллерийской дуэли с фашистскими дето-
убийцами...

В блокадном музее Ленинградского педучи-
лища № 5 учительница Любовь Борисовна Бере-
говая показала нам оригинал письма из Ленинграда на фронт — тринадцатилетней Тани Богдановой отцу. Как хочется ребенку-ленинградцу,
как необходимо ему пожаловаться солдату-отцу
и как боится ранить своей болью, своей близкой
гибелью того, кто спасает Ленинград! А ведь
тринадцать лет ей, Тане Богдановой!

«Дорогой папочка! Пишу я вам это письмо
во время моей болезни когда думала, что я
умру и пишу из-за того что я жду смерть, а потому что она приходит сама неожиданно и
очень тихо. В моей смерти прошу никого ни-
винить. (В тексте ничего не правим. — А. А.,
Д. Г.) Сознаться по совести виновата я сома,
так-как нивсегда слушалась маму. Дорогой папочка я знаю, что вам тяжело будет слышать
о моей смерти да и мне-то помирать больно
нехотелось но ничего не поделаешь раз судьба такая. Я знаю, что трудно вам будет понять
мою болезнь так я о ней пишу вам ниже.
Сильно старалась поддержать меня мамочка и
поддерживала всем чем могла и что было. Она
даже для меня отрывала и от себя и ото всех
понемногу но так-как было очень трудно поддержать пришлось поэтому мне помереть. Папочка болела я в апреле, когда на улице было
так хорошо и я плакала, что мне хотелось гулять, а я немогла встать с кровати так спасибо дорогой мамочки она меня одела и вынес-
ла на руках во двор на солнышко погулять.
Дорогой папочка вы сильно не расстраивайтесь ведь и мне то умирать больно нехотелось
потому-что скоро лето да и жизнь цветет впереди. Пишу я вам это письмо и сома плачу, но
сильно боюсь расстраиваться так-как руки и
ноги начинает сводить судорога, а ведь как не
заплакать, жить больно хочется... Я сильно
старалась, что-нибудь поделать что б не приходить в забытье но нет на это никакого жела-

292

ния лежу и каждый день жду вас, а когда забудусь то вы мне начинаете казаться. Я уже стараюсь ничего не думать, но мысли не выходят из головы. Ну дорогой папочка очень не расстраивайтесь и к словам моей смерти прошу отнестись похладнокровнее. Очень я благодарна одной только мамочке да сестренкам с братишкой за всю их заботу и уход за мной, а особенно мамочки, которой я не могла высказать словами свою благодарность, спасибо большое ей, ведь она меня поддерживала всем чем могла».

Солдат Богданов вернулся с войны. Но дома у него погибло пятеро детей. И в их числе — Таня.

Сергей же Миляев увидел своих до того, как погиб сам. Они живут и сегодня, его дети. Но тогда ближе к смерти были они.

«*19.2.42*. С 11 часов утра 13.2 до 5 часов утра 16.2 дома в семье. Город смерти встречал и провожал трупами, темнотой, грязью, тишиной, зловещей тишиной. Встречен слезами и трупом Велички, отвез ее на братское... Шурик распух. Мария, Инна, Люда, думаю, выдержат... Через 4—5 дней опишу все, сейчас же такой тяжелый осадок, что нет силы писать. Кроме того, физически так устал, вот уже два дня не могу отойти, прошел за 11 часов 60 километров.

20.2.42. По-прежнему физическая слабость, умственное отупение, благо, что занят делом, а то бы... Подождем...

22.2.42. Итак, я начинаю «Повесть для себя» о Ленинграде февраля 1942. В предрассветном тумане далеко высятся силуэты главных зданий красавца — родного города. А в 9.00 я уже был на улицах предместья (2-й Муринский).

Первая встреча — гроб, салазки с трупом без гроба, словом, саночки с трупом. Город внешне выглядит так, как он рисовался со слов других моему воображению: грязь, сугробы, снега, холод, темнота, голод, смерть.

Однако, пройдя пешком до Литейного моста по пр. Володарского, завернув к Московскому по пр. 25 октября, пройдя всю Невскую заставу и далее, везде встречал хмурые, изможденные, но твердые мужественные лица.

11.00 я у двери своей комнаты, с тревогой в сердце стучу и говорю: «Ребята, откройте». Там радостные восклицания: «папа» и рев, слезы. Мария: «Валичка померла».

Самое страшное — декабрь 1941 — январь 1942. Февраль уже стал месяцем надежды на самое лучшее: скорейший разрыв блокады (правда, февраль прошел, осталось 5 дней, и кольцо еще не разорвано полностью, и стремление к «слоеному пирогу» для немцев не освобождает пути ж. д. к городу и может скоро обернуться скучно, когда Ладога начнет пениться весенней распутицей).

500 гр. рабочим, 400 служащим, 300 иждивенцам и детям, немного подброшено мяса, крупы, сухих овощей... Я привез 1 кг хорошего мяса, немного рыбы, крупы, хлеба. С жадностью варили и ели три дня. Сам я отлеживался, отдохнуть давал ногам, готовил их к 60-тикилометр. переходу, ходил только за водой и немного пилил дрова. Печуркин дымоход плох, в комнате дымно, холодно, неприятно.

Радио работало все дни до ночи на 16.2 (я вышел из дома в 5.00 16.2.42 по направлению к Финляндскому вокзалу), плохо согревался.

Первые мои слова при входе домой: «Живы! Родные!» И это чувство, что в основном взрослые мои и жена живы — это успокоительно бодрое чувство не покидало меня все время.

Людочка ходила по моей просьбе в книжно-канцелярские магазины. Книг нет (закрыто), бумагу, блокноты, карандаши купила, говорит, что 99 проц. магазинов закрыто. Кстати о торговле: торгуют на рынках. Валюта: хлеб, табак. За хлеб и табак (последний становится дороже хлеба) все, буквально все можно купить. Мародеры, спекулянты... Злость забирает, когда вспомнишь, что такие же, как

N, сволочи устроились в городе, и, конечно, не голодают...

День первый моего пребывания в городе 18.2 промелькнул быстро. Поели уху, чайку попили, топили печечку, надымили, легли спать и всю ночь в разговорах не заснули. Передо мною развернулась картина щемиловского быта в эти страшные для Ленинграда дни: ужас перед смертью, борьба титаническая за жизнь... Это как у Гейне: «И покуда не поймешь смерть для жизни новой — хмурым странником живешь на земле суровой...» Много отвратительного. Но такова жизнь: мать 4 детей отнимает от груди маленького, чтобы не умереть самой. Маленький гибнет. Но зато живы еще трое, которые без матери бы умерли. Справедливо решение матери? Безусловно, да. Мать. Мария покупала краденые карточки на хлеб, правильно делала, да, она спасала жизнь троих ребят.

Шурик стал «старичком», «гномом», и еще тысячу эпитетов и прозвищ ему давали в семье за его угрюмый вид, за сиденье у огня и нежелание даже пройтись по комнате, за его разговоры только о еде, вплоть до того, что требовал «выделите мой хлеб отдельно», за сою и воду, которую он тайком пил и ел, и вследствие этого уже трижды опухал.

Вот и сейчас он в пальто, опухший, бледный, кожа да кости, только две черные бусинки-глазки говорят еще о прежнем розовом Шурике.

Настроение Люды: «Не читаю и еще 1—2 мес. не буду. Не могу». Тела у Марии и девочек от голода грязные, от дыма и отсутствия бани вот уже 3 мес.

В комнатах ленинградцев горшки и ведра... чтобы затем вылить в люк канализации. Это днем и ночью, уборные не работают. Судя по «Ленправде» в городе много, уже много домов пустили канализацию и отогрели водопровод и отопительную систему. Может быть, скоро это будет и на Щемиловке? Света нет, достали газолин, горит хорошо. Я ведь здесь привык к коптилке. Электро скоро не ожидают. И если чистят трамвайные рельсы, пути, то разговоры такие: «Пустят два-три паровозика с прицепом по 4—5 вагонов — возить рабочих на работу».

Действительно, очень мучительно ходить голодными или полуголодными, во всяком случае вконец отощавшему человеку из-за Невской, напр., на Петроградскую сторону.

День второй моего пребывания начался хорошо: к утру в мягкой постели, под одеялом, почти раздетый, я хорошо заснул. Утром чай с сахаром. В обед мясо с крупой и каша на второе. «Как в мирное время», — с радостью говорили мои галчата, поедая по 2—3 порции супа, по полной тарелке каши. Это отмечали день рождения Людочки и Шурика (18 февраля Люде 14 лет, Шурику 6 лет)... Людочка сходила за покупками, достала за 50 рублей пачку «Норд», я лежал и блаженствовал.

А вот сегодня обещают дать 12 грамм (двенадцать — не путать!) табака в честь праздника, и я эти крохи, живя без курева с 18.2., т. е. 4 долгих дня, жду как манны небесной.

Людочка пешком дошла до Садовой. Принесла почти все, что я просил. Очень устала.

День, сутки, третьи, что был я дома, прошли в попытках натопить печь, согреться. Затем у соседа около хорошей жаркой печечки погрел ноги, натер их нашатырным спиртом. Лег спать до 4-х часов. Спал вторую и третью ночи крепко и долго.

Затем начались сборы. Поцелуи. Выход в темную, мягкую (снег даже не хрустит, а мнется) ночь. Два часа ходьбы до агитпункта Финляндского вокзала, оттуда дальше.

В 8.00 шел по окраине города, полный впечатлений бодрости и мучительного уныния, свежести и грязи, героического дыхания великого города...»

Миляев С. погиб в 1944 году в боях под Витебском.

«...Не пережившим блокаду», записывает в дневнике учительница *Ксения Владимировна Ползикова-Рубец*, «никогда не понять», что смерть здесь «такая же неизбежность, как на фронте».

Вот ее запись от 2 марта 1942 года:

«Сижу в кабинете завуча. Появляется маленькая хорошенькая девочка — дочь Бубина, которого я хоронила в октябре: «Здравствуйте, Ксения Владимировна, — а у нас в доме все умерли!» — «Кто все?» — спрашиваем мы с завучем в один голос, глядя на хорошенькое и абсолютно не грустное личико.

«Сперва бабушка, а потом мама и Володя в один день, а меня взяла к себе тетя, а квартиру нашу, пока я была у тети, обокрали, вот я теперь и пришла за вещами, которые у нас были в бомбоубежище, такой красный узел».

Так вот пытается защищаться детство, детская психика: не вбирает, отталкивает...

«А по дороге Валя Петерсон эпически спокойно рассказывала о зиме, — записала Ползикова-Рубец 3 августа, — о том, как отец умер от голода, как «папа любил лес и охоту», как ей было трудно прокормить сеттера и как они его съели».

И снова: «По дороге эпически спокойно рассказывал (мальчик Колобов) про гибель матери на дежурстве от фугасной бомбы. Балка раздавила ее грудную клетку. Он с отчимом выскочил в кухню. Останься они в комнате, и их не было бы в живых. Соседка в вагоне говорит о поседевших висках 19-летнего сына на фронте: «Вот и он, верно, так спокойно бы говорил о моей смерти, был раньше такой заботливый, ласковый, а теперь совета не добьешься; спрашивала, эвакуироваться ли, а он отвечает — как хотите...»

Взрослых поражало, пугало спокойствие детей, их равнодушие к смерти близких, к потерям. Что это было — детская неспособность воспринять чрезмерное горе, всеобщее бедствие, что обрушилось на них? Или это защитная реакция неокрепшей психики?

Мы не знаем, как объяснить это, но мы увидели другое, не менее поразительное. Встретив этих бывших мальчиков и девочек блокады спустя тридцать пять лет, мы обнаружили, как свежо помнят они те самые события, не стараются уйти от горьких воспоминаний, подобно многим, кто были постарше. Наоборот, читают все о тех днях, знают блокаду, включаются в поиски материалов, собирают блокадных своих однокашников... Живет в них тяга к той заледенелой, голодной, лишенной детских радостей поре. А главное — то тогда непережитое, вроде бы отстраненное горе потерь, все страдания виденные, они, оказывается, навсегда вошли в сердце, отпечатались в детской, еще податливой душе. Они продолжают жить, прочувствованные стократно. Многих они сделали сердечней, отзывчивей к страданиям других, к чужой беде...

А впереди еще два года...

Ушли самые долгие месяцы блокады — зима 1941 и весна 1942 года. Они-то в основном и унесли жизни ленинградцев, которые умерли в городе или какое-то время спустя, многие уже в эвакуации.

Выходил из зимы, из холода и голода Ленинград трудно, но выходил. Надо еще было спасти себя от весенней эпидемии — убрать с улиц трупы, нечистоты, все, что оставили голод и бессилие истощенных людей. Руками их же, обессиленных. Ленинградцы шли на очистку города, как на фронте шли в атаку. Надо было очистить дома, дворы, квартиры и не умереть весной, летом от неизлечимой глубокой дистрофии и не дать умереть другим. А тут — снова опасность, ожидание вражеского штурма. И злобные, ночные и дневные, обстрелы, слепые — «по площадям» и прицельные — по трамвайным остановкам, госпиталям, кинотеатрам...

«Да, смерть глядела этой зимой в самые наши зрачки, глядела долго и неотрывно, — рассказывала Ольга Берггольц выжившим ленинградцам про них самих, как рассказывают человеку про кризис болезни, когда он миновал, —

но она не смогла загипнотизировать нас, как гипнотизирует удав намеченную жертву, обезволивая ее и покоряя. Фашисты, заславшие к нам смерть, опять просчитались».

Город чувствовал себя, как человек после тяжелейшей болезни: слабость, но и невероятный прилив душевных сил, жадность к жизни.

«Я работала санитаркой в эвакогоспитале № 68 на углу Б. Пушкарской, — пишет Вера Ивановна Павлова из Тосно. — Ни воды, ни света, почти у всех был голодный понос. И вот в такой палате почти умирающие вдруг закричали: «Ребята, победа, ура, ура!» Это был апрель 1942 года, по-моему, 15 апреля. И полезли кто как мог к окнам. Ура! Победа! Оказывается, зазвенел трамвайный звонок и прошел трамвай, который всю зиму стоял на Большом проспекте. Если бы вы видели, сколько было радости! Кто посильнее говорили: «Это уже победа!» — убеждали, объясняли...»

В некоторых записях и дневниках звучит восторг, ликование летних дней 1942 года, когда на город хлынули потоки солнечного света, запоздалого тепла, зеленые листочки появились на ветках, трава брызнула из развороченной земли.

Такая вот безоглядная, нерассуждающая радость вычитывается в дневнике девятнадцатилетней Галины Бабинской:

«27 июня 1942 года. Город — как хочется писать о нем, о нашем Ленинграде! Тот, кто не перенес эту зиму здесь, не чувствовал, не перенес всех ее трудностей на себе, не может понять радости ленинградцев, наблюдающих возрождение своего родного города. Об этом хочется говорить и говорить без конца, говорить об этом возвращении к жизни. Сейчас в особенности оживление города заметно на каждой мелочи. Незаметно это для постороннего глаза, для глаза, не видевшего Ленинград зимой.

Улицы и проспекты совершенно чистые, с шумом и звонками. Как приятно слышать эти звонки, сидя дома у окна за работой. И так, со звонками, пробегают мимо сверкающие чистотой стекол трамваи. Всего несколько маршрутов, но все-таки это настоящий трамвай. И сколько человеческих жизней спас трамвай. Трамвай спас жизни! А прежде говорили наоборот. Да, нам понятно это выражение — трамвай спас жизни!

На трамвайных остановках толпы. На улицах снуют взад и вперед деловые люди. Но есть и женщины нарядные, мужчины, женщины, ребятишки. В садике у театра особенно нарядна публика: женщины с модельными прическами, в изящных туфлях, в изящных платьях всех цветов радуги; мужчины в начищенных костюмах, в нарядных ботинках. Но главным образом военные. На некоторых девушках исключительно складно сидят шинели, девчата здоровые, румяные, веселые.

В кассах кинотеатров и театров, в Музыкальной комедии — очереди.

Перед началом спектаклей у подъездов собирается большая толпа неудачников, не имеющих билетов. В саду Дворца пионеров концерты джаза Клавдии Шульженко и Владимира Коралли. Открывается сад отдыха. Дает концерты филармония. На улицах группа людей возле очередного номера свежей газеты. Народ заходит в промтоварные и продуктовые магазины. Продавщицы в чистых белых халатах. На полках чистые белые занавески. Продукты выдаются в срок и без очередей. А на углах чистильщики сапог. Парикмахерские полны дам на маникюр и горячую завивку — со своим керосином!..»

Или, как вспоминает С. С. Локшин пословицу тех дней: «Заходите с керосинками — выходите блондинками!»

Вот как оно воспринималось после блокадной зимы! Здесь все гиперболизировано. Но преувеличенность эта, ликование, умиление, жажда видеть, находить только хорошее показывает не столько весну и лето 1942 года, сколько лютость ушедшей зимы, нечеловеческий ужас пережитого.

То, что очистили город, что ослабевшие руки сумели поднять лом, воткнуть лопату, вывезти тачку, было чудом. Сегодня, издали, это воспринимается естественно. Вышли, выходили день за днем люди во дворы, на улицы, площади, скололи лед, убрали завалы грязи, отбросов, нечистот, вывезли, вычистили, отмыли... Что-то похожее на теперешние апрельские субботники. Но тогда у самих же ленинградцев результаты работы вызывали изумление. Они не предполагали, что сумеют это сделать, что осилят. Секретари райкомов, председатели райисполкомов знали, что сделать это необходимо, но не понимали, каким образом высохшие, вялые от слабости, похожие на призраков люди смогут справиться — вручную, без механизмов, машин — с таким гигантским трудом.

Почти у каждого блокадника бережно хранится справка, которую давали тем, кто участвовал в очистке города.

Как же было в городе летом 1942 года?

Город грелся.

Люди стояли, сидели на солнышке, стараясь прогреть замерзшее, казалось, до самых костей тело. Холод выходил медленно, долго. До июня стены домов еще дышали холодом. Солнце было также и светом, от которого отвыкли. Люди наслаждались ярким светом, открывали окна, забитые фанерой, завешенные одеялами, тряпками. Солнце беспощадно высвечивало внутренности комнат. Закопченные стены, потолки. Обломки несожженной мебели. Вывороченный на дрова паркет. «Буржуйка». Тряпье на кроватях, диванах. Грязь, грязь, нечистоты, обломки, осколки стекла, посуды — следы бомбежек... Опустели книжные полки. Повсюду проступали следы потерь и смертей. Во что превратились лестницы, дворы! Крыши продырявлены, прожжены зажигалками, пробиты осколками. Из всех окон торчали трубы «буржуек». Открылись от снега развалины, остовы горелых домов...

Человеку нужна возможность оглядеться, увидеть себя и ужаснуться. Это было необходимо.

Город оживал.

Откуда-то появились силы. Заготавливались дрова, торф для электростанции. Исчезли очереди за водой, заработал водопровод, не везде, но в дома один за другим стали подавать воду, хотя бы в нижние этажи. Открывались бани, прачечные. Стали изготавливать подошвы. Их штамповали из старых автомобильных и авиационных покрышек. Реставрировали одежду. Стали шить пальто, костюмы. Делалось много. Однако обстрелы продолжались. И бомбежки. Питания не хватало. На скудном пайке истощенный организм не способен был полностью восстановить силы. Давали куда больше, чем зимой. Уже с 11 февраля 1942 года ленинградцы начали получать: рабочие — 500 граммов хлеба, служащие — 400 граммов, дети и иждивенцы по 300 граммов, стали выдавать крупу, сливочное масло. И все же этого было недостаточно, питания не хватало, нужны были витамины, овощи...

«На нашем дворе на дереве появились первые листики. И вот из окна своего дома я вижу: подошел к дереву гражданин, стал срывать эти листья и класть в рот, а затем открыл портфель и начал бросать листья в портфель... Это дерево и сейчас стоит около стены дома в нашем дворе...» (*Вера Яковлевна Бокина*).

В парках и садах невозможно было увидеть ни одного одуванчика. Из листьев одуванчика варили щи, из корней, мясистых, сочных, делали лепешки. За одуванчиками приходилось ездить все дальше — в Удельную, Озерки. По знакомству двенадцатилетнюю Марину Ткачеву пропустили за одуванчиками в зоопарк. Она не может забыть, что там она ранним летом 1942 года увидела живого бегемота. Как раз соседка, которая пригласила ее (она работала в бегемотнике), и спасла бегемота. Это тоже одна из правдивых ленинградских легенд, о которой, к сожалению, Марина Александровна подробностей не знает. Помнит лишь свои страхи и восторг, с каким миновала клетку, кося́сь на бегемота, помнит, как потом соседка вывела ее на траву к одуванчикам. И помнит еще, как проходила служительница и что-то сердитое пробурчала насчет этих одуванчиков, которые, мол, растаскивают посторонние. Она имела, наверное, в виду интересы зоосадовских зверей.

«Мы устроили огород в квартире: перевернули обеденный стол вверх ножками, ножки отвинтили, посыпали земли из сквера на Лахтинской, поставили у окна и посадили редиску. Потом ели траву этой редиски как салат: для витаминов. В мае мы уже ели лебеду и удивлялись, какая это вкусная трава» (Д. С. Лихачев).

«На рынках стали траву разную продавать — по 30—40 рублей за сто граммов щавеля просят, а то и хлеб им давай. Я купила крапивы и сварила щей, а на следующий раз лебеду сварила. До чего голод довел людей, смотришь, на вид приличная дама, нагнувшись, щиплет травку и кладет в рот, как коза» (Из дневника *Ольги Ефимовны Эпштейн*).

Люди мылись в банях, приводили себя в порядок, чистили свои жилища, вскапывали огороды, заготавливали дрова — исподволь готовились к следующей зиме.

В июле 1942 года Л. М. Филиппова получила самый для нее дорогой подарок — пакет лебеды. В то время это был драгоценный дар, но

303

тут важно и что предшествовало этому подарку. Любовь Михайловна до сих пор волнуется, стоит коснуться того случая. А дело обстояло так.

Зимой пришло к ней письмо с фронта от ее товарища по горкому комсомола И. К. Ковбаса. Он спрашивал, чем можно помочь его жене и дочери. Л. М. Филиппова сама получала 200 граммов хлеба, что она могла? Но она была женщиной огромной энергии и собранности, недаром все эти годы она руководила парторганизацией Государственной Публичной библиотеки.

...«— Думаю, пойду я к Попкову, председателю горисполкома, пойду к Петру Сергеевичу. С чем пойду? Использую свой депутатский билет. Ведь не для себя, для помощи. И действительно, написали записочку на Тамбовский холодильник: двести граммов сухарей, плиточка шоколада, сушеная картошка, какая-то крупа. Я к Попкову в Смольный рано утром пришла, оттуда на Тамбовскую. Я такая была счастливая, что столько получила! Только бы мне застать родных Ковбаса живыми. (Илья Кириллович был комиссаром какой-то бригады.) Дошла я до Невы. Уже вечер. А чтобы сократить расстояние, не через мост пошла, а по Неве, там к Александровскому саду была дорожка. Вьюга страшная! И вот вы знаете, это самый страшный момент в моей жизни. У меня пакет, там шоколад, я иду через Неву и уже падаю. Как бы не съесть! Этого чувства я вам передать не могу никакими словами. Страшный случай. У меня там шоколад и сухая картошка, а я должна донести. Понимаете? Иду через Неву. Вьюга задувает, думаю, мне уже не дойти. Как я тогда с ума не сошла, не знаю. И все-таки я иду, иду, иду. Вот улица Ленина. Нашла этот самый дом. Поднялась на третий этаж. Ищу комнату, где они жили (это была коммунальная квартира). Вхожу. Мне стало легче, что я донесла.

— Борьба с собой была для вас труднее, чем с вьюгой?

— Этого не передать. Это было страшно. Когда я переступила порог этой комнаты, мне стало легче, что я донесла. Я такая же голодная, такая же больная, я не могу двигаться, но уже счастливая. Думаю — были бы только живы! Вижу — с одной стороны кровать, с другой стороны кровать. Спрашиваю: «Ксения Петровна? Люся?» В ответ слабый голос Ксении Петровны и более сильный девочки. «Я вам от отца принесла привет!» Ну, знаете, что тут было! Мало того что счастье преодоления! Я какой-то стул очередной, какие-то книги оставшиеся вытащила, растопила «буржуйку», поставила кипяток. Они, конечно, поднялись. Мы сели около этой «буржуйки». Они меня угощали, и я, уже не стесняясь, поела, потому что я иначе с улицы Ленина до Публичной библиотеки не дошла бы. Это был очень счастливый случай. К счастью, они обе выжили. Потом мне удалось их отправить на Большую землю, эвакуировать, тоже через горком партии. И вот — самый дорогой подарок, который я получила в блокаду. Я прихожу домой, лежит большой-большой пакет — Любови Михайловне Филипповой. Я уточняю: это когда они встали и окрепли, весной. Я их после отправила. Они тот паечек разделили и обе выжили. И жили уже на Крестовском острове, были на своих ногах, собрали там лебеду и весной сорок второго года вот такой большой пакет принесли мне и трогательное письмо. Из этой лебеды мы наделали таких котлет! Такой у нас был пир! Ведь они уже умирали обе — девочка и Ксения Петровна. И тот паек, который я принесла и они постепенно ели, их все-таки спас, я так считаю. Еще помню какие-то одуванчики, которые мы тоже ели. Но главное — лебеда. Одуванчики — в салат, а из лебеды очень хорошие можно было сделать котлеты. Это был роскошный подарок!»

Рассказывает *З. А. Игнатович:*

«— В первую весну сорок второго года, когда появилась трава, то народ как будто превратился в животных: любую траву срывали и ели. Ни одной травки в Ленинграде не оставалось под забором. Однажды мы с одной из сотрудниц, Софьей Хатановой, поехали в Ботанический сад, хотели договориться с ними, чтобы разные травы посылать им на анализ. Надо было выяснить, какие травы ядовитые, какие не ядовитые. Ботанический сад был закрыт на замок. Мы позвонили. Когда мы туда вошли, увидели купырь вот такой высоты! Господи! Нас попросили подождать, пока придет научный сотрудник. Мы же стали этот купырь есть — с таким удовольствием!

— Купырь — это трава?

— Трава. Листья ее похожи на листья моркови. И мы этого купыря так наелись. Никто не трогает, везде пусто, и мы ели. Когда вышел к нам Никитин, нам стало неловко. Мы договорились, что травы мы на анализы, конечно, будем посылать. Мы его спросили: а можно нам купыря нарвать? Он говорит: «Это же сорная трава». Я говорю: «Ну, все равно». И вот мы с ней набили две сумки, пришли в лабораторию. Наелись все и были счастливы. С таким удовольствием ели эту сорную траву: купыря наелись!»

«*Июнь месяц* 1942 года. С каждым днем организм слабел, хотя хлеба прибавили, я уже получала 400 граммов в сутки, но есть еще больше хочется... Бомбежки, обстрелы, воздушные тревоги продолжались, но было хорошо тем, что мы грелись на солнышке, как мухи...

Июль месяц 1942 года. На улице тепло. Распустились деревья, выросла трава. Мы с мамой и другие ходили на кладбище и собирали какие-то корни, варили и ели. Крапивы и травы почти не было, так как голодные люди собирали все для питания...» (Из дневника *Ульяны Тимофеевны Поповой*).

К тому времени Ульяна Тимофеевна Попова начала работать в столовой кассиром. Рассказывая о своей работе, она упоминает и меню, и обстановку в столовой того времени:

«Давали щи из сушеной морской капусты и дрожжевой суп, давали кашу, на 200 граммов талон, а также выдавали на номерные талоны дополнительно шротовую запеканку.

...Тарелки вылизывали... Вечером я клеила вырезанные талоны по сто штук на бумагу... Клеить талоны было не на что. Не было бумаги. Клеили на газеты или на старые ноты, которые кто-то приносил».

Что ни рассказ, то свое, не похожее на другие восприятия весны 1942 года. По-разному люди выходили из блокадной зимы, по-разному оживали. Не ко всем возвращалась вера.

Было интересно обратиться к наиболее полному из всех дневников — как встречал весну и лето 1942 года на своем «малом радиусе» Г. А. Князев. В записях его чувствуется усталость. Он все время подбадривает себя, обнадеживает, но это все труднее дается ему.

«26 мая 1942 г. Плохо здоровье академика физиолога Ухтомского. У него на почве запущенной цинги началась гангрена. Врачи считают его положение безнадежным. Здоровье академика Крачковского все время колеблется, как пламя свечи. На днях у него был консилиум. Его взяли под наблюдение лучшие врачи города.

3 июня. Около нашего архива разломаны ворота на дрова... Некоторые «охотники» выпиливают балки на чердаке... Самый страшный для быта ленинградцев вопрос — как просуществовать зиму?

12 июня. На моих глазах от голода погибает Матрена Ефимовна, наша бывшая домработница, которую я взял временно на службу. Она на иждивенческой карточке. Сегодня она вся почернела. У нее, как она призналась мне, начался голодный понос».

Он изо всех сил хочет сохранить объективность. Он тщательно отмечает все хорошее, любые успехи, приметы возрождения жизни.

«22 июня. На грядах в Румянцевском сквере поднялись всходы... Совершенно не встречаю транспорта с покойниками — ни ручного, ни автомобильного. Вероятно, не в те часы провозят, когда иду на службу. Вижу немало людей, и нестарых, с трудом передвигающихся, некоторые держатся даже за стенки дома. Напротив нашего дома на самом берегу продолжают женщины рыть траншеи.

В городе, по крайней мере на моем участке, малом отрезке радиуса, очень чисто; каждый день подметают. Дворники — сплошь женщины. В Академии художеств в одном окне сегодня маляр вставлял стекло.

28 июня. Большая тревога на сердце. Под Севастополем непрерывные ожесточенные бои... Писать ли дальше записки? Слишком они становятся тяжелыми.

Нам, современникам, не видно всего, а то, что мы видим, может быть, совсем не то, что должно войти в историю. Нужны ли такие записки, как мои, не очень ли они односторонни, субъективны?.. И все-таки продолжаю писать. Я уж десятки раз пояснял, что веду свои записи как современник великих событий, но не активный их участник. Я обязан и должен сделать свое дело, записывать до тех пор, покуда в состоянии буду писать.

М. Ф.[1] катастрофически худеет. Карточек не хватает. Пайка не выдают. Купить по спекулянтским ценам ничего не удается. Сжимаю зубы и гляжу судьбе в глаза...

Пришлось прервать выписку. С воем и визгом проносятся над крышей снаряды и где-то рвутся недалеко. Подошел к окну. В дворовом садике копаются в песке ребятишки; кто-то идет с кувшином. Яркое солнце, почти безоблачное небо. М. Ф., к счастью, только что вернулась домой. Мы вместе. Чего же беспокоиться? Продолжаю.

---

[1] М. Ф. — Мария Федоровна, жена Г. А. Князева; она-то любезно и передала нам дневник покойного мужа и многое помогла понять в личности и трудах Георгия Алексеевича.

Страшные опять приходят мысли в голову... Неполучение пайка поставило нас в тяжелое положение. М. Ф. плохо себя чувствует.

Борюсь. И буду бороться. Еду сейчас проверять дежурство в архиве. Исполняю свой долг до конца...»

...Весна и лето 1942 года воспринимались по-разному Г. А. Князевым и девятнадцатилетней Галиной Бабинской. Сперва кажется, что это совершенно разные города. Или разные времена блокады. Но стоит вдуматься, вглядеться — и окажется, что они не опровергают друг друга и даже не противоречат. Существовало и то и другое. Все зависело от того, кто смотрел, какими глазами. Надо наложить несколько разных картин, чтобы возник перед нами медленно оживающий Ленинград 1942 года, где еще умирали, не в силах оправиться от дистрофии, и где вскапывали, обрабатывали каждый клочок земли в садах, парках, на бульварах под огороды. Можно понять Галину Бабинскую, когда любая малость виделась ей преувеличенной. Две-три встречные женщины в туфлях и летних платьях были событием, надеждой, счастливой приметой. Чистильщик сапог вызвал восторг. И можно понять Г. А. Князева, который понимал, что блокада продолжается, Ленинград по-прежнему в упор расстреливают вражеские орудия, и впереди вторая блокадная зима, а силы кончаются.

Можно понять и настроение четырнадцатилетней школьницы *Д. Лозовской*, запечатленное в ее дневнике:

«21 июня. Без одного дня годовщина войны. Сегодня мы занимались алгеброй четыре часа, но не знаю, к чему это приведет, боюсь, что провалю. После обеда ходила в кино, смотрела «Машеньку». Я могу сказать, что картина только ничего, не больше... Я так боюсь алгебры, прямо не знаю.

26 июня. Испытаниям конец! По литературе у меня хорошо, по геометрии четверку получила. Я очень рада, потому что вчера, вместо того чтобы готовиться, я ходила с Асей гулять в сад. Между прочим, в сад Дворца пионеров ходят очень хорошие мальчики, Рома и Лева. Они были с Аськой в доме отдыха. Мне они оба очень нравятся. Вообще мальчики на все сто: культурные, вежливые, хорошо одеваются, не подкопаешься... На завтрак нам дали два кекса из сои с киселем, стакан сладкого кофе и 100 граммов хлеба. Было очень вкусно приготовлено. На обед гороховый суп, какая-то рыба с лапшой, на третье стопочка морса и 200 граммов хлеба. На ужин нам дали соевую запеканку с томатным соусом, стакан сладкого чая (на сахарине) и 100 граммов хлеба».

И рядом другое. Нам дала свою фотографию *Мария Ананьевна Щелыванова*. Показала и сама ужаснулась:

«Вот смотрите, какие волосы и какое лицо, совсем как у мертвой. Вот какие косы были, а от голода начали вылезать. Я сказала своей знакомой: я отрежу волосы, куда они мне. Нет мыла, ничего нет... Это сорок второй год, ближе к осени. Последний раз я распустила волосы, и она меня сфотографировала. Нет, обратите внимание, какое у меня было страшное лицо!»

Из многих свидетельств мы отбирали не только схожие, но и разные, несовпадающие, разноречивые. Мы не хотели выводить из них среднее. Среднее не значит истинное.

Все четыре Евангелия излагают одно и то же. Четыре автора описывают одну и ту же судьбу, одни и те же события, но каждый по-своему. И если подойти к этим произведениям как к явлению литературному, то возникнет вопрос: зачем, почему эти четыре повести существуют вместе? Почему читательский интерес не гаснет, не падает по мере чтения каждой новой повести? Каждая следующая дает все меньшую информацию, все меньше нового. Авторы повторяются, хотя у каждого есть свое — и свой слог, и свои факты, и свое видение. И все же все четыре повествования вместе интереснее, чем каждое в отдельности. Они образуют какое-то устойчивое единство, несмотря на все повторения, несмотря на разные толкования... А может, именно благодаря этому? Они как поддерживают друг друга, помогают, высвечивают, почему-то не мешая, а усиливая друг друга. Какое взаимодействие между ними происходило? Таинственное, сложное это взаимовлияние не укладывается в известные законы литературы. Когда Ренан пробовал на основе четырех Евангелий и всей известной ему литературы написать «Жизнь Иисуса», получилось произведение, лишенное художественной силы. Такая же судьба постигла и «Евангелие» Л. Н. Толстого, созданное как нечто сводное, более точное. Пример этот поучителен...

Четыре Евангелия создают объемность: можно обойти со всех сторон, то есть с четырех сторон обсмотреть историю Христа. Разноречивое, многоликое повествование людей о блокаде повторяется и не повторяется, и несется дальше, и уходит в глубь страданий, испытаний. Впрочем, дело не в одних только страданиях, страдания открывают нам более важные свидетельства, которые можно услышать в этих рассказах, — границы человека, пределы человеческие. Они расширяют эти сферы силы и высоты человеческой, продвигают их в пределы, казалось до этого, необитаемые, безумные, где нельзя соблюдать законы морали, душа гибнет, а оказывается, и там человек может остаться человеком.

Эта бессмертная, эта вечная Мария Ивановна!

А Мария Ивановна из ЖАКТа — помните ее, командира группы самозащиты? — она все еще там, возле своих «жилых объектов»... И сегодня память ее мечется между домами и бараками, тащит и нас следом туда, где с громом и дымом разорвался снаряд, или где, наоборот, подозрительно тихо, или куда ее послало письмо фронтовика, встревоженного молчанием своей семьи...

Сегодня Мария Ивановна Дмитриева занимается садоводством, ждет к лету в гости внучек («Две девочки-школьницы, чудесные»), пишет письма дочери, живущей на Севере с мужем-летчиком, обсуждает с соседками местные новости...

Но память ее блокадная при малейшем толчке снова там, возле «жилых объектов»...

«— А здесь был у нас сильный обстрел, на Швецова, тридцать восемь. Вернее, здесь так было: вначале, нам казалось, нас сильно обстреливали, а когда разместились здесь «катюши», вот тогда действительно началось... Здесь есть завод металлолома, и туда подвели рельсы и поставили «катюши»... Их быстро выкатят, нацелятся и стреляют. Потом они уйдут, а мы-то останемся. По нас и били. Так били, что дома были разрушены на нет. Получилось это примерно, если не ошибаюсь, в марте месяце. Это днем было. Я помню, что уже позавтракала, пошла в контору. Начался свирепый обстрел. Я дошла до конторы. И не помню, кто вскричал: «Мария Ивановна! Там разбили дома!» Снаряд попал в тридцать третий дом. Ну, было трудно подойти. Пошла я. Пошла, пробралась все-таки. Это далековато, к Тентелевке, туда, в стороне дом. Вот пришла, вхожу. А там какой-то стиль был, не знаю, — на обе стороны комнаты, а посредине коридор сквозной. Вроде строители жили или что-то такое.

— Общежитие?

— Да, как общежитие. И были не квартиры, а только комнаты. Причем длинный коридор. Двухэтажный дом. Ну вот, я прошла по первому этажу, никого нет. Стукнулась туда, сюда, все закрыто. Тогда я наверх прошла, а там стенка разбитая. Дом-то деревянный, и, когда его снарядом стукнуло в угол в верхние перекрытия, бревна-то встали, как карты. Но это в одном углу только, а остальные все нормально.

— А вот в этих закрытых комнатах, куда вы толкались, там, может быть, люди были?

— Вот я и думала, только никто не отозвался. Потом, когда я уже обратно повернула (но обстрел еще не кончился, и осколки жих, жиих в этот дом), шла назад, я услышала какой-то звериный рев, просто ненормальный, просто зверь ревет, причем шибким таким, сильным голосом. Я остановилась. Потом вышла на улицу и смотрю наверх: как там разбита квартира и где? Стала прислушиваться: откуда звук издается? Вижу — из этой разбитой квартиры. Я подошла к двери, слышу, что здесь. Но дверь настолько плотно закрыта, что не шевельнуть ее нисколько. В это время бежит ко мне мальчик, подросток, лет ему пятнадцать-шестнадцать. Очень хотела бы теперь его найти, увидеть. Это Юрик Лебедев. Я его запомнила. Родители у него эвакуировались давно. Старший брат, летчик, ушел на фронт, это он мне рассказал. А он был в ремесленном железнодорожном училище. У них наверху была квартира (тоже все разбило). И вот он появился откуда-то. (Юра после, когда ремесленное эвакуировалось, часто приходил к нам помогать — тушил зажигалки и всякое там другое.) Ну вот. Я говорю: «Где же это кричат? Кто здесь живет? Я во все двери толкалась — везде закрыто». А он говорит: «Ах, это Дуся!» Он в доме всех знал. Я говорю: «Ну а как же мы с тобой туда попадем? Дверь-то не поддается». Он говорит: «Подождите, Мария Ивановна, сейчас». Ну, он юркий такой, худенький. Он пошел другой стороной. Отсюда стреляли, а он другой стороной обошел и говорит: «Я сейчас в эту дыру, которая пробитая, пролезу». Я говорю: «Осторожней смотри: осколки». Пролез. И кричит: «Мария Ивановна, я здесь!» Дверь бы нам нипочем не открыть. Оказывается, от толчка снарядом вещи попадали. У них гардероб большой стоял, и этот гардероб на дверь опрокинулся. Ну, Юрик этот гардероб отодвинул, приоткрыл дверь, и я туда вошла. Там, знаете, известь, мел, как облако! Потому что все осыпавши, вся штукатурка. Вот такие груды штукатурки! Ну когда немножко это вроде стало осаждаться, я увидела, кровать стоит. Она вся завалена, потом диван или оттоманка, тоже вся завалена. И везде доски раскиданы. Я говорю: «Подожди, Юрик, не двигайся». Потому что я услышала писк какой-то, что-то вроде писка, кошку, что ли, придавило. Я говорю: «Подожди, Юрик, мы должны осторожны быть». Ну вот — и вдруг опять рев этой женщины! Она без сознания, израненная, под кроватью! Она почему-то затиснута под кровать. Кровать низкая, железная, и она заткнута туда.

— Может быть, от обстрела забилась?

— Может быть, она заползла, а скорее волной ее забило туда. И опять таким же голосом страшным она заревела. Только поэтому мы увидели, что кто-то под кроватью лежит. И вдруг опять писк — вот такой, вроде котенка. Не знаем, с чего начинать. Я говорю: «Юрик, как можно осторожнее шагай, потому что придавишь». Вы знаете, на цыпочках шагали через эти плиты-то, штукатурку.

— Которые на кровати лежали?

— Нет, на кровать-то мы не ступали. На полу. Теперь, значит, стол. Он посередине стоял, но ничего там от стола не осталось, только доски лежат. Подошла я, как взяла, средняя доска и поднялась. К моему удивлению (я, честное слово, не знаю, как без языка не осталась!), лежит вроде бы ребенок. Но грязный, в глине какой-то, в извести, мокрый!

— Голенький? Только еще родился?

— Да, конечно, только родился, из утробы матери. И вы знаете, за ним тянется пуповина. Это от матери, из-под кровати, через это все... Кошмар! Никогда ничего такого не видела. Но в это время, я не знаю, откуда что-то бралось. Я говорю: «Юрик, ищи воды. Воды и ножницы!» Юрик побежал. Бегал, бегал (их квартира тоже наверху). И несет мне: «Мария Ивановна, не нашел я ножниц. Вот нож принес и графин, хвоей настоенный». «Ну, — я говорю, — она, наверно, кипятком налита. Ничего страшного». А у кровати, знаете, такие красивые свесы вязаные. Ну, я выдернула этот свес из-под обломков, кромку от него, так, сбоку, оторвала пупок перевязать. Все это встряхнула — больше делать-то нечего, у нас ничего другого нет. Подошла, свесом этим накрыла ребеночка — и на кровать в уголок. Завернула я ребеночка. Он запищал. От грязи задыхается, плакать-то не может, понимаете ли, как котенок пищит. Я говорю: «Ну вот я пупок перевязала, нужно обрезать, чтобы не тащился». А сама не знаю, сколько оставить. Оставила сантиметров восемь, наверно.

— Вам никогда не приходилось принимать роды?

— Никогда не приходилось, конечно, где же там. Не приходилось и не видела даже никогда. Ну вот, я пупок обрезала ножом. Перевязала.

— И Юрик помогал?

— А Юрик мне вот что сказал. Я говорю: «Сейчас будем вытаскивать больную оттуда». А он: «Мария Ивановна, неудобно мне». — «Что ты! Мы спасаем жизни! И ты о каком-то неудобстве говоришь! А как же врачи? Да ты что? Никаких неудобств! Слушать не хочу!» И он принялся мне помогать. И вот я этого ребеночка завернула. Потом говорю: «Теперь ты мне поливай». Он из графина мне поливает. А я хоть завернула, но один конец оставила (свес-то ведь длинный), и вот он мне на этот конец льет. Я стала чистить изо рта все, чтобы дыхание открыть ребенку. И он заплакал настоящим голосом. А то он задыхался от этой грязи. На кровати расчистили местечко. Положили ребенка. Молчит. «Давай вытаскивать». Как ее вытащить? Она оказалась такая здоровая, такая сильная женщина, причем косы распущены, расплетены. Длинные, ниже поджилок волосы — красивые светлые волосы. Боже мой! Мы с ним тащили-тащили ее. А у нее так: у нее здесь на голове изранено все, видимо, осколком. И волосы прилипли, с кровью, грязью. И она как шевельнется, у нее сильная боль: потому она и кричит. Я говорю: «Знаешь что, Юрик, простит она нам, если живая будет. Давай обрежем это, чтобы ее не тревожило».

— Волосы?

— Волосы.

И я ножом эту прядь. А другие пряди оставила. Я говорю: «В больнице отмоют». Ну вот, мы ее вытащили. Вытащили — она без сознания. Только изредка прямо, знаете, каким-то тигровым голосом ревела. Ужасное что-то! И вот подтащили ее к дивану. Мы все эти плиты, знаете ли, расчистили. Мы теперь уже ходили свободно, потому что расчистили себе дорогу. Мы ее подтащили к дивану, но никак нам ее не положить на диван. Вся грязь за нею тащится. У нее место не вышло, ничего, понимаете? «Юрик, ты держи. Немножко приподнимем. Ты только держи, подставь колено. А я здесь буду заворачивать». Все-таки положили! Только мы успели положить, еще тут подбираем все, вдруг девушка бежит. «Марья Ивановна, — кричит, — Марья Ивановна! Вы живы?» Мы уж забыли об обстреле. Обстрел-то не кончился, вспышки, осколки! Это была Муся, Смирнова ее фамилия. Из дома тридцать шесть. А квартиру не знаю. Молоденькая девушка, тоже, наверно, вот такая, как Юрик, ей лет шестнадцать. Я говорю. «Жива я, Мусенька, жива». И еще говорю: «Нам необходимо сейчас же вызвать машину. Ты иди обратно к телефону. Осторожно пробирайся!» — «Я осторожно. Вы-то осторожнее, ведь он сюда все бьет!» И потом она мне сообщила: «Марья Ивановна! Еще разбило дом шестьдесят седьмой на Тентелевке, все пробило одним снарядом, и печка там упала». А там лежали все больные, и печка — круглая, большая — им на ноги. Они все и умерли. Я говорю: «Муся, мы тоже должны закончить здесь все. Вызывай машину. Скажи, что роженица, они быстрее приедут». Ну, правда, быстро-быстро, мы не успели тут прибрать по-настоящему, как машина приехала. Сдала я их.

— Ни фамилии, ни имени не помните?

— Имя ее Дуся. А фамилия? Если только вот найдете Юрика этого Лебедева, то он, конечно, знает. Они в одном доме жили. Он наверху там, во втором этаже жил. Он знает хорошо. Чего-то такое... Нет, не хочу, потому что я перевру, так я хочу сказать. После этого я справлялась. Вернее, как? Не справлялась. Меня вызвали как-то в Дом культуры (уж наверно, года через два после этого всего, после войны). Вызвали в Дом культуры и попросили рассказать отдельные эпизоды. Там были стенографистки. И когда я закончила, я говорю: «Вот что я не знаю: я забыла даже посмотреть — мальчик это был или девочка. Очень сожалею. И не знаю сейчас, жив ли он». Тогда поднялась какая-то женщина со стула и говорит: «Мария Ивановна! Жив мальчик, и жива его мать». Они получили комнату, когда она вышла из больницы. Долго лежали в больнице, где-то у Черной речки, на Петроградской. Так я не нашла. Все хотела написать в бюро добрых услуг — может быть, они бы нашли.

— А Юрик после куда делся?

— Про Юрика тоже не знаю. Когда все тут кончилось, он исчез. Наверно, они получили площадь. Лебедев Юрик. Его брат — летчик. Мать и отец были эвакуированы».

Когда рушился под тяжестью преступлений несостоявшийся «тысячелетний рейх» и фашистскому Берлину непосредственно стали угрожать окружение, штурм, Гитлер вдруг вспомнил про Ленинград.

А в циркуляре рейхсфюрера СС Гиммлера, ставшего командующим группой войск «Висла», Ленинград приводился как пример поведения жителей, обороны города, создания неприступной крепости. Циркуляр № 40/10 завершался фразой: «Ненависть населения создала важнейшую движущую силу обороны».

С каким «научным» хладнокровием старались они удушить, истребить, стереть с лица земли Ленинград. Не получилось. Теперь приходилось «научно» (с учетом ленинградского опыта) спасать собственную столицу.

Да только ни там, ни здесь их каннибальская «наука», их самые предусмотрительные приказы не могли решить задачу, привести их к победе.

Нужно было что-то большее, чем блудливый страх перед расплатой, за жизнь свою страх.

Нужно было что-то такое, что сильнее любых приказов, всех мук голода. Что сильнее и страха и смерти. Именно то, чем держались ленинградцы, что питало волю и героизм советских людей под Москвой, и в Севастополе, и в Сталинграде, и в партизанских краях и республиках, — великая, высокая человеческая правота и оправданность борьбы до последнего дыхания.

Мария Ивановна, бессмертная, вечная Мария Ивановна не капитулировала. Капитулировали они — те, что старались убить ее бомбами, снарядами, похоронить под стенами обрушившихся домов, уморить голодом, холодом, усталостью, безнадежностью. Победила она и тот безымянный мальчик, который родился, казалось бы, в самом царстве смерти. Жизнь победила.

Содержание

Алесь Михайлович Адамович
Даниил Александрович Гранин

БЛОКАДНАЯ КНИГА

В двух книгах

Книга первая

Редактор *В. Чеснокова*.
Художественный редактор *И. Марев*.
Технический редактор *Л. Платонова*.
Корректор *Е. Германова*.
Компьютерная верстка *Е. Щербакова*.

Изд. № 0105053.
Подписано в печать 31.01.05 г.
Формат 50×90^1/$_{16}$. Бумага офсетная.
Гарнитура «Петербург». Печать офсетная.
Усл. печ. л. 17,85. Уч.-изд. л. 16,21.
Заказ № 0502230.

ТЕРРА—Книжный клуб. 115093, Москва, ул. Щипок, 2.

Отпечатано в полном соответствии с качеством предоставленного
оригинал-макета в ОАО «Ярославский полиграфкомбинат».
150049, Ярославль, ул. Свободы, 97.